Elogios por La protección espiritual para sus hijos

¡Obligatorio! ¡No se puede dejar de leer! Lectura obligatoria para padres y líderes cristianos. Dios usó este libro para desafiarme y cambiarme en algunos aspectos que lo necesitaba. Lo usaré normalmente cuando aconseje a los estudiantes.

Joe Aldrich, Presidente
Escuela Multnomah de la Biblia

Esta es 'lectura obligatoria' para quienes se interesen por dar efectivamente la "buena batalla de la fe". Los autores nos ayudan a que entendamos que Satanás y sus demonios no son inventos de la imaginación humana. Son reales y, nos guste o no, pueden influir en nosotros y nuestros hijos especialmente a quienes ignoramos sus tácticas. *Protección espiritual para sus hijos* da información útil para tratar apropiadamente a los espíritus demoníacos.

Ray Beeson, autor
Director de los Ministerios para Vencedores

¡Llama la atención! Pete y Sue Vander Hook le llamarán la atención con el relato de su durísima prueba espiritual que duró tres años. Mientras que Neil Anderson le da pasos bíblicos prácticos para establecer la libertad espiritual de su familia. ¡Padres, abuelos, pastores, misioneros y profesores tienen que leer *Protección espiritual para sus hijos*!

Jay Bell, de la Planta de personal del Ministerio Global
Misiones internacionales de los hermanos por gracia

Pete y Sue Vander Hook no sólo relatan las dimensiones feroces de la batalla que, a veces, se entabla con las potestades de las tinieblas sino que, también, exaltan la suficiencia de la victoria en Cristo que tiene el creyente. Neil Anderson da herramientas útiles junto con un equilibrado enfoque de la protección espiritual. Este libro debe ser dado a conocer a toda la comunidad cristiana.

Mark Bubeck, escritor, Presidente
Centro internacional de consejería bíblica.

Todo padre o madre cristiano que se interese por la providencia y la protección de Dios para sus hijos, se beneficiará leyendo este libro estratégico.

Paul A. Cedar, Presidente
Iglesia Evangélica Libre de Norteamérica

Este libro es lectura obligada para todo padre o madre de niños pequeños. No hay seguro más grande del futuro abundante de sus hijos que la libertad en Cristo.

David L. Finnell
Universidad Internacional Columbia

Neil Anderson toca otro nervio vitalmente necesario del cuerpo de Cristo: defenderse inteligentemente contra los calculados ataques del adversario a nuestros hijos

Jack W. Hayford, pastor titular
La Iglesia del Camino

Agradecemos a Neil Anderson por *Protección espiritual para sus hijos*. Evitará que muchos niños, padres y familias tengan años, quizá toda la vida, de pesar.

Dr. J. Kent Hutcheson y Señora

Esta historia increíble es de lectura obligatoria.
Una vez que se empieza a leer, no quiere dejar
el libro hasta terminarlo.
Earl Pickard, Director Nacional
Obras de oración

Este libro disipará la ignorancia equipando a la familia
con las armas espirituales que Dios nos dio para prevenir y
vencer cualquier ataque que pueda presentársenos.
¡No debe haber hogar cristiano que no tenga este
libro dramático y alentador!
C. Peter Wagner
Seminario Teológico Fuller

G. Salcido
2001

C. Soleido
2001

PROTECCIÓN
ESPIRITUAL
PARA SUS HIJOS

Cómo ayudar a sus hijos
y a su familia a hallar
su identidad, libertad y
seguridad en Cristo

NEIL T. ANDERSON
Y PETE Y SUE VANDER HOOK

EDITORIAL
UNILIT

Publicado por
Editorial **Unilit**
Miami, Fl. 33172
Derechos reservados

Primera edición 1998

© 1996 por Neil T. Anderson y Pete y Sue Vander Hook

Originalmente publicado en inglés con el título:
Spiritual Protection for Your Children por Regal Book, una división de
Gospel Light
Ventura, California U.S.A
Todos los derechos de publicación con excepción del idioma inglés son
contratados exclusivamente por GLINT, P.O. Box 4060
Ontario, California 91761-1003, U.S.A

Traducido al español por: Nellyda Pablovsky

Citas bíblicas tomadas de la Santa Biblia, revisión 1960
© Sociedades Bíblicas Unidas
Usada con permiso.

Producto 497513
ISBN 0-7899-0288-5
Impreso en Colombia
Printed in Colombia

PETE

JARED

DAVID

SUE

JALENE

MYKAELA

Para David, Jared, Jalene y Mykaela
que conocen la verdad...
y han sido libertados.

Contenido

Introducción 13

Parte I: Liberando a su familia

1. Un castillo fuerte 35

"Vuestro adversario el diablo, como león rugiente, anda alrededor buscando a quien devorar" (1 Pedro 5:8).

2. El enemigo de la vida 41

"No fue encubierto de ti mi cuerpo, bien que en oculto fui formado" (Salmo 139:15).

3. El programa de la muerte 47

"Aunque ande en valle de sombra de muerte, no temeré mal alguno, porque tú estarás conmigo" (Salmo 23:4).

4. ¿Quién soy yo? 55

"Hijos de Dios" (Juan 1:12).

5. Seguir adelante 65

"Aunque ahora por un poco de tiempo, si es necesario, tengáis que ser afligidos en diversas pruebas, para que sometida a prueba vuestra fe ... sea hallada en alabanza, gloria y honra cuando sea manifestado Jesucristo" (1 Pedro 1:6,7).

6. Pasos hacia la libertad 75

"Quítense de vosotros toda amargura, enojo, ira, gritería y maledicencia, y toda malicia" (Efesios 4:31).

7. Victoria inesperada 83

"Yo he venido para que tengan vida, y para que la tengan en abundancia" (Juan 10:10).

8. Alcanzando al prójimo 95

"Dejad a los niños venir a mí, y no se lo impidáis; porque de los tales es el reino de los cielos" (Mateo 19:14).

9. El segundo asalto 105
"Y el maligno no le toca" (1 Juan 5:18).

10. Armas para la batalla 113
"Vestíos de toda la armadura de Dios, para que podáis estar firmes contra las asechanzas del diablo" (Efesios 6:11).

11. Hijos del ministerio 123
"Y sabemos que a los que aman a Dios, todas las cosas les ayudan a bien, esto es, a los que conforme a su propósito son llamados" (Romanos 8:28).

12. Derribando fortalezas 127
"Porque no nos ha dado Dios espíritu de cobardía, sino de poder, de amor y de dominio propio" (2 Timoteo 1:7).

13. Represalias 137
"De buena gana me gloriaré más bien en mis debilidades, para que repose sobre mí el poder de Cristo" (2 Corintios 12:9).

14. Victorias 143
"Así que, si el Hijo os libertare, seréis verdaderamente libres" (Juan 8:36).

15. La iglesia bajo ataque 149
"No tenemos lucha contra sangre y carne, sino contra principados, contra potestades, contra los gobernadores de las tinieblas de este siglo, contra huestes espirituales de maldad en las regiones celestes" (Efesios 6:12).

16. El proceso de fortalecimiento 155
"Pero tengo contra ti, que has dejado tu primer amor" (Apocalipsis 2:4).

17. Publicando 161
"Si confesamos nuestros pecados, él es fiel y justo para perdonar nuestros pecados, y limpiarnos de toda maldad" (1 Juan 1:9).

Epílogo: La verdad os hará libres 167
"Y conoceréis la verdad, y la verdad os hará libres" (Juan 8:32).

Parte II: Guiando a sus hijos a la libertad en Cristo

18. Superando el engaño y el miedo 173

"Someteos, pues, a Dios; resistid al diablo, y huirá de vosotros" (Santiago 4:7).

19. Pasos para libertar a su hijo 189

- 9-12 años de edad

- 5-8 años de edad

- 0-4 años de edad

20. Orando por su hijo 231

"Pido esto en el precioso nombre de mi Señor y Salvador Jesucristo. Amén".

Apéndice A 245

Pasos a la libertad en Cristo

Apéndice B 279

Materiales y entrenamiento para usted y su iglesia

Introducción

Usted está por leer el relato notable de la victoria de una familia sobre las potestades de las tinieblas. Lo que hace tan extraordinario este testimonio es la naturaleza corriente de la familia Vander Hook.

Pete es un pastor evangélico de una iglesia principal del centro de los Estados Unidos de Norteamérica. Él y Sue, su esposa, son padres de rectitud moral cuyos hijos no sólo asistían a una escuela cristiana sino también estaban recibiendo educación en su casa. Como familia han tomado una firme postura en pro de la santidad de la vida.

Pete y Sue Vander Hook son cristianos bíblicos que no ceden y que se vieron en una batalla espiritual por su familia. La lucha de ellos por ayudar a sus hijos, les condujo a su propia libertad en Cristo y a un ministerio para el prójimo.

La familia: El blanco de Satanás

Desearía decir que la historia de los Vander Hook es una excepción pero no lo es. Yo he tenido el privilegio de ayudar a miles de cristianos a encontrar su libertad en Cristo en los últimos años. La mayoría eran líderes cristianos, sus cónyuges o sus hijos. Generalmente sus problemas se originaron en la infancia.

Muchos padres creen que un hogar cristiano, una iglesia activa y una escuela cristiana aislarán y protegerán a sus hijos del mundo, de la carne y del diablo. En realidad, estas familias suelen ser los blancos de las potestades de las tinieblas que procuran destruir sus hogares y sus ministerios. Cuando nos preparábamos para escribir *La seducción de nuestros hijos*, Steve Russo y yo entrevistamos a más de 1.700 adolescentes que profesaban ser cristianos.

Los siguientes resultados son los que hallamos en una escuela secundaria cristiana evangélica:

- Cuarenta y cinco por ciento dijo que habían sentido (visto u oído) una *presencia* en sus habitaciones, cosa que les asustó.

- Cincuenta y nueve por ciento dijo que habían abrigado malos pensamientos sobre Dios.

- Cuarenta y tres por ciento dijo que mentalmente les costaba mucho orar y leer la Biblia.

- Sesenta y nueve por ciento informó que oían "voces" en sus cabezas como si hubiera voces subconscientes que les hablaban.

- Veintidós por ciento dijo que frecuentemente albergaban pensamientos suicidas.

- Setenta y cuatro por ciento piensa que son diferentes de los demás. (Sirve para los otros pero no para ellos).

Aunque ya estos porcentajes son malos, aumentan considerablemente cuando los adolescentes han estado metidos en el ocultismo, seguido guía falsa o jugado ciertos juegos de fantasía que ningún cristiano debe jugar. ¿Cómo explicamos que 7 de cada 10 jóvenes que profesan ser cristianos estén oyendo voces? ¿Son esquizofrénico, o psicótico? Podría ser eso pero también debemos considerar la verdad que se nos enseña en 1 Timoteo 4:1: *Pero el Espíritu dice claramente que en los postreros tiempos algunos apostatarán de la fe, escuchando a espíritus engañadores y a doctrinas de demonios.*

¿Está pasando eso? Está pasando en todo el mundo. En los últimos 10 años he tenido el privilegio de ayudar individualmente a casi mil adultos que luchaban con sus pensamientos, y experimentan dificultades para leer sus Biblias o escuchan realmente voces en sus cabezas. Sus problemas resultaron ser batallas espirituales por sus mentes.

Hemos aprendido cómo ayudarles a hallar su libertad en Cristo en una sola sesión de tres a cuatro horas. Este proceso de consejería discipuladora está explicado en mi libro *Ayudando a otros a encontrar libertad en Cristo.* La siguiente porción de la oración del Sumo

Sacerdote (Jesús) en Juan 17:13-20 explica la batalla espiritual que cada cristiano está librando:

Pero ahora voy a ti; y hablo esto en el mundo, para que tengan mi gozo cumplido en sí mismos. Yo les he dado tu palabra; y el mundo los aborreció, porque no son del mundo, como tampoco yo soy del mundo. No ruego que los quites del mundo, sino que los guardes del mal. No son del mundo, como tampoco yo soy del mundo. Santifícalos en tu verdad; tu palabra es verdad. Como tú me enviaste al mundo, así yo los he enviado al mundo. Y por ellos yo me santifico a mí mismo, para que también ellos sean santificados en la verdad. Mas no ruego solamente por éstos, sino también por los que han de creer en mí por la palabra de ellos.

Juan 17:13-20

No estamos indefensos

La protección contra el maligno era la preocupación de Jesús por Sus discípulos y aquellos que iban a creer en Él. Jesús regresaba al Padre pero se quedaban en el planeta Tierra los discípulos y la Iglesia que pronto sería establecida, la Tierra donde "el príncipe de este mundo" (Juan 14:30), "el príncipe de la potestad del aire" (Efesios 2:2), "vuestro adversario el diablo, como león rugiente, anda alrededor buscando a quien devorar" (1 Pedro 5:8).

Al contrario de los padres preocupados que pueden verse tentados a aislar a sus hijos de las duras realidades de este mundo, Jesús no pidió que fuésemos sacados de aquí. Esa estrategia no produciría crecimiento en los hijos ni en la Iglesia, por tanto, ningún ministerio futuro. En cambio, Su oración fue que seamos protegidos del maligno.

Idea que asusta pero Jesús no nos ha dejado indefensos a nosotros ni a nuestros hijos. Primero: "Y vosotros estáis completos en él, que es la cabeza de todo principado y potestad" (Colosenses 2:10). Los cristianos están establecidos en Cristo y sentados con Él en los lugares celestiales (ver Efesios 2:6). Nuestra posición en Cristo nos da toda la autoridad que necesitamos sobre el maligno para ejecutar la responsabilidad delegada de cumplir la Gran Comisión (ver Mateo 28:18-19).

Segundo: "Y despojando a los principados y a las potestades, los exhibió públicamente, triunfando sobre ellos en la cruz" (Colosenses 2:15). "Para que la multiforme sabiduría de Dios sea ahora dada a conocer por medio de la iglesia a los principados y potestades en los lugares celestiales, conforme al propósito eterno que hizo en Cristo Jesús nuestro Señor" (Efesios 3:10-11).

Pablo manifestó el eterno propósito de Dios: dar a conocer Su sabiduría por medio de la Iglesia. ¿A quién? A los principados y potestades en los lugares celestiales (esto es, el reino espiritual). "*Para esto* apareció el Hijo de Dios, para deshacer las obras del diablo" (1 Juan 3:8; énfasis del autor). Si la batalla es entre el reino de las tinieblas y el reino de la luz, entre Cristo y el anticristo, y el propósito eterno de Dios es dar a conocer Su sabiduría por medio de la Iglesia a los principados y potestades en los lugares celestiales, ¿cómo nos va?

Me temo que no muy bien. Algunos cristianos ni siquiera creen en la persona del diablo, una doctrina establecida de la Iglesia cristiana histórica. Muchos creyentes viven como si el diablo no existiera, entendien poco de la habilidad del mundo espiritual para ir en contra de ellos mismos o de sus familias. Hay unos pocos que hasta insistirían en que no hay interacción. Otros, debido al miedo, optan conscientemente por no tratar la realidad del diablo. En algunos círculos educacionales no tiene credibilidad académica. Muchos de nosotros somos como guerreros cegados incapaces de identificar al enemigo, así que nos atacamos a nosotros mismos y unos a otros.

Para confrontar este mundo hostil el Señor no nos dejó indefensos. Tenemos refugio en Cristo y Él nos equipó con la armadura de Dios. Tenemos todos los recursos que necesitamos en Cristo para estar firmes y resistir al diablo. Sin embargo, si no asumimos nuestra responsabilidad, estos recursos quedan sin uso.

Él nos instruyó que nos pusiéramos la armadura de Dios. ¿Qué pasa si no nos la ponemos? Se nos dijo "vestíos del Señor Jesucristo, y no proveáis para los deseos de la carne" (Romanos 13:14). ¿Qué pasa si hicimos provisión para la carne? Claro está que es nuestra responsabilidad "resistir al diablo" (Santiago 4:7). ¿Qué pasa si no resistimos? La provisión de Dios para nuestra libertad en Cristo está limitada hasta el punto en que fallemos en reconocer nuestra posición en Cristo y asumir nuestra responsabilidad.

La respuesta más corriente e ingenua del mundo occidental es ignorar la batalla o hacerse la suposición fatal de que los cristianos están inmunes a eso de alguna forma. Precisamente es verdad lo contrario. La ignorancia no es bendición sino derrota. Si usted es cristiano, usted es el blanco. Si usted es pastor, ¡usted y su familia están en el centro del blanco! La estrategia de Satanás es volver inoperantes a los cristianos al tiempo que arrasa la verdad de que estamos "muertos al pecado, pero vivos para Dios en Cristo Jesús, Señor nuestro" (Romanos 6:11).

¿Cómo le está yendo al diablo? La tasa de divorcio y desintegración de la familia cristiana es casi la misma que la del mundo secular. La diferencia entre un cristiano y un pagano ya no es evidente. La caída trágica de muchos líderes cristianos bien conocidos indica que algo está mortalmente mal. Tener conocimiento intelectual de la Escritura obviamente no basta porque estoy seguro de que esos líderes lo tenían. "El cristianismo no funciona" es el mensaje erróneo que muchos optan por creer.

Tres niveles de madurez cristiana

El apóstol Juan arrojó cierta luz sobre nuestro dilema cuando categorizó tres niveles de madurez en 1 Juan 2:12-14. Los "hijitos" de la fe se identifican como aquellos que conocen al Padre y han recibido perdón de sus pecados. En otras palabras, ellos superaron la penalidad del pecado. Satanás pierde la batalla primaria en este primer nivel de madurez cuando confiamos en Cristo pero no enrosca su cola ni mete sus colmillos. Su estrategia es mantener a los creyentes bajo el poder del pecado.

Juan identifica dos veces a la persona joven en la fe (el segundo nivel de madurez) por la habilidad de esa persona para "vencer al maligno". ¿Cómo puede la gente llegar a su plena madurez en Cristo si no tienen idea de cómo vencer al maligno?

La triste verdad es que aun muchos de nuestros dirigentes cristianos no han llegado al segundo nivel de madurez espiritual como lo demuestran sus apetitos y conductas evidentemente incontrolables. El ciclo de pecado-confesión-pecado-confesión-pecado-confesión y pecado otra vez no trata con toda la realidad. Debería ser pecado, arrepentimiento y resistencia. La confesión es solamente el primer paso del arrepentimiento. El tercer nivel de madurez está identificado en quienes tienen un conocimiento profundo de Dios.

Si usted se ve tentado a pensar que tiene inmunidad espiritual a los ataques del maligno, permita que le haga tres preguntas pertinentes. Primero, ¿ha experimentado alguna tentación en esta semana? ¿Quién es bíblicamente el tentador? No puede ser Dios. Él prueba nuestra fe para fortalecerla pero las tentaciones de Satanás están destinadas a destruir nuestra fe.

Segundo, ¿ha luchado alguna vez con la voz del acusador de los hermanos? Antes que conteste, déjeme volver a plantear la pregunta: ¿Alguna vez ha luchado con pensamientos como "yo soy estúpido" o "soy fea" o "no puedo" o "Dios no me ama" o "yo soy diferente de los demás" o "¡me estoy hundiendo!" Yo sé que sí porque la Biblia dice que él acusa a los hermanos día y noche.

Tercero, ¿alguna vez ha sido engañado? La persona que es tentada a responder que no, puede ser la más engañada de todas.

La batalla real

Permita que le cuente lo que creo que es la batalla real. Si yo lo tiento, usted lo sabe. Si yo lo acuso, usted lo sabe. Pero si lo engaño, usted no lo sabe. Si lo supiera, no estaría ni sería más engañado.

Ahora escuche la lógica de la Biblia: "Si vosotros permaneciereis en mi palabra, seréis verdaderamente mis discípulos; y conoceréis la verdad, y la verdad os hará libres" (Juan 8:31,32). Jesús dijo: "Yo soy el camino, y la verdad, y la vida" (14:6). Jesús rogó en la oración de Sumo Sacerdote: "Santifícalos en tu verdad; tu palabra es verdad" (17:17). La primera pieza de la armadura de Dios con que nos ceñimos es "la verdad" (Efesios 6:14).

¿Por qué Dios mató con tanta espectacularidad a Ananías y Safira en la época de la Iglesia Primitiva? Pedro preguntó: "Ananías, ¿por qué llenó Satanás tu corazón para que mintieses al Espíritu Santo, y sustrajeses del precio de la heredad?" (Hechos 5:3). El mensaje es claro. Si Satanás puede hacernos creer una mentira en cualquier aspecto de nuestra vida: iglesia, hogar, matrimonio o identidad personal, puede robarnos la victoria en Cristo. El Señor tuvo que dejar al descubierto la batalla por la mente tan pronto como Satanás levantó su fea cabeza en la Iglesia Primitiva.

Esta estrategia se despliega en todo el Antiguo y Nuevo Testamentos. Satanás engañó a Ananías y Safira para que mintieran al Espíritu Santo. Satanás también *engañó* a Eva que creyó la *mentira*. "Pero Satanás se levantó contra Israel, e incitó a David a que hiciese censo de Israel" (1 Crónicas 21:1). David se creyó la mentira y la destrucción sobrevino a la nación. En la última cena: "Y cuando cenaban, como el diablo ya había puesto en el corazón de Judas Iscariote, hijo de Simón, que le entregase" (Juan 13:2).

No fue idea de David desafiar la voluntad de Dios ni tampoco fue idea de Judas traicionar a Cristo pero, probablemente, ambos se lo creyeron así. Ese es el engaño. La gente buena y hasta la gente elegida por Dios puede ser engañada. El diablo no puede hacer que los cristianos hagan nada en contra de sus voluntades pero el padre de mentira nos engañará si no asumimos nuestra responsabilidad de saber la verdad que nos liberta. La batalla primordial se libra por nuestras mentes.

¿Por qué no sabemos esto? Una razón es que no podemos leernos la mente unos a otros. La gente teme compartir los pensamientos demoníacos porque no quieren que los etiqueten, erróneamente, de enfermos mentales. Habitualmente contarán sus experiencias de dolor o maltrato pero, no obstante, rara vez pueden hallar seguridad en una persona como para poder contarles sus batallas mentales. Por tanto, ellos las mantienen encerradas en sus mentes.

¿Son enfermos mentales o hay una batalla librándose por sus mentes? La falta de aportes bíblicos equilibrados para los profesionales de la salud mental los ha dejado solamente con una conclusión: Todo problema mental debe ser psicológico o neurológico.

Una explicación médica corriente para los que escuchan voces, tienen ataques de pánico, sufren grave depresión o ven cosas en sus habitaciones, es "usted tiene un trastorno químico". Habitualmente recetan un remedio esperando curar el problema o eliminar los síntomas.

Creo que la química de nuestro cuerpo puede desequilibrarse y producir malestares, y que los problemas hormonales pueden desequilibrar nuestro organismo, pero también creo que se deben plantear otras preguntas legítimas. Por ejemplo: "¿Cómo puede una sustancia química producir un pensamiento personal?" y "¿cómo pueden nuestros neurotransmisores dispararse involuntariamente y al azar en formas que crean pensamientos que nosotros no queremos pensar?"

¿Hay una explicación natural de eso? Estoy dispuesto a escuchar todas las respuestas y explicaciones legítimas porque realmente me interesa la gente. Quiero ver que resuelvan sus problemas por gracia de Dios pero no pienso que eso suceda a menos que consideremos la realidad del mundo espiritual.

Cuando la gente dice que oye voces ¿qué es lo que realmente oyen? La única manera en que podemos oír físicamente con nuestros oídos es que haya una onda sonora que comprima las moléculas del aire. Las ondas de sonido se mueven por el medio físico del aire y golpean los tímpanos, enviando una señal al cerebro. Así es como oímos físicamente. Las voces que la gente oye o los pensamientos con que luchan no vienen de esa clase de fuente.

En forma similar, cuando la gente dice que ve cosas (que otros no ven), ¿qué ven en realidad? La única manera en que podemos ver naturalmente algo es que haya una fuente de luz que se refleje desde un objeto material a los ojos, enviando una señal al cerebro. Satanás y sus demonios son seres espirituales; no tienen sustancia material así que no podemos ver seres espirituales con los ojos naturales ni oírlos con los oídos naturales. "No tenemos lucha contra sangre y carne, sino contra principados, contra potestades, contra los gobernadores de las tinieblas de este siglo, contra huestes espirituales de maldad en las regiones celestes" (Efesios 6:12).

¿Qué es típico que hagan los padres cuando los niños asustados entran a su dormitorio diciendo que vieron o escucharon algo en sus cuartos? Van al dormitorio del niño, miran en el closet o debajo de la cama y dicen: "no hay nada en tu habitación, mi amor, ahora ¡vuélvase a dormir!" Si usted, adulto, viera algo en su cuarto, ¿se olvidaría sencillamente y se volvería a dormir?

"Pero miré en la habitación y no había nada ahí", responde usted. Nunca hubo nada en la habitación perceptible por sus sentidos naturales. "Entonces no es real", dice el escéptico. ¡Oh, sí, es real! Lo que ese niño vio u oyó estaba en su mente y era muy real.

No puedo explicar cómo les presta atención la gente a los espíritus engañadores. No sé cómo lo hace el diablo, pero no tengo que saber cómo lo hace, para creer lo que la Escritura enseña claramente. La batalla espiritual por la mente no funciona según las leyes naturales. Ninguna barrera física puede confinar o restringir los movimientos de Satanás. El rostro asustado de un niño atestigua que la batalla es real. Por qué no responderle al niño como sigue:

> Mi amor, creo que viste u oíste algo. Yo no vi ni oí nada así que eso me sirve para entender que puedes estar sometido a un ataque espiritual o que puedes haber tenido malos recuerdos de una película que viste. A veces, no sé distinguir la diferencia entre lo que es real o un sueño que acababa de tener.
>
> Antes de orar por tu protección quiero que sepas que Jesús es mucho más grande y poderoso que cualquier cosa aterradora que veas u oigas. La Biblia dice que mayor es Jesús que vive en nosotros que todos los monstruos del mundo. Como Jesús siempre está con nosotros, podemos decirle a lo que nos esté asustando que se vaya en el nombre de Jesús. La Biblia nos dice que nos sometamos a Dios y resistamos al diablo y éste huirá de nosotros. ¿Mi amor, puedes hacer eso? ¿Quieres preguntar algo? Entonces oremos juntos.

El cerebro contra la mente

Mucho hay que desconocemos del funcionamiento mental, pero sí sabemos que hay una diferencia fundamental entre el cerebro y la mente. El cerebro es materia orgánica. Cuando morimos físicamente, nos separaremos del cuerpo y el cerebro volverá al polvo. En ese momento, nos ausentaremos del cuerpo y estaremos presentes con el Señor pero no estaremos sin mente porque la mente es parte del alma.

Permítame una analogía. Nuestra habilidad para pensar es similar al funcionamiento de una computadora. Ambos tienen dos componentes separados: el *hardware*, que es la computadora física real (cerebro) y el *software* (mente) que programa al *hardware*. Si se quita el *software* del *hardware,* éste sigue pesando lo mismo. Igualmente si se quita el espíritu del cuerpo, éste conserva el mismo peso. La computadora es totalmente inútil sin el software pero tampoco funciona el *software* si el *hardware* está apagado.

La sociedad presupone que si algo entre las orejas no funciona correctamente debe ser por un problema del *hardware.* Yo no creo que el problema primordial sea el hardware; pienso que el problema primordial es el *software.* Si una persona tiene un síndrome cerebral orgánico, el síndrome de Down o la enfermedad de Alzheimer, el cerebro no funcionará muy bien. Sin embargo, el daño cerebral severo es relativamente raro y poco puede hacerse por eso. Romanos 12:1,2 nos manda a someter el cuerpo a Dios (lo que incluye al cerebro) y ser transformados por la renovación de la mente.

Mucho de lo que hoy pasa por enfermedad mental no es más que la batalla por la mente. Proverbios 23:7 dice: "Porque cual es su pensamiento en su corazón, tal es él". En otras palabras, no hacemos nada sin pensarlo primero. Toda conducta es el producto de lo que elegimos creer o pensar. No podemos ver lo que piensa la gente. Sólo podemos observar lo que hace. Por tanto, cuando nuestros hijos se portan mal, tratamos de cambiar sus conductas cuando debiéramos tratar de entender su pensamiento para que podamos cambiar lo que creen.

Como no podemos leer la mente de otra persona, debemos aprender a formular las preguntas correctas. En *La seducción de nuestros hijos* yo conté lo que le pasó a Danny, un niño de cinco años de edad, que fue enviado a la oficina de la escuela cristiana a la que iba por herir a varios niños en el patio de recreo. Él se había estado comportando agresivamente con los otros niños y estaba inquieto en la clase. Su maestra dijo: "Me confunde su conducta reciente. ¡Danny no se comportaba de esta manera!" La madre de Danny era maestra de la escuela. Cuando le preguntó a su hijo por Jesús, él se tapó los oídos y gritó "¡odio a Jesús!" ¡Entonces agarró a su madre y se rió con una voz odiosa!

Cuando le preguntamos a Danny si había oído voces que le hablaban en su cabeza, pareció aliviado. Dijo voluntariamente que las voces le gritaban que hiriera a los otros niños cuando estuviera en el patio de recreo. Los pensamientos eran tan fuertes que la única manera de acallarlos era obedecer, aunque él sabía que se metería en problemas. Le dijimos a Danny que no tenía que oír más las voces.

Dirigimos a Danny por la versión infantil de "Pasos a la libertad", descritos más adelante en este libro, haciendo que él dijera las oraciones después de nosotros. Cuando terminamos le preguntamos cómo se sentía. Una gran sonrisa se desplegó por su cara y con un suspiro de alivio dijo: "¡Mucho mejor!" Su profesora notó la tranquilidad al día siguiente como si fuera un niño diferente. La conducta agresiva en la escuela terminó por completo.

Un consagrado matrimonio cristiano adoptó a un niño pequeño, lo recibieron en su hogar con los brazos abiertos. Su inocente bebito se convirtió en un monstruo antes de cumplir los cinco años. El hogar de ellos era un revoltijo cuando me pidieron que hablara con el niño.

Después de hablar amistosamente un rato le pregunté si alguna vez le parecía como que alguien le hablaba adentro de la cabeza.

—Sí —dijo—, todo el tiempo.

—¿Qué dicen? —pregunté.

—Me dicen que no soy bueno.

Le pregunté si alguna vez le había pedido a Jesús que entrara a su vida.

—Sí, pero no era en serio —dijo.

Le dije que si en realidad le pedía a Jesús que entrara a su vida, podría decirle a esas voces que se fueran. Dándose cuenta de eso, él dio sinceramente su corazón a Cristo.

Otro matrimonio consagrado oyó golpes en la pared del dormitorio de su hijo. Él había tomado un par de tijeras y había perforado varias veces la pared. Nunca lo agarraron haciéndolo ni tampoco encontraron las tijeras. Entonces el niño empezó a cortar toda la ropa de la casa. Otra vez no pudieron agarrar al niño haciéndolo. Se amontonaron tremendas cuentas del médico y de consejería al tratar ellos desesperadamente de hallar una solución.

Finalmente los padres conocieron el material de la Libertad en Cristo y empezaron a creer que esto podía ser un problema espiritual. Así que le preguntaron a su hijo si alguna vez había tenido pensamientos que le decían que hiciera lo que hacía. Dijo: "¡Sí, y si no hago lo que me dicen que haga, dijeron que te matarían (al padre)!" El pequeño pensaba que estaba salvando la vida de su padre. He escuchado eso mismo más de una vez.

El cuadro completo

Miremos el cuadro completo. Antes de venir a Cristo no teníamos la presencia de Dios en nuestra vida ni el conocimiento de Sus caminos. Consecuentemente, aprendimos a vivir nuestra vida en forma independiente de Dios.

Cuando consagramos nuestra vida al Señor y nacimos de nuevo, nos volvimos nuevas creaciones en Cristo. La buena nueva es que la salvación viene con un paquete de software totalmente nuevo. La mala nueva es que no hay botón o tecla para borrar. Así que el viejo software (la carne o vieja naturaleza) está todavía cargada en el banco de memoria y la computadora es vulnerable a los virus (los dardos de fuego del maligno). Debemos optar conscientemente por renovar (programar de nuevo) nuestra mente y revisar los virus (ataques demoníacos).

Pablo dijo: "Pues aunque andamos en la carne, no militamos según la carne; porque las armas de nuestra milicia no son carnales, sino poderosas en Dios para la destrucción de fortalezas, derribando argumentos y toda altivez que se levanta contra el conocimiento de Dios, y llevando cautivo todo pensamiento a la obediencia a Cristo" (2 Corintios 10:3-5). Cada hijo o hija de Dios debe asumir la responsabilidad personal de elegir la verdad y enseñar a su hijo o hijos que hagan lo mismo.

La terminología computacional de "basura adentro, basura afuera" también se aplica a la mente. Si hemos visto muchas películas de horror, esas imágenes se archivaron en la memoria. Cuando dormimos no tenemos control consciente de la mente. La "computadora" que tenemos entre las orejas puede entrar por casualidad a cualquier archivo almacenado en la memoria, dando la base de muchas pesadillas.

La mayoría de las pesadillas probablemente no sean ataques espirituales directos a la mente aunque las películas de horror sean indudablemente de inspiración demoníaca. Un ejemplar del *The Denver Post*, de octubre de 1995, informaba que el escritor Stephen King, dijo en una conferencia para reunir fondos para la biblioteca pública de Bangor, Maine, su pueblo natal: "La gente paga $50 por hora al psiquiatra para librarse de esos pensamientos enfermizos. Yo los escribo y la gente me paga".

En forma similar, el tema de muchos sueños "buenos" se centra en torno a personas que conocemos y experiencias preciosas que tuvimos. Una querida señora me preguntó sobre las alucinaciones de personajes de Disney grotescos que tuvo cuando estuvo bajo intenso tratamiento con medicamentos. Le dije que como ella no tenía el control consciente de la mente por estar bajo la influencia de los medicamentos alucinógenos y de la grave enfermedad, su mente estaba "libre" para acceder a lo que ella tuviera almacenado en la memoria.

Era meritorio que ella hubiera llenado su mente con imágenes del ratón Miguelito. Muchas personas hubieran tenido a disposición imágenes mucho peores para recordar. Los ataques espirituales y la entrada de malos datos han hecho que mucha gente tenga problemas "mentales".

Nuestra mentalidad occidental presupone que hay una explicación natural para todo. Una vez explorada infructuosamente toda posibilidad médica, decimos: "No queda nada por hacer ahora sino orar". Yo creo que se debiera invertir ese orden. Mi Biblia dice: "Mas buscad primeramente el reino de Dios y su justicia" (Mateo 6:33). ¿Por qué no acudir primero a Dios?

Yo respeto mucho la profesión médica; por tanto, creo que la Iglesia debe trabajar de la mano con médicos consagrados. Tomar una pastilla para curar el cuerpo es aceptable pero tomar una pastilla para curar el alma es deplorable. Todo médico auténtico admitirá que el campo médico no tiene todas las respuestas. Los profesionales médicos calculan, conservadoramente, que cincuenta por ciento de sus pacientes tienen enfermedades físicas debido a razones psicosomáticas.

¿Quién tiene la respuesta? ¿El mundo secular que no conoce a Dios? No debiéramos dejarnos intimidar como si la Iglesia no tuviera un aporte válido para hacer. La Iglesia es "columna y baluarte de la verdad" (1 Timoteo 3:15) y la verdad libertará a nuestra gente.

Haga el favor de no suponer que yo creo que todos nuestros problemas son espirituales porque no lo creo así. Pero sí creo que debemos contar con una respuesta íntegra para la persona íntegra. La Iglesia debe cuidar de no asignar una solución "espiritual" para cada problema. Por la misma razón, la profesión médica no debe fomentar la respuesta "física" para todo. Nos necesitamos uno al otro porque somos seres físicos y espirituales que a la vez vivimos en un mundo físico y espiritual: ambos creados por Dios.

A menudo me preguntan cómo sé si el problema de una persona es espiritual o psicológico. Esa pregunta nos fuerza a caer en una dicotomía falsa. La mente, la voluntad y las emociones nuestras siempre están involucradas en o son correspondientes a la situación; por tanto, nuestros problemas siempre son psicológicos. Nuestra humanidad debe ser considerada en toda circunstancia a este lado de la eternidad.

Por otro lado, Dios siempre está presente y es pertinente; por tanto, nuestros problemas siempre son espirituales. Ahora mismo Él "sustenta todas las cosas con la palabra de su poder" (Hebreos 1:3). Nunca es seguro quitarse la armadura de Dios. La posibilidad de ser tentado, acusado o engañado es una realidad constante.

La Biblia enseña que el mundo invisible es más real que el visible: "Pues las cosas que se ven son temporales, pero las que no se ven son eternas" (2 Corintios 4:18). Aceptar esa verdad eliminará nuestros intentos de encontrar las soluciones en uno de los dos polos de ministerio: (1) ministerios psicoterapéuticos que ignoran la realidad espiritual, o (2) ministerios de liberación que ignoran cosas del desarrollo y la responsabilidad humana. Ningún extremo puede proporcionar adecuadamente una respuesta integral. Debemos considerar toda la realidad y esforzarnos por dar un mensaje equilibrado.

La respuesta es básicamente: "Someteos, pues, a Dios; resistid al diablo, y huirá de vosotros" (Santiago 4:7). Tratar de resistir al diablo sin someterse primero a Dios es algo que terminará en una pelea de perros. A menudo ese es el error de los ministerios de liberación de estilo confrontación. Por otro lado, podemos someternos a Dios sin resistir al diablo, y seguir esclavizados.

Es una tragedia que muchos ministerios de recuperación no hagan ni lo uno ni lo otro. Someterse a Dios exige tratar con el pecado de nuestra vida. El pecado es como la basura: atrae a las moscas; entonces, ¿nos libramos de las moscas? ¡No! Librémonos de la basura. Si nos libramos de la basura, las moscas no tendrán razón (correcto) para estar ahí.

La verdad del poder

Yo no pedí tener mi primer encuentro con las potestades de las tinieblas; me fue confiado. Mi débil intento se basaba en el proceso más corrientemente percibido de llamar al demonio, conseguir su nombre y rango, luego echarlo fuera. Yo encontré feo el proceso, agotador y potencialmente dañino para la víctima.

A menudo el proceso tenía que repetirse porque los resultados no eran permanentes. En este procedimiento quien libera es el pastor, el consejero o el misionero. La información se obtiene de los demonios. ¿Por qué creerles? Se nos dice claramente: "No hay verdad en él. Cuando habla mentira, de suyo habla; porque es mentiroso, y padre de mentira" (Juan 8:44).

También encontré que al proceso le faltaba poder ser transferible. El procedimiento se basa a menudo en tener dones o en ser oficio de la Iglesia. Yo creo que hay a disposición un procedimiento transferible mucho mejor. Creo que Jesús es quien libera y Él ya ha venido. Debemos obtener nuestra información del Espíritu Santo porque Él es "el Espíritu de verdad" y "os guiará a toda la verdad" (Juan 16:13).

Mi pensamiento cambió cuando me di cuenta de que la verdad es lo que nos libera y que Jesús es la verdad. Su oración de Juan 17 es que seamos guardados del maligno siendo santificados en la Palabra de Dios que es la verdad. Por tanto, prefiero pensar que nuestra batalla es un encuentro de verdad antes que un encuentro de poder.

La Biblia no nos manda a que busquemos poder. Ya tenemos todo el poder que necesitamos debido a nuestra increíble posición en Cristo. Pablo escribió: "Alumbrando los ojos de vuestro entendimiento, para que sepáis cuál es la esperanza a que él os ha llamado, y cuáles las riquezas de la gloria de su herencia en los santos, y cuál la supereminente grandeza de su poder para con nosotros los que creemos, según la operación del poder de su fuerza, la cual operó en Cristo, resucitándole de los muertos y sentándole a su diestra en los lugares celestiales" (Efesios 1:18-20).

El poder de los cristianos reside en su habilidad para creer la verdad; el poder del maligno reside en su habilidad para engañar. Cuando se deja al descubierto la mentira, su poder es quebrantado. Cuando los cristianos luchan a menudo concluyen erróneamente que les falta poder. Ellos son tentados a buscar experiencias que les den más poder pero eso será una falsedad. Los satanistas buscan poder porque les ha sido quitado. Los cristianos buscan la verdad.

Pete y Sue Vander Hook no pidieron tampoco tener un encuentro con las potestades de las tinieblas. Eso vino con el ministerio de ellos. Descubrieron como yo, que la verdad libera a la gente y que cada uno de nosotros tiene que asumir su propia responsabilidad personal por resolver sus conflictos espirituales y personales. No puedo dar la lucha por usted o creer por usted o confesar por usted. Sin embargo, puedo ayudarle como Pablo lo bosquejó en la Epístola pastoral, 2 Timoteo 2:24-26:

> *Porque el siervo del Señor no debe ser contencioso, sino amable para con todos, apto para enseñar, sufrido; que con mansedumbre corrija a los que se oponen, por si quizá Dios les conceda que se arrepientan para conocer la verdad, y escapen del lazo del diablo, en que están cautivos a voluntad de él.*

Este no es un modelo de poder: es un modelo amable, compasivo e instructivo. Requiere depender del Señor, pues solamente Él puede otorgar el arrepentimiento que elimina la basura. Identifica a la verdad como el agente libertador e implica que la batalla es por la mente. Es totalmente transferible porque requiere solamente un siervo maduro y consagrado al Señor al cual ama y que conoce la verdad.

Sé que lo dicho anteriormente es verdadero. Hemos tenido el privilegio de preparar a miles de pastores, misioneros y laicos en todo el mundo que ahora están libertando en Cristo a otros cautivos. Creo profundamente que todo padre y madre puede ser equipado para proteger y ayudar a sus hijos.

Liberando a los cautivos

¿Cristo nos quiere libres? Por supuesto. "Estad, pues, firmes en la libertad con que Cristo nos hizo libres, y no estéis otra vez sujetos al yugo de esclavitud" (Gálatas 5:1). El contexto es libertad de la ley. El legalismo es una atadura. La respuesta para nosotros y nuestras familias no es precisamente dejar de lado la ley. Si nos viéramos tentados a quitarnos todos los frenos morales o legales y alejarnos demasiado hacia el otro extremo, debemos considerar Gálatas 5:13: "Porque vosotros, hermanos, a libertad fuisteis llamados; solamente que no uséis la libertad como ocasión para la carne, sino servíos por amor los unos a los otros".

Los "Pasos a la libertad" que he desarrollado son sencillamente una herramienta para ayudar a que la gente resuelva las cosas críticas entre ellos y Dios, entonces, resistan al diablo. Los "Pasos" no lo libertan. Cristo lo hace libre cuando usted opta por responderle a Él con arrepentimiento y fe.

El proceso no hace mal a nadie salvo que, posiblemente cree una falsa esperanza. El peor resultado posible de ir a través de los "Pasos a la libertad" sería la completa disposición para la comunión el domingo siguiente. Tratamos de ayudar a la gente a resolver sus conflictos espirituales y personales para que la vida de Cristo sea manifestada en ellos. Entonces ellos pueden hacer todas las cosas por medio de Cristo que los fortalece.

No creo en la madurez instantánea. Nos llevará el resto de la vida renovar la mente y ser conformados a la imagen de Dios. Si la gente no es libre en Cristo irán de libro en libro, de consejero en consejero y de iglesia en iglesia, incapaces de liberarse de sus pasados y de la esclavitud al pecado.

Una vez que hallan su libertad en Cristo, ¡mire cómo crecen! No les lleva el resto de su vida liberarse en Cristo. En la mayoría de los casos una sola sesión de tres a cuatro horas servirá para que la gente resuelva sus cosas y se pongan radicalmente bien con Dios.

Nuestros doctores piden exámenes y pruebas para determinar la causa de las enfermedades. Cuando los exámenes y pruebas no revelan el problema, no nos enojemos con los médicos. ¿No debieran los cristianos volverse a sus iglesias, y los hijos a sus padres, para discernir si sus problemas son o no espirituales? No debemos enojarnos con el mundo secular por rehusar tomar en cuenta la realidad del mundo espiritual. No es responsabilidad suya: resolver conflictos espirituales es la responsabilidad de la Iglesia.

Pablo dijo: "Pero temo que como la serpiente con su astucia engañó a Eva, vuestros sentidos sean de alguna manera extraviados de la sincera fidelidad a Cristo" (2 Corintios 11:3). Yo comparto la misma preocupación por cada hijo de Dios. Mi deseo es ver a cada cristiano viviendo su vida libre en Cristo. Es nuestro derecho de nacimiento espiritual. Deseo ver a cada matrimonio, familia y ministerio vivo en Cristo y libre para ser todo lo que Dios les pide que sean.

Me gusta mucho el relato de Pete y Sue porque demuestra cómo la gente pueden ser libres en Cristo, los matrimonios, las familias y las iglesias. Entonces, y sólo entonces, el cuerpo de Cristo puede unirse para que se cumpla la Gran Comisión.

Cuando lea la historia de Pete y Sue (contada desde la perspectiva de Sue) entienda que su situación puede ser muy diferente. El surgimiento de la doctrina de la Nueva Era en las escuelas públicas, la actitud de la sociedad crecientemente violenta y anticristiana (especialmente en la televisión pública) como así también en los juegos menos que inocentes que juegan muchos niños, hacen que sea necesario reconocer la batalla espiritual que pueden estar librando los hijos de las familias cristianas. Decididamente no creemos que todos nuestros problemas sean espirituales pero tenemos que poder reconocer los que son para poder darles una respuesta bíblica equilibrada.

Cuando Pete y Sue cuentan su historia no hablan de la manera ideal de resolver un ataque espiritual. Ellos no hicieron perfectamente lo correcto. ¡Ninguno de nosotros lo hace! Ellos pasaron desde la ignorancia a la iluminación bíblica y desde la derrota a la victoria en Cristo: ¡también usted puede!

Ellos cuentan lo que les pasó con un solo propósito: ayudar a otros padres que se encuentran en una batalla espiritual sin saber cómo resolverla. Usted puede estar tentado a pensar que contar su historia y dejar al descubierto la realidad del mundo espiritual hará que algunos tengan miedos imaginarios y empiecen a buscar demonios que ni siquiera están ahí.

Eso sería trágico porque creemos precisamente lo contrario. La ignorancia no es bendición: es derrota. La verdad nos hace libres. Debemos saber quiénes somos en Cristo, como lo descubrieron Pete y Sue. Debemos conocer la posición, la autoridad y la protección en Cristo que tiene todo hijo de Dios. Tenemos que saber que Satanás es un enemigo derrotado. Nunca debemos dejar que el diablo organice las cosas. Jesús es el Señor y nosotros debemos fijar los ojos en Él, el autor y consumador de la fe. Este es el mensaje básico y equilibrado que descubrieron Pete y Sue al leer *Victoria sobre la oscuridad* y *Rompiendo las cadenas*.

Al final de su relato, yo daré algunas instrucciones específicas para padres y pastores. Sólo quiero que usted sepa que hay una respuesta para usted y su familia. Jesús es la respuesta y Su verdad los libertará a usted y familia. Él es el que rompe las cadenas.

NOTA

1. Neil T. Anderson y Steve Russo. *La seducción de nuestros hijos* (Editorial Unilit).

PARTE I

Liberando a su familia

1

Castillo fuerte

Castillo fuerte es nuestro Dios,
defensa y buen escudo...

Mi boca seguía formando las palabras pero mis emociones sofocaban todos los sonidos que pudieran seguir. Yo quería intensamente cantar esas palabras de fuerza y verdad. De pie en la iglesia en aquella temprana mañana de domingo primaveral de 1995, me olvidé de los cientos de personas que estaban ahí conmigo elevando sus voces a nuestro Creador y Salvador.

Yo estaba notablemente insensible a cualquiera que intentara analizar mi pena —o era mi gozo— o quizá mi pasada asociación con las verdades del gran himno de Martín Lutero. Probablemente parecía como que yo seguía cantando al formar las palabras...

> Defensa y buen escudo;
> Con su poder nos librará en este trance agudo.
> Con furia y con afán acósanos Satán;
> Por armas deja ver astucia y gran poder
> Cual él no hay en la tierra.

Yo anhelaba cantar esa letra que deja al descubierto a nuestro antiguo enemigo que antes trató con toda su astucia y poder de hacer estragos en nuestra familia e iglesia. Me identificaba claramente con la descripción de la naturaleza de Satanás que hizo Martín Lutero. Satanás está armado con odio cruel y no tiene consideración por la vida humana moldeada por su némesis más grande, Dios Creador. Yo sabía demasiado bien que Satanás no tiene igual en la tierra y que estamos indefensos en nuestra carne ante su ataque.

Cuando Pete, mi esposo, estiró su brazo para rodear mis temblorosos hombros con su mano fuerte, le oí tragarse sus propias lágrimas. Estábamos conmovidos por la culminación de un victorioso fin de semana de arrepentimiento y renovación de los ancianos de nuestra iglesia, luego de completarse la conferencia de Neil Anderson y Charles Mylander, "Libertando a su iglesia". Pensar que 12 hombres —los líderes espirituales de nuestra iglesia— iban a compartir los detalles íntimos de su propio arrepentimiento era algo que conmovía nuestras emociones.

Pero más que eso, el himno nos evocó los recuerdos dolorosos pero triunfantes de nuestro pasado. Ambos teníamos la sobrecogedora sensación del gran poder y habilidad continuos de Dios para ser el "Castillo fuerte".

La realidad del papel de Dios en nuestra vida como ciudadela protectora, bastión, defensa y defensor se extendían más allá del ámbito de ese día y de ese fin de semana, estaba arraigado en otro año, otra ciudad y otra situación.

El piano del sótano

La letra de ese poderoso himno encendió recuerdos que se precipitaron por mi mente, creando una enorme escena panorámica que ahora parece casi remota. Me llevó de vuelta a los muchos días y noches de dolorosas emociones de un período de tres años de nuestra vida familiar. Recordé las muchas noches de insomnio y las horas pasadas en agonía por nuestros hijos, quienes eran blanco del ataque de Satanás. Me acordé del gran piano color marrón del sótano donde vivimos en Madison, Wisconsin.

Seis hombres pasaron mucho trabajo para llevar ese piano a nuestra casa. Tuvieron que remover la puerta principal y desarmar el piano para que pasara por el portal. Nosotros estábamos decididos a que hubiera música en nuestro hogar. Finalmente, encontró su lugar en el sótano, alto y firme sobre sus muy viejas patas.

Los tonos resonantes de ese piano en una noche de enero de 1993, particularmente fría, eran bellos no debido a la hermosura intrínseca de la resonancia sino debido al efecto sanador del himno que se tocaba: "Castillo fuerte es nuestro Dios".

> *Nuestro valor es nada aquí,*
> *Con él todo es perdido;*
> *Mas por nosotros pugnará*
> *de Dios el Escogido.*
> *¿Sabéis quién es? Jesús,*
> *El que venció en la cruz,*
> *Señor de Sabaoth;*
> *Y pues Él sólo es Dios,*
> *Él triunfa en la batalla.*

Al tocar y cantar cada palabra de cada estrofa de ese himno, me podía identificar con la guerra espiritual que vivió Martín Lutero al estar firme por la santa verdad y la agudeza espiritual. Yo lloraba por la tensión de nuestras circunstancias presentes pero rehusaba permitir que mis lágrimas me impidieran cantar cada palabra: probablemente desafiando a Satanás y a todas las potestades de las tinieblas que procuraban destruir nuestra familia.

"Sed sobrios, y velad; porque vuestro adversario el diablo, como león rugiente, anda alrededor buscando a quien devorar" (1 Pedro 5:8). Por medio del poder de Jesucristo que derrotó a Satanás en la cruz (ver Hebreos 2:14) canté mi himno de victoria diciendo a toda voz cada estrofa triunfal:

> *Aunque estén demonios mil*
> *Prontos a devorarnos,*
> *No temeremos, porque Dios*
> *Sabrá aún prosperarnos.*
> *Que muestre su vigor Satán, y su furor;*
> *Dañarnos no podrá;*
> *Pues condenado es ya*
> *Por la Palabra Santa.*

Esa Palabra permanece
Sobre todo poder terrenal,
Y no por ellos queda;
El Espíritu y los dones nuestros son
Por Aquel que por nosotros está.
Que se pierdan bienes y familiares.
También esta vida mortal—
El cuerpo pueden matar;
la verdad de Dios permanecerá aún.
Su reino es eterno. Amén.

La casa

La casa de Madison donde vivimos con ese viejo piano era "la pesadilla del decorador" cuando la compramos. Las paredes estaban pintadas de color oscuro en la mayoría de las habitaciones, cortinajes negros, lámparas negras con pantallas de color ámbar, los muebles de la cocina eran negros y el suelo era negro y anaranjado, cosas todas que se peleaban entre sí por dar una impresión tenebrosa. El sótano no desarmonizaba con el resto de la casa con sus paredes color mostaza oscuro y cortinas al tono. La alfombra necesitaba mucho una buena limpieza. Tres luces indirectas color ámbar hacían lo mejor posible para iluminar el cuarto en forma de L, lograban sólo arrojar una sombría luz amarillenta por todos los rincones sucios y cubiertos de telarañas.

No teníamos idea que cambiar el aspecto exterior de la casa no cambiaría lo que en realidad pasaba dentro de sus paredes.

Pero el precio era atrayente y nuestro dinero, limitado. Entusiasmados miramos más allá del ofensivo decorado y vimos, con optimismo, los beneficios de unos cuantos litros de pintura, nuevos cortinajes y mucho trabajo, desinfectante y trapos.

Luego de cerrar el trato de nuestra casa nueva, en 1985, empezamos ansiosamente a limpiar cada rincón y a pintar cada pared oscura. Reemplazamos las lámparas negras y algunas persianas con lo que exudara luz. Sin embargo, tuvimos que frenarnos al encarecerse más los proyectos de rejuvenecimiento, y hacer uno por vez. Realizamos ventas de garaje para poder financiar más cambios.

Debido a nuestro empeño y trabajo duro aparecieron dificultades en nuestra familia. No teníamos idea que cambiar el aspecto exterior de la casa no cambiaría lo que en realidad pasaba dentro de sus paredes. Nuestros hijos, de cuatro y dos años de edad, empezaron a tener pesadillas por primera vez en su vida. Recordando algunos de los sueños de nuestra infancia Pete y yo las atribuimos a hechos inevitables que les ocurren a los niños. Al comienzo sólo orábamos con nuestros hijos y los consolábamos hasta que se dormían de nuevo.

Dos años después (1987) fuimos bendecidos con otro bebé: una hija. Necesitábamos más espacio, por lo que redecoramos el tercer dormitorio. Arrendamos una lijadora eléctrica para reparar una pared en muy mal estado y, luego, sacamos el panel oscuro de otra pared, poniendo al descubierto una pared que en otro tiempo era negra. Tapamos la despreciable vista con entusiasmo y papel mural de un alegre azul decorado con aviones y transbordadores espaciales. Adornamos las otras paredes de color blanco puro y vestimos las ventanas con pequeñas persianas azules. La habitación estaba lista y nuestros dos muchachos se mudaron, con entusiasmo, a su cuarto nuevo.

Tapar lo viejo dándole aspecto de vida nueva no cambió nuestras circunstancias. Las pesadillas no sólo continuaron en el cuarto nuevo sino que se intensificaron. Dave, nuestro hijo mayor, a menudo gritaba de miedo en medio de la noche. Cuando llegábamos a su dormitorio él estaba totalmente despierto y muy consciente de los detalles aterradores demasiado reales de su sueño. Orábamos con él, le asegurábamos del poder y protección de Dios: "Tú eres mi refugio; me guardarás de la angustia; con cánticos de liberación me rodearás" (Salmo 32:7). Llegado el momento se volvía a dormir.

Sin embargo, Jared, nuestro segundo hijo, ahora de cuatro años, nunca se despertaba durante sus pesadillas y nunca recordaba ninguna parte de sus sueños al día siguiente. Era imposible despertarlo de su profundo sueño para que nos dijera qué le estaba asustando. Él sólo se sentaba llorando histéricamente, a veces, gritando de terror. No sabíamos qué era lo que tanto le asustaba.

En dos noches seguidas su miedo fue tan intenso que no pudo dejar de llorar, gritando cada vez que nos miraba la cara. Sus ojos somnolientos pero abiertos miraban a través de nosotros pero no a nosotros. Únicamente lo calmaba el cantarle "Cristo me ama" y repetir Juan 3:16. Después de casi hora y media de cantar y citar el versículo, se durmió por fin. Las palabras de esa canción infantil tan familiar fueron un arma que usamos a menudo en las batallas espirituales que estaban por venir a nuestra familia.

Las oraciones al acostarse que decíamos con los tres niños se fueron haciendo progresivamente más fuertes incluyendo versículos bíblicos que dan valor y fuerza. Pero nuestra participación familiar en el movimiento en defensa de la vida fue lo que convirtió nuestra lucha en una crisis: crisis que solamente sería resuelta por el poder sobrecogedor de Dios en nuestra vida.

2

El enemigo de la vida

La cadena de la vida

Nuestra participación para defender la vida en gestación empezó en 1991, cuando el aborto era muy popular, muy aceptado y políticamente muy correcto: hasta en la Iglesia. Los sermones sobre la vida en la matriz no sólo eran políticamente inapropiados sino, a menudo, incitaban al abierto debate y polémica.

Pete, mi marido, que pastoreaba una iglesia de Madison, echó a un lado las presiones públicas y comenzó a apoyar la base bíblica de la vida desde la concepción. No vacilaba en predicar el Salmo 139 aplicado a la viabilidad de la vida en la matriz. Sostenía discusiones polémicas después del servicio sobre los versículos profundos: "No fue encubierto de ti mi cuerpo, bien que en oculto fui formado, y entretejido en lo más profundo de la tierra. Mi embrión vieron tus ojos, y en tu libro estaban escritas todas aquellas cosas que fueron luego formadas, sin faltar una de ellas" (Salmo 139:15-16).

Esa primavera, junto con 700 personas más, fuimos al banquete anual de nuestro centro local para las crisis del embarazo (Centro de Información del Embarazo). El estilo humorístico y motivador del orador invitado, Cal Thomas, animó a Pete a ser aun más directo y a meterse más en las actividades en pro de la vida. Yo fui inspirada para ofrecer mi tiempo como voluntaria del centro para las crisis del embarazo.

Pocos meses después, estaba en la junta directiva. Pete hablaba en las caminatas y las campañas de rescate, animando a la gente para que participara en el primer rescate y la primera *Cadena de la vida* de nuestra ciudad. Mucha gente de nuestra congregación se unió a las actividades, poniéndose hombro a hombro en la ciudad por la causa de la vida.

Cuando se hizo la primera *Cadena de la vida*, nuestra cadena humana parecía una cruz mirada desde el aire pero, para nosotros, los que estábamos como una mota en esa formación, la cruz de Jesucristo era nuestra clara motivación, nuestra razón para querer que viviera todo bebé y conociera a su Creador.

En aquella ventosa tarde dominical de octubre, toda nuestra familia hizo su parte para completar el mensaje de la cruz simbólica en nuestra liberal ciudad de Wisconsin. Osada, pero silenciosamente, llevamos carteles como blasón que deletreaban nuestra causa con valientes letras: EL ABORTO MATA NIÑOS y JESÚS SANA Y PERDONA.

La gente contraria a nuestro mensaje gritaba obscenidades desde sus automóviles y nos hacían gestos desdeñosos, pero nosotros no replicábamos. Estuvimos durante una hora proclamando nuestra oposición al aborto y nuestro apoyo al perdón y *poder sanador de Dios*. Sólo unos pocos observadores nos hicieron el gesto del "pulgar para arriba" para demostrar su acuerdo.

Pese al apoyo débil y a la oposición fuerte, cuando se desarmó la *Cadena de la vida*, nuestros hijos (10, 7 y 4 años de edad, respectivamente) quisieron ir por la ciudad mostrando sus carteles en las ventanillas del automóvil. Jubiloso por la tarde, Dave pidió, con entusiasmo, tener el cartel que decía EL ABORTO MATA NIÑOS para poder pegarlo en su ventanilla, lugar obvio para todos los que pasaban. Él quería que todos los automovilistas o corredores pensaran dos veces antes de hacerse un aborto y agregar otro nombre desconocido a la lista de millones ya muertos.

La marcha

Pronto después del rescate y la *Cadena de la vida* de 1991, un grupo pro vida de Madison organizó una marcha en torno al edificio legislativo para oponerse a una marcha y campaña en pro del aborto. La marcha culminaría en las gradas del edificio legislativo con un discurso encendido de uno de los políticos liberales del estado, pro homoxesualismo y aborto. Pete supo de la marcha poco antes que empezara y llamó a casa para ver si todos queríamos ir. Nuestros hijos ansiaban salvar algunos bebés así que salimos pensando llegar, por lo menos, unos 30 minutos antes de la programada marcha en pro del aborto.

El resultado fue desilusionante. Solamente nos acompañaron otras 10 personas, así que había más que suficientes carteles disponibles. Cada uno tomó el que prefería. Dave quería llevar dos. Hasta Jalene, nuestra hija de 4 años, eligió un cartel pequeño para llevar mientras caminábamos. Así que empezamos a caminar alrededor de la "plaza", las cuatro calles que rodean el hermoso y majestuoso edificio blanco del Capitolio. Había solamente una regla para la marcha: no debíamos hablar.

Mientras dábamos vueltas en torno del edificio legislativo, no entendíamos de qué se trataba toda la charla de la oposición, porque nadie nos molestó en absoluto. Algunos nos miraban, otros se quedaban mirándonos fijo, otros se limitaban a ignorarnos, pensamos que esta marcha era "miel sobre hojuelas". De repente oímos decir a uno de los que nos acompañaban: "Ahí vienen", y el estado de ánimo de nuestro grupo cambió rápidamente.

Al estar en la esquina del Capitolio, donde se alarga la Calle State por entremedio de las tiendas y restaurantes uniendo la plaza con el campus de la Universidad de Wisconsin, pudimos oír solamente el débil ruido de un grupo de personas. Pero pronto vimos una oleada de gente a lo lejos, en la entrada del campus. El creciente volumen de sus voces entonaba frases una y otra vez que aún eran ininteligibles.

Al acercarse más, sentí como si una marejada de mal estuviera acercándose a nosotros, aumentando de fuerza y velocidad con su avance. Ellos se acercaron más, se volvieron más y más ruidosos, hasta que pudimos oír claramente sus gritos iracundos y sus exigencias de que el gobierno los dejara tranquilos y no permitiera a los oponentes (colgadores de sacos) en los callejones. Algunos esgrimían furibundos unos colgadores a guisa de protesta simbólica. Pronto hubo centenares de personas que marchaban cerca de nosotros, la mayoría vestida totalmente de negro y adornadas con muchas joyas de oro y plata, muchas de ellas moldeadas y formadas como símbolos ocultistas.

Cuando los que dirigían la marcha vieron nuestro pequeño grupo de manifestantes que llevaban carteles en favor de la vida, sus demandas al unísono de que el gobierno permaneciera fuera de sus úteros, cambió por un canto dirigido a nosotros. Con visible ira sus voces se elevaron a gritos y sus dedos y señales nos apuntaban con desprecio mientras gritaban:

¡Racistas, fanáticos, antihomosexuales,
cristianos nacidos de nuevo, ¡váyanse!

¡Racistas, fanáticos, antihomosexuales,
cristianos nacidos de nuevo, ¡váyanse!

¡Racistas, fanáticos, antihomosexuales,
cristianos nacidos de nuevo! ¡váyanse!

Una y otra vez entonaban su disgusto por nuestra presencia. Nos quedamos ahí callados, perplejos de que nuestros contrarios no atacaran nuestra posición en favor de la vida ni nuestros carteles que tenían declaraciones y cuadros punzantes. En cambio, nos tachaban de racistas, fanáticos y antihomosexuales, atacando nuestro cristianismo: cosa que nuestros carteles no mostraban.

Nuestras emociones estaban muy exaltadas al ver esta marejada que se tragaba las veredas y escalinatas que conducían al Capitolio. Las lágrimas fluyeron al darnos cuenta de la extrema oscuridad en que estaba esta gente. Hasta Dave nos preguntó: '¿Por qué están tan enojados?" Y Jared se le unió: "Sí, papy, ¿por qué están tan enojados?" Pete les respondió sincera y sucintamente: "Porque no pueden tolerar la verdad".

Yo sabía que Satanás distorsionaba la verdad
y que había orquestado revolcándose
en la facilidad y el exceso de abortos
pero nunca había visto tal diluvio
de sus poderes de engaño.

Las mentiras que ellos creían y su ceguera a la verdad era el despliegue más punzante que yo había visto del intento de Satanás para destruir la vida. Yo sabía que Satanás distorsionaba la verdad y que había orquestado revolcándose en la facilidad y el exceso de abortos pero nunca había visto tal diluvio de sus poderes de engaño.

La mujer embarazada que estaba detrás de mí con su pequeñuelo se asombró de emoción mientras miraba el desastre tenebroso que nos presionaba. Parecía que lloraba de gozo que su niño estuviera vivo y que su bebé aún por nacer fuera a vivir. Pero también lloraba de pena por los bebés que nunca iban a respirar por primera vez ni verían la luz del sol de la mañana, para que las mujeres pudieran tener una opción.

Pronto la atención de la turba, como la nuestra, se volvió hacia la parte de arriba de las escalinatas del Capitolio donde la aguda voz del político recibía fuerza y resonancia sólo por la potencia de un gran sistema de amplificación. Mientras la tenebrosa turba seguía a su líder político, nuestro grupito guardó calladamente sus carteles y se fue.

Al ir de regreso a casa, renovamos nuestro deseo de fomentar la vida para cada bebé y cada persona que Dios creó. Pero nos habíamos puesto definitivamente serios dándonos cuenta de lo grave que es que Satanás sea verdaderamente el príncipe de la potestad del aire, el engañador de todo el mundo, el padre de mentira, el acusador, nuestro enemigo (ver Efesios 2:2; 6:11). "Él ha sido homicida desde el principio, y no ha permanecido en la verdad, porque no hay verdad en él. Cuando habla mentira, de suyo habla; porque es mentiroso, y padre de mentira" (Juan 8:44). Habíamos visto un ejemplo gráfico en esas escalinatas del Capitolio del propósito del principal antagonista de Dios: torcer el plan de Dios para toda la humanidad y engañar a la gente con mentiras, odio y muerte.

Pero no nos fuimos derrotados por el poder de los contrarios. Volvimos triunfantes a casa regocijándonos por estar del lado de Dios, no siendo víctimas indefensas sin esperanza ante el mal. Nos regocijamos de que por medio de la muerte y resurrección de Dios encarnado, fue roto el poder de Satanás de modo que "por cuanto los hijos participaron de carne y sangre, él también participó de lo mismo, para destruir por medio de la muerte al que tenía el imperio de la muerte, esto es, al diablo" (Hebreos 2:14). Nos fuimos con gran fe en que Dios ganaría definitivamente esta batalla contra el aborto y decidimos seguir nuestra lucha por la vida. El que apoyaba con más fervor y entusiasmo la causa de la vida en nuestra familia era Dave.

3

El programa de la muerte

El ataque

Al aumentar nuestro entusiasmo por la vida, también creció nuestra participación en las actividades pro vida. Para la reunión del directorio del centro de manejo de la crisis del embarazo, el tres de diciembre, yo había aceptado llenar la vacante de editora de su boletín de noticias. No sólo ansiaba escribir sino también sentía celo por la causa de la vida y anhelaba hacer que circulara la verdad de Dios.

En lugar de un boletín de noticias para diciembre, varias voluntarias trabajaron en una tarjeta de Navidad. Mostraba los bebés que habían llegado al mundo ese año debido a que el centro había, de cierto modo, ayudado a que sus madres eligieran la vida. Estábamos cortas de tiempo pero se terminó la tarjeta, se pusieron las etiquetas y se enviaron por correo. Las tarjetas llegaron en vísperas de Navidad, proclamando un mensaje simple pero agudo, al lado de las fotografías de cada uno de los recién nacidos que pudieron vivir ese año. Decía sencillamente: "¡Yo vivo!". Más adelante nos daríamos cuenta de su pleno impacto en muchas personas.

El 19 de diciembre, sin tener idea de que el enemigo acérrimo de Dios estaba inquieto por nuestras actividades en favor de la vida y por el ministerio en la iglesia, fuimos sorprendidos cuando el "padre de la mentira" convenció a Dave (10 años de edad) que no valía la pena vivir. De súbito él creyó que debía o dispararse un tiro en la cabeza o ser dado a otra gente para que lo adoptaran para ahorrarnos tener que vivir con él.

¿No suena ridículo que un niño que había estado fomentando la vida con tanto fervor desde la ventana de su dormitorio y que había marchado en torno al Capitolio, oponiéndose al aborto, ahora abrazara un plan de muerte? ¡Era absurdo! El gran engañador y mentiroso había estado acunando la mente de Dave durante la noche, en los rincones remotos de sus sueños, para que creyera que la muerte era la respuesta a algún nebuloso problema de su vida.

Yo encaré sola con Dave este inesperado giro de los hechos por las primeras dos horas, mientras esperaba que Pete regresara de una reunión en la iglesia. Eran las 9 de la noche de un jueves y yo estaba leyendo, sentada a la mesa de la cocina. Había acostado a los tres niños como una hora antes. Me fijé que Dave venía bajando la escalera lentamente medio dormido. Se me acercó, tenía los ojos vidriosos y la cara dura como piedra, y me pasó un papel donde había dibujado algo. Dijo sin emoción, "toma" y se sentó en una silla.

Le gustaba mucho dibujar así que supuse que se le había olvidado mostrarme un dibujo especial. Abrí el papel doblado pero de inmediato recibí el choque más grande de mis 10 años como madre. Era el dibujo de un niño con un revólver apuntádose a la cabeza. Abajo del dibujo había garrapateado esto: "Es esto o la adopción".

Mi sonriente cara se metamorfoseó repentinamente en una boca abierta, horrorizada por el impacto con el ceño fruncido lleno de incredulidad y miedo. Los pensamientos zumbaban en mi cabeza mientras trataba desesperadamente de evaluar qué podía haber llevado a que mi hijo sintiera esa desesperación. Le pregunté débilmente: ¿Qué significa esto?

Replicó: "Sólo lo que dice". No podía pensar en problemas de la familia o de relaciones que pudieran haber provocado tal desesperanza y depresión. Él se había ido a la cama sin querer un abrazo y un beso esa noche pero no me preocupé. Me dije que él *estaba* creciendo.

Como lo habíamos adoptado cuando tenía un mes de edad, interpreté el dibujo inmediatamente como que significaba que él pensaba que la adopción era tan mala como la misma muerte. Empecé a preguntarle por qué pensaba tan mal de la adopción pero él me detuvo evitando que yo siguiera por esa línea de pensamiento. Me aseguró que no quería decir que su propia adopción fuera mala. Yo seguí mi interrogatorio. De nuevo él confirmó su seguridad sobre su adopción.

Finalmente me miró con ojos que mostraban algo de amor y seguridad.

Explicó que por el bien de la familia él debía morir o nosotros teníamos que deshacernos de él. Traté desesperadamente de convencerlo de nuestro amor por él y de su propio valor, pero su sentido común estaba casi perdido. Sin importar lo que dijera durante esas dos horas que siguieron, él rehusó creerme o salir de su repentina depresión.

Yo me di cuenta de que esos pensamientos y sentimientos distaban mucho del ámbito de los pensamientos propios de Dave o de su poca edad o de la seguridad de sus circunstancias cristianas. Le pregunté qué era lo que le había hecho pensar esas cosas o dibujar eso. Primero se puso incomunicativo. Me pregunté si había sido un tremendo error no averiguar por qué no quiso un abrazo ni un beso a la hora de acostarse pero ¿cómo algo tan pequeño podía crear una decisión tan repulsiva?

Recuerdos atesorados

Entremedio de mis pensamientos desesperados reflexioné en un día precioso, cuando Dave tenía tres años. Yo me había arrodillado al lado de su cama para orar con él antes que se durmiera. Recordaba cómo él dijo prosaicamente: "Mamá, quiero a Jesús en mi corazón".

Me di cuenta que una batalla espiritual había estado librándose en nuestro hogar cristiano durante el silencio de la noche y en el miedo de la mente de nuestro hijo.

Recordé cómo él había dicho esa sencilla oración de fe en Jesús para que lo salvara de sus pecados y entrara a su corazón. Entonces los reflejos de su amor por Jesús a través de los años llegaron a mí..

Recordé una época cuando tenía siete años. Él reafirmó su salvación ese día porque no recordaba su experiencia a sus cortos tres años. Oh, cuánto se llenó mi corazón de gozo al recordar esa noche de domingo de 1988. Él se había puesto una pequeña túnica blanca y había entrado al bautisterio de la iglesia para ser bautizado por su padre. Yo lo esperaba detrás de la alberca con una toalla cuando subió chorreando las escaleras. Sollozaba, no de miedo ni vergüenza, sino de gozo: el gozo de conocer a Cristo. Su alegría era tan grande que supe que Dios había hecho algo espectacular en su vida. Como Dave dijo más tarde, realmente fue "inflado con el Espíritu".

Esos recuerdos en la lóbrega noche que ahora pasábamos, me dieron confianza en que los pensamientos de muerte de Dave no eran de él. Sin embargo, yo estaba totalmente sin herramientas para tratar la aterradora perspectiva de suicidio.

Voces mal acogidas

Finalmente Dave empezó a hablar y a comunicarse abiertamente, como siempre lo había hecho, aunque aún seguía frío e insensible. Contó cómo, luego de no haberse podido dormir esa noche, una voz le había dicho exactamente qué dibujar y escribir en ese papel. La voz también le había dicho que buscara su cuchillo de supervivencia, que afortunadamente, no era fácil de hallar en su desordenado cuarto.

Al seguir conversando, me habló de las aterradoras pesadillas repetidas que le plagaban hacía años, y de las voces que había escuchado desde que se podía acordar. Más tarde me dijo cómo sus noches, durante años, habían estado llenas de sueños horrorosos que, a menudo, lo despertaban y lo hacían quedarse callado de miedo. Me contó cómo había tratado desesperadamente de orar durante esos momentos de terror, pero que había sido incapaz de hacerlo o decir el nombre de Jesús.

Mientras escuchaba y miraba a mi hijo me di cuenta que una batalla espiritual había estado librándose en nuestro hogar cristiano durante el silencio de la noche y en el miedo de la mente de nuestro hijo. Era comprensible que Dave hubiera tenido miedo de decirnos de las voces en su cabeza. Después de todo, eso sonaba como una buena base para el hospital psiquiátrico. Y, ¿por qué tenía él que andar lloriqueando por un sueño? ¿No era eso infantil o insignificante? Pero constantemente agradecemos a Dios que no obedeciera las voces y que gritara buscando ayuda con un cuadro que fue obligado a dibujar en contra de sus propias creencias.

Tú creaste mi ser

Indudablemente ahora estábamos en el frente de la guerra espiritual, en una pelea a muerte por nuestro hijo. Me di cuenta que nada pequeño había encendido este incidente. Como descubriríamos después, esto comprendía un propósito de muerte desarrollado por los mismísimos principados y potestades de las tinieblas. Mantuve cerca de mí a Dave, hablando y orando con él hasta que Pete, la cabeza espiritual de nuestro hogar, volvió de su reunión.

Por fin Pete llegó poco después de las 11 de la noche. Le conté débilmente los incidentes de la noche. Mi marido se impactó tanto como yo por el cambio súbito que había ocurrido en su hijo a quien tanto amaba. Empezó a orar. Sus oraciones clamaban a Dios pidiendo socorro, clamando las promesas de que Él nunca nos dejaría ni abandonaría (ver Josué 1:5; Hebreos 13:5). Pete proclamó la promesa de que Dios disiparía nuestros temores aunque anduviéramos por el valle de sombra de muerte (ver Salmo 23:4).

Mientras Pete y yo hablábamos con Dave, tratando de quebrar el núcleo de su repentina depresión, Dave se puso aun más frío, alejándose con miradas en blanco, rehusando oír. Poco después de medianoche, cuando habían fracasado razón y discusión, Pete abrió su Biblia en la Escritura que podía silenciar fuertemente el propósito de muerte de Satanás por esa noche: el Salmo 139:13-16:

> Porque tú formaste mis entrañas;
> Tú me hiciste en el vientre de mi madre.
> Te alabaré; porque formidables,
> maravillosas son tus obras;
> Estoy maravillado, y mi alma lo sabe muy bien.
> No fue encubierto de ti mi cuerpo,
> Bien que en oculto fui formado,
> Y entretejido en lo más profundo de la tierra.
> Mi embrión vieron tus ojos,
> Y en tu libro estaban escritas todas aquellas cosas que
> fueron luego formadas,
> Sin faltar una de ellas.

Pete le pasó su gastada y bien marcada Biblia a David y le pidió que leyera esos cuatro versículos. Dave tomó a disgusto la Biblia de su padre y empezó a leer con un tono molesto. Callada y rebeldemente empezó a leer las palabras impresas: "Porque tú formaste mis entrañas; tú me hiciste en el vientre de mi madre". Incapaz de seguir leyendo, agachó su cabeza y empezó a sollozar. Se paró con los brazos bien abiertos para abrazar a su padre y madre, algo que había rehusado hacer en las últimas horas pasadas.

La verdad de la Palabra de Dios, la simple proclamación de Dios como Creador de toda vida, habían roto el propósito de muerte de Satanás para con nuestro hijo. Recuperamos a Dave con un celo renovado por vivir. Él comenzó su lucha contra aquel que trataba de destruirlo.

En las tranquilas horas avanzadas después de la medianoche, Dave buscó con diligencia todo cuchillo y posible arma en nuestra casa. Decidido a librar su cuarto de otros productos de las mentiras que había creído, encontró otros dibujos que había hecho forzado por los pensamientos de violencia o muerte. Encontramos una vieja plancha para hornear galletitas, salimos al patio de atrás, al frío de esa noche de diciembre, y Dave le prendió fuego a todos los dibujos que habían sido inducidos por el padre de mentira.

Dave durmió en el suelo al lado de nuestra cama esa noche, soportando la tortura constante de las voces y los demonios que él solo podía oír y ver. Se tapaba las orejas, tratando de eliminar el ruido de una miríada de voces que le gritaban que negara a Dios y abrazara a la muerte. Debido a que siempre había sido sumamente honesto, demasiado realista, no me quedaron razones para dudar la existencia del mal en nuestro dormitorio.

Pete y yo también sentimos las tinieblas y la opresión. Dave dormía unos 30 a 45 minutos antes de volver a despertarse aterrorizado. Los tres orábamos cada vez que él se despertaba. Nos dimos cuenta al avanzar la noche de cuán inexpertos éramos en materia de guerra espiritual. Cada oración traía paz pero citar los versículos bíblicos daba victoria hasta que llegaba otro ataque.

Al arreciar la batalla en las primeras horas de la madrugada, yo me pregunté ¿por qué? ¿Cuál era la razón de esta invasión feroz de nuestro hogar? ¿Por qué nuestro hijo era el blanco de este horrendo asalto? ¿Era nuestro hogar algo más que "la pesadilla de un decorador"? ¿Era por nuestras actividades en pro de la vida? ¿Nos habían echado una maldición durante la siniestra marcha del Capitolio? ¿Era por nuestro ministerio? ¿Era por los sermones firmes de Pete? ¿Era que creíamos en Jesús como Hijo de Dios?

Cualquiera que fuera la razón, Satanás había decidido atacar a nuestro hijo. Quizá él estaba realmente atacándonos *a nosotros* al herir a uno de nuestros hijos a quienes amábamos más que cualquier otra cosa terrenal. No creo que alguna vez sepamos el motivo real del ataque de Satanás. Después de todo, él es el gran mentiroso y engañador.

Sabemos que Dios no deja a quienes creen en Él y le sirven, permitiendo que sean víctimas indefensas sin esperanza frente a un mundo malo. Teníamos confianza total que por la muerte y resurrección de Dios encarnado (Jesucristo), ya había sido roto el poder de Satanás y que "porque mayor es el [Jesús] que está en vosotros [nosotros], que el [Satanás] que está en el mundo" (1 Juan 4:4). Nosotros teníamos que acudir a nuestra fuente de poder, Dios mismo, y ¡derrotar al que ya había sido vencido! Pero ¿cómo haríamos eso? ¿Cuál era la respuesta a nuestra batalla? Como veríamos y nos daríamos cuenta, más adelante, nuestra victoria no sería fácil.

4

¿Quién soy?

Festividades navideñas

Cuando terminó por fin nuestra noche horrorosa, el sol trajo a nuestro hogar una luz bienvenida. Nos levantamos anhelantes, esperando que nuestra cita con el infierno hubiera terminado para siempre. Pero nuestro encuentro con el maligno no estaba finalizado. No teníamos felizmente conciencia (so pena que hubiéramos perdido la esperanza) de que nuestra lucha con las potestades de las tinieblas fuera a durar casi tres años.

La vida siguió adelante pese a la mal acogida invasión del mal en nuestro hogar y familia. Desayunamos como siempre y mandamos los dos niños a la escuela, orando y confiando que Dios los protegiera. Le pedimos al Señor que le diera fuerza a Dave para concentrarse luego de su casi insomne noche.

Me ocupé de juntar unos utensilios de cocina para usarlos en la preparación del banquete de Navidad en la iglesia. Faltaban justo cinco días para Navidad. Pete y yo pusimos a Jalene con una bolsa de muñecas para mantenerla entretenida mientras que yo me junté con una buena amiga para asar carne (rosbif) y hacer los decorados para la cena más grande del año en nuestra iglesia.

Mis manos preparadas para la celebración pero mi cuerpo se rebelaba por falta de sueño. Me dolía el corazón por mi hijo que sufría. Si su enemigo hubiera sido de sangre y carne, yo hubiera llamado a la policía o hubiera intentado pelear contra sus enemigos yo misma. Pero sus enemigos eran las invisibles potestades de las tinieblas, de modo que todo lo que podía hacer era orar a Dios en quien tenía confianza total. La humanidad de mi corazón seguía, no obstante, rompiéndose aún.

Mientras comíamos y celebrábamos con nuestra familia de la iglesia esa noche, los niños tuvieron su propia fiesta en otra sala. Los recuerdos de nuestros problemas de la noche anterior parecieron desvanecerse cuando nuestros hijos nos regalaron unas toscas y hermosas campanas hechas de vasos plásticos puestos al revés y decorados con badajos hechos con tubos y un surtido de estrellas y autoadhesivos. Agradecí en silencio al Señor por el gozo y la luz que aún sobrepasaba a la más oscura de las noches.

Otra noche de terror

Temiendo que nadie del banquete entendiera y no queriendo arruinar una bella noche de celebración, no mencioné nuestra noche pasada.

¡En esos momentos no podía explicar que, aun despojado de todos los talentos, habilidades, dones y capacidades físicas, Dave seguía siendo totalmente significativo, enteramente salvo y completamente aceptado sólo porque él era un hijo de Dios!

Volvimos a casa y oramos en privado con cada niño antes de acostarlos. Tratamos de hacer que la hora de acostarse fuera tan normal como se pudiera, intentamos olvidar los sucesos de la noche anterior y aliviar el miedo. Aunque Jared y Jalene no sabían exactamente lo sucedido, ellos entendían que las cosas no andaban bien en la familia. Sabían que algo molestaba a Dave y que su madre y padre estaban sumamente turbados y cansados. Así que se unieron al fervor de nuestras oraciones, entendiendo de alguna forma la urgencia del momento.

Luego de acostar a todos los niños, Pete y yo oramos juntos pidiendo protección, fuerza, sabiduría para saber qué hacer, por el poder de Dios en la casa y para nuestros hijos. Acogimos con entusiasmo el sueño que se nos había robado la noche anterior.

A los 45 minutos de nuestro muy necesario sueño, fuimos despertados por la presencia asustada y temblorosa de Dave en nuestro dormitorio. Nuestras oraciones comenzaron de nuevo y nuestra dura lucha con el mal siguió otra noche más. Nuestro hijo volvió a "acampar" en su saco de dormir en el suelo al lado de nuestra cama. De nuevo oramos los tres durante otra noche de terror.

En esas noches sin dormir y en los intervalos de los ataques, mi hijo y yo sólo hablábamos de cosas generales. Él siempre había preguntado muchas cosas con un deseo insaciable de aprender. De pronto él tenía que sentirse afirmado, saber que tenía valor propio. Yo convalidaba entusiasmada todas sus buenas cualidades y habilidades pero él no quedaba satisfecho.

¡En esos momentos no podía explicar que, aun despojado de todos los talentos, habilidades, dones y capacidades físicas, Dave seguía siendo totalmente significativo, enteramente salvo y completamente aceptado sólo porque él era un hijo de Dios! Así que lo afirmaba en la mejor forma que conocía. Sabía que había fracasado en convencerlo de que él era valioso.

El poder maravilloso de Dios

Pese a mi fracaso para comunicar la verdad y pese al terror y oscuridad de esas primeras noches, cada escaramuza era contrarrestada con el poder maravilloso de Dios. Todo miedo era vencido con la paz de Dios. Solamente teníamos que repetir esos versículos tan usados que aprendimos de niños y las fuerzas del mal nos dejaban solos. El Salmo 23 era el más repetido cada noche. Pete decía un versículo y Dave y yo lo repetíamos. Consolaba saber que al andar por nuestro valle de sombra de muerte, no teníamos que temer porque Dios estaba ahí.

Por alguna razón Dios en Su sabiduría infinita optó por no poner fin inmediato a nuestro paso por el valle. La batalla distaba mucho de terminar y nuestra búsqueda de libertad acababa de empezar.

Limpiando la casa

Dos días después del primer ataque contra Dave, nuestros hijos revisaron la casa con celo buscando las cosas que les habían hecho sentir miedo en su vida. Tratamos con mucho cuidado de comprar juguetes que no fueran malos así que nos sorprendimos con algunas cosas que juntaron los niños. Botaron figuras de acción, juegos de video que eran inocentes hasta su último nivel, en que se trataba de derrotar a un monstruo diabólico y muchos otros juguetes insospechados.

Pero estábamos apenas empezando a darnos cuenta del astuto engaño de Satanás y de su habilidad para usar cualquier cosa para afectar la mente infantil. Cuando terminamos de "limpiar la casa" teníamos dos bolsas llenas de cosas que el enemigo había empleado para dar miedo a nuestros hijos (ver *La seducción de nuestros hijos* por Neil Anderson y Steve Russo, para leer una lista de artefactos y símbolos ocultistas).

Mientras tanto resolvimos: "Por lo demás, hermanos míos, fortaleceos en el Señor, y en el poder de su fuerza. Vestíos de toda la armadura de Dios, para que podáis estar firmes contra las asechanzas del diablo... Por tanto, tomad toda la armadura de Dios, para que podáis resistir en el día malo, y habiendo acabado todo, estar firmes" (Efesios 6:10,11,13).

Yo soy

Durante las próximas noches de pesadillas y terror aprendimos mucho del poder de la oración y la Escritura. Se ganaron batallas, la fe reemplazó a la duda y las cosas *estaban mejorando*. Pero también sabíamos que necesitábamos más ayuda.

Era un lunes, cuatro días después que Dave fuera violentado por el maligno y era el primer día de las vacaciones escolares de Navidad. También era el día libre de Pete, luego de un domingo atareado en predicar y enseñar. Pete fue a una librería cristiana donde exploró la sección "Guerra Espiritual" buscando un libro que contestara nuestras preguntas y resolviera nuestros problemas. Evitó los libros que recomendaban el combate cara a cara con los demonios o los exorcismos. También evitó los autores con quienes discrepaba en doctrina y aquellos que no fundamentaban sus consejos en la Escritura.

Él había destacado durante sus 15 años de pastor que si la Biblia no respalda lo que uno cree, no se debe creer. Así que no me sorprendí cuando volvió a casa con un libro lleno de citas bíblicas. Tampoco me sorprendió que el autor fuera el jefe del Departamento de Teología Práctica de la Escuela Talbot de Teología. Confieso que me desilusionó que no trajera un libro titulado: *Cómo librarse de los demonios de su casa* o *Tres oraciones simples para derrotar a Satanás,* pero confiaba plenamente en el juicio de mi marido en cuestiones espirituales.

Pete se pasó la mayor parte de la tarde leyendo su nuevo libro, *Victoria sobre la oscuridad* por el doctor Neil T. Anderson. El título era atrayente porque nosotros habíamos sido, decididamente, invadidos por las tinieblas y debíamos tener victoria sobre ellas. Yo esperaba que los títulos de los capítulos incluyeran esos pasos fáciles para eliminar al mal o alguna potente oración sobrenatural para liberar por siempre a nuestra familia de los ataques demoníacos. No era así pero yo seguía creyendo que algo del libro nos ayudaría.

Luego que Jared y Jalene se fueron a dormir, Pete llamó a Dave para que viniera a su sillón reclinable donde seguía leyendo el libro. Al pararse Dave detrás del sillón, Pete sostuvo el libro abierto, por encima de su hombro, y le pidió que leyera una lista titulada: "¿Quién soy?" Dave leyó con voluntad las primeras líneas de la lista, que terminaban al final de la página.

Soy la sal de la tierra (Mateo 5:13).

Soy la luz del mundo (Mateo 5:14).

Soy hijo de Dios (Juan 1:12).

Soy parte de la vid verdadera, un canal de la vida de Cristo (Juan 15:1,5).

Soy amigo de Cristo (Juan 15:15).

Soy escogido y nombrado por Cristo para llevar Su fruto (Juan 15:16).

Comenzó a alejarse pero Pete dio vuelta a la hoja y dijo: "Hay más". Vacilando para leer otra página y media Dave volvió lentamente al sillón para leer el resto de la lista "Yo Soy". Entre suspiros de renuencia siguió leyendo.

Soy siervo de justicia (Romanos 6:18).

Soy siervo de Dios (Romanos 6:22).

Soy hijo de Dios; Dios es mi Padre espiritual (Romanos 8:14,15; Gálatas 3:26; 4:6).

Soy coheredero con Cristo, para que juntamente con Él seamos gloriados (Romanos 8:17).

Soy un templo, una morada, de Dios. Su Espíritu y Su vida moran en mí (1 Corintios 3:16; 6:19).

Soy un espíritu con Él, poque estoy unido a Él (1 Corintios 6:17).

Soy un miembro del cuerpo de Cristo (1 Corintios 12:27; Efesios 5:30).

Soy una nueva criatura (2 Corintios 5:17).

Entonces la voz de nuestro hijo perdió su tono de mala gana demostrando ganar confianza.

Soy reconciliado con Dios y un ministro de reconciliación (2 Corintios 5:18,19).

Soy hijo de Dios y uno en Cristo (Gálatas 3:26,28).

Soy un heredero de Dios ya que soy hijo de Dios (Gálatas 4:6,7).

Soy santo (1 Corintios 1:2; Efesios 1:1; Filipenses 1:1; Colosenses 1:2).

Soy hechura de Dios, su artesanía, creado en Cristo para hacer Su obra (Efesios 2:10).

Soy conciudadano con los miembros de la familia de Dios (Efesios 2:19).

Soy prisionero de Cristo (Efesios 3:1; 4:1).

Soy justificado y santificado (Efesios 4:24).

Soy ciudadano del cielo y estoy sentado en los lugares celestiales (Filipenses 3:20; Efesios 2:6).

Soy protegido por Cristo en Dios (Colosenses 3:3).

Soy una expresión de la vida de Cristo porque él es mi vida (Colosenses 3:4).

Su voz estaba empezando a ponerse más fuerte y su pronunciación reflejaba confianza.

Soy escogido de Dios, santo y amado (Colosenses 3:12; 1 Tesalonicenses 1:4).

Soy hijo de luz y no de las tinieblas (1 Tesalonicenses 5:5).

Yo quería gritar "¡AMÉN!" desde la cocina donde escuché eso. Qué maravilla era saber que todos somos hijos de la luz y que no pertenecemos a las tinieblas de la noche.

Soy participante del llamamiento celestial (Hebreos 3:1).

Soy una de las piedras vivas de Dios, edificado en Cristo como casa espiritual (1 Pedro 2:5).

Soy linaje escogido, real sacerdocio, nación santa, pueblo adquirido por Dios (1 Pedro 2:9,10).

Soy extranjero y peregrino en este mundo en donde vivo provisionalmente (1 Pedro 2:11).

Soy enemigo del diablo (1 Pedro 5:8).

Soy hijo de Dios y cuando Cristo se manifieste seré semejante a él (1 Juan 3:1,2).

Soy nacido de Dios, y el maligno no me puede tocar (1 Juan 5:18).

Su voz era firme y segura ahora, evidentemente animado por la verdad de que él estaba protegido del maligno. Desde la cocina yo quería gritar a todo pulmón: "¡Bendito sea Dios!" pero, en cambio, las lágrimas brotaban de mis ojos al recordar 1 Juan 5:18: "Sabemos que todo aquel que ha nacido de Dios, no practica el pecado, pues Aquel que fue engendrado por Dios le guarda, y el maligno no le toca". Entonces, Dave expresó con énfasis el último "Yo soy":

Yo no soy el gran YO SOY (Éxodo 3:14; Juan 8:24,28,58), *pero por la gracia de Dios, yo soy lo que soy* (1 Corintios 15:10).

En sólo unos pocos minutos fueron contestadas las preguntas de mi hijo sobre su significado. Mis anteriores intentos débiles por afirmarlo palidecieron en el poder de la Palabra de Dios y la verdad de su identidad en Cristo. La Biblia había dado las respuestas que él necesitaba.

Ahora él sabía que era un hijo de Dios y que era una nueva creación en Cristo. ¡Su significado total dependía de quién era en Cristo! Conocer su posición como hijo de Dios le dio aceptación y seguridad. Él se alejó de ese sillón con una gran sonrisa en su cara, con sus hombros elevados. Acostamos a Dave con un nuevo respeto por él mismo y por el poder de la Palabra de Dios.

A pesar de nuestra fatiga Pete y yo nos quedamos levantados hasta tarde, regocijándonos en las verdades bíblicas que fluían de la Escritura y de *Victoria sobre la oscuridad*. Aceptamos agradecidos la realidad de quiénes *éramos* en Cristo. Pete estaba claramente emocionado. Se detenía a menudo para decirme exactamente lo que había descubierto (¡frecuentemente no tengo que leer los libros buenos: él me los cuenta!).

Habíamos estado buscando ayuda para Dave pero Dios también quería enseñarnos cosas que liberaran nuestra vida cristiana, fortalecieran nuestra familia y cambiaran la prédica de mi marido. Cuando Pete terminó de leer el capítulo 4, "Algo viejo, algo nuevo", era una persona cambiada.

Dándose cuenta de que él no era la cuerda (del juego de tirar la cuerda) de dos naturalezas, dejó de preguntarse si su vieja naturaleza o su hombre nuevo estaban ganando la batalla. Se dio cuenta de que su vieja naturaleza había sido crucificada cuando él confió en Cristo como su Salvador. Él se regocijó por ser una nueva creación: no parcialmente luz y parcialmente tinieblas, no parcialmente santo y parcialmente pecador, sino una criatura completamente nueva en Cristo. Neil Anderson lo había desafiado a aceptar su nueva identidad en Cristo con estas palabras, usando la Biblia en su versión *New American Standard*:

> Como Dios 'nos libró del dominio de las tinieblas y nos trasladó al reino de Su amado Hijo" (Colosenses 1:13), ¿podemos seguir aún estando en ambos reinos? Cuando Dios declara que "no estamos en la carne sino en el Espíritu" (Romanos 8:9), ¿podemos estar simultáneamente en la carne y en el Espíritu?" (Efesios 5:8), ¿es posible que uno sea a la vez luz y tinieblas? Cuando Dios manifiesta que "si alguien está en Cristo es una criatura nueva; las cosas viejas pasaron, he aquí, cosas nuevas vienen" (2 Corintios 5:17) ¿podemos ser nueva criatura en parte y vieja criatura en parte?[1]

Pete empezó a vivir en la luz y en el Espíritu en lugar de andar luchando en su propia fuerza por derrotar la vieja naturaleza dentro de él. Ya no tenía que seguir viviendo derrotado. Empezó a vivir la vida victoriosa de un hombre nuevo, dejando que las cosas viejas pasaran.

¿Empezó a llevar una vida sin pecado? No, ¡la esposa sabe! Pero desarrolló algo nuevo. Ahora entendía que sus pecados actuales eran el resultado de su carne que había sido preparada para pecar, no resultado de la vieja naturaleza que se la ganaba a la nueva naturaleza. Él se dio cuenta de que estar en Cristo no era una lucha inerme entre dos naturaleza de la cual no tenemos control sino que, cuando pecamos optamos por andar según la carne y actuar como estábamos preparados para hacer antes que fuera crucificada nuestra vieja naturaleza (ver Romanos 8:12,13).

Como hijo de Dios —un santo— usted ya no está más bajo la autoridad de su viejo hombre. Este está muerto, enterrado, se fue para siempre. Librarse del viejo yo fue responsabilidad de Dios pero hacer inoperante a la carne y sus obras es responsabilidad de nosotros.[2] Tenemos la promesa de Dios: "Digo, pues: Andad en el Espíritu, y no satisfagáis los deseos de la carne" (Gálatas 5:16).

Esa noche cuando Pete y yo oramos juntos, agradecimos a Dios por ser nuevas criaturas en Él. Le agradecimos a Él por ser hijos de Dios. Le agradecimos por ser hijos de luz y no de las tinieblas, por ser nacidos de Dios y porque el maligno no nos toca. El foco de nuestras oraciones cambió de ser un débil grito de socorro a una declaración de nuestra posición en Cristo y cuánta diferencia empezó eso a ser.

Dave durmió en paz en su cama toda la noche. Se despertó en la mañana de la víspera de Navidad refrescado y optimista. Nosotros estábamos asombrados de haber podido dormir toda la noche, agradecidos por el poder de Dios en nuestras vidas.

NOTAS

1. Neil T. Anderson, *Victoria sobre la oscuridad* (Editorial Unilit).

2. Ibid.

5

Seguir adelante

La víspera de Navidad

La mañana de la víspera de Navidad se pasó gozosamente haciendo galletitas en todas las formas imaginables que pudieran garapiñarse y salpicarse con azúcar. Los niños tomaron posesión del tarro de harina, que sirvió como arsenal para su guerra de harina. Luego de fotografiar sus caras blanqueadas con harina, limpié lo sucio y terminé decorando yo misma las galletitas.

Avanzada esa mañana, dimos la bienvenida al cartero, preguntándonos cuáles sería las tarjetas y regalos de última hora que podrían llegar. No nos desilusionamos, pues llegaron dos cajas grandes cubiertas de rótulos de "Correo urgente". Cuando el cartero llevó las cajas de cartón a la sala, los niños gritaban deleitados. Su exuberancia puso una sonrisa en la cara del cartero que parecía decir que valía la pena trabajar en víspera de Navidad.

Yo estaba atareada revisando la correspondencia cuando me fijé en un sobre corriente, era del centro de manejo de la crisis del embarazo. Abriendo primero ese sobre, mi corazón saltó emocionado. Me alivió ver que la tarjeta había llegado antes de Navidad, agradecida por haber participado en su creación y conmovida por su punzante mensaje.

El lado interno celebraba las fotografías de los bebés nacidos —no abortados— ese año debido al ministerio del centro de manejo de la crisis del embarazo. Al lado de cada cara de querubín estaba el sencillo pero potente mensaje: *...Estoy vivo... Estoy vivo... Estoy vivo"*. Derramé lágrimas de gozo al pegar la tarjeta en un lugar especial de la pared dedicada a las tarjetas de Navidad.

Más adelante en ese día horneamos nuestra tradicional torta de cumpleaños para Jesús, que habitualmente se parte por la mitad antes de cubrirla con azúcar. Pero siempre la decoramos de todos modos, llenando las grietas con más azúcar y cubriéndola con letras comestibles que proclaman: ¡Feliz cumpleaños Jesús! El toque final era poner los cuatro números que señalaban el año —1991.

Disfrutamos una comida rápida esa noche, seguida por la ceremonia de encender las velas de la torta. Se tomó la fotografía anual, cosa seguida por el gozoso canto del "Feliz cumpleaños" para Jesús, nuestro invisible invitado de honor.

Con miedo y terror Dave entendió
que ser cristiano no significaba que él
pudiera desafiar las fuerzas del mal,
más fuertes que él.

Luego de abrir unos regalos llegados de afuera de la ciudad, todos nos metimos en la camioneta y fuimos a la juguetería para cambiar los regalos repetidos. Cuán divertido fue meterse patinando en el estacionamiento, correr a la tienda y elegir rápidamente algunos juguetes nuevos antes de que la tienda cerrara a las 7 de la noche.

Cuando pusimos, por fin, a los niños en la cama, parecía como si ellos tuvieran "visiones de copitos de azúcar danzando en sus cabezas". Seguros de que los niños estaban definitivamente dormidos, Pete y yo envolvimos regalos de último minuto e hicimos nuestro viaje anual al árbol, tratando de no hacer ruido con el papel cuando pasábamos por los dormitorios de los niños. Ya era oficialmente el día de Navidad cuando nos metimos finalmente en la cama. Estábamos agradecidos de haber pasado una víspera de Navidad grandiosa y esperábamos expectantes el día más importante del año para nosotros.

Ven a agarrarme

Nuestro gozo y celebraciones tuvieron un final brusco a eso de las 2 de la madrugada. Las potestades satánicas trataron de arruinar nuestra celebración del nacimiento de Jesús volviendo a atacar el tranquilo sueño de Dave. Pete y yo nos despertamos sobresaltados cuando escuchamos que nuestro hijo gritaba: "¡Mamá!" más fuerte de lo que yo pensaba que podía gritar un niño de su edad. Saltamos inmediatamente de la cama y corrimos a su cuarto. Al encender la luz vimos a Dave que saltaba de su litera de arriba, sin usar la escalerita y que aterrizaba en el suelo. Una mirada de terror llenaba sus ojos, lo que ningún padre ni madre quisieran ver en la cara de su hijo.

Cuando pudo por fin hablar, Dave contó que un demonio negro, feo y grande, lo estaba sujetando en la cama. Había bajado del techo poniéndose encima de él, negándose incansable a soltarlo hasta que él gritara lo más fuerte posible.

Meses después Dave confesó que su confianza en quién era él en Cristo, había sido tan potente esa noche que había desafiado a Satanás y sus malos obreros a que "¡vengan y agárrenme!" Las potestades de las tinieblas habían aceptado evidentemente el reto. Con miedo y terror Dave entendió que ser cristiano no significaba que él pudiera personalmente desafiar a las fuerzas del mal, más fuertes que él. Él tenía la armadura para resistir sus asechanzas (ver Efesios 6:11) pero el reto abierto no era parte de la vida cristiana.

Me volví a preguntar —y a Dios— ¿Por qué? ¿Por qué nos estaba pasando esto? ¿Por qué seguía repitiéndose? ¿Por qué una palabrita o una oración poderosa no impedían que pasara todo esto? ¿Por qué los ataques eran a nuestros hijos en lugar de a nosotros? Sentía que seis días de guerra espiritual eran suficientes para cualquier hijo de Dios y oré y oré que eso terminara.

Pensé en la dura lucha de Job con Satanás y de cómo fue la batalla para su familia. Pensé en las muchas pruebas que tuvo Pablo porque estaba en un ministerio en el frente de guerra. También pensé en la batalla de Jesús con Satanás, un momento de incansable tentación en el desierto cuando Jesús tenía mucha hambre y estaba muy cansado. Ninguno en nuestra familia era un Job, un Pablo o un Jesús. No creía, sinceramente, que la lucha de una familia cristiana corriente de la época moderna fuera tan larga o que sus pruebas fueran tantas como la de aquellos famosos y resueltos líderes, profetas y mártires bíblicos. Yo creía diariamente que pronto seríamos liberados y la vida volvería a lo normal.

El Dios de todo consuelo

El día de Navidad llegó y se fue pero estábamos demasiado agotados para disfrutarlo. Hicimos los movimientos de abrir los regalos disimulando estar contentos. Hasta fuimos al servicio del día de Navidad de la iglesia donde Pete predicó pese a su cansancio. La cena con pavo no tuvo algunos de los platos acompañantes que eran tradición porque yo estaba demasiado cansada para hacerlos. Luego de una comida rápida Pete y yo dormimos casi toda la tarde mientras los niños jugaban con sus juguetes nuevos.

Al ir pasando los días siguieron nuestras luchas. Yo empecé el Año Nuevo con un esfuerzo conjunto por hacer un boletín significativo para el centro de manejo de la crisis del embarazo. Mis esfuerzos se vieron coartados por problemas en la computadora cuando estaba trabajando con el boletín y el caos de los niños cuando yo trataba de escribir. La directora del centro y yo nos hicimos muy amigas: podíamos conversar por horas sobre cualquier cosa y ella fue una fuente de consuelo verdadero mientras yo luchaba por hacer el boletín.

Liz me contó cómo los espíritus demoníacos la habían molestado dos veces por lo menos. Indudablemente estaban molestos por la fe de ella en Jesucristo y el subsecuente cambio de profesión: de enfermera de una clínica de abortos a directora de un centro de manejo de la crisis del embarazo. Ella estaba ahora *salvando* las vidas de los bebés en lugar de juntar las partes de sus cuerpos en la mesa para cerciorarse de que se había sacado todo del útero de la mujer.

La sensibilidad y empatía de Liz por nuestra situación fue uno de los consuelos más grandes que Dios proporcionara en esa época. Ella me contó cómo otras personas también habían luchado con las potestades de las tinieblas cuando habían tratado de hacer el boletín. Sin embargo, nosotras orábamos, compartíamos ideas, nos reíamos juntas y nos dábamos ánimo una a la otra con la Palabra de Dios. Estábamos dedicadas a salvar vidas así que seguíamos adelante con el trabajo que se debía hacer.

El trabajo que Liz hacía en el centro de manejo de la crisis del embarazo tampoco carecía de oposición. Cuando pintaron unos aborrecibles graffiti en la pared externa del centro, el directorio y las voluntarias oramos, todos. Dios levantó a alguien para que limpiara las iracundas palabras pintadas en los ladrillos. Cuando unos manifestantes furibundos amenazaron hacer demostraciones cerca de la puerta principal del centro, volvimos a orar. La mayoría de ellos no vino. Los otros se fueron pronto después que Liz les ofreció café con panes dulces. Cuando llegaron los periodistas a entrevistar a Liz, oramos para que Liz dijera la verdad con amor y que la prensa aceptara la verdad. Nuestras oraciones fueron contestadas cuando Liz fue amistosa con el periodista que escribió, entonces, un artículo positivo del centro. Nuestras oraciones tuvieron respuesta cuando se imprimió el boletín y la verdad salió a la luz.

Nuestra lucha con los gobernadores de las tinieblas continuó en el centro y en la casa pero también la búsqueda de una solución. Pete, aún muy sumido en las verdades bíblicas de *Victoria sobre la oscuridad* empezó a preparar sermones sobre nuestra identidad en Cristo. Él llamó por teléfono, muy entusiasmado, a los Ministerios de Libertad en Cristo, fundados por el doctor Neil Anderson para pedir permiso para copiar gráficos y partes del libro para su congregación. Le dieron el permiso sin vacilar.

Un error crítico

Las circunstancias mejoraron mucho cuando nuestros devocionales de la noche se volvieron momentos para ponerse la armadura espiritual para la noche venidera... hasta que cometimos un error tremendo. Pete y yo dejamos a nuestros hijos al cuidado de otra persona cuando fuimos a una iglesia de Nuevo México para asistir a unas reuniones que habían sido programadas con mucha anticipación. El porqué no tuvimos la sabiduría de cancelar nuestros planes durante la época de mayor vulnerabilidad de nuestros hijos ante el maligno, es algo que todavía escapa a nuestra comprensión. Nos fuimos, creyendo que las cosas estaban bien y que nuestro viaje era demasiado importante como para cancelarlo.

Los demonios de Satanás hicieron fiesta en nuestra casa mientras estuvimos ausentes. La cosa empezó en cuanto Pete y yo nos alejamos. No teníamos idea de que un enorme miedo había agarrado a Jared cuando nos fuimos. No teníamos idea de que los mensajeros de Satanás lo habían convencido de que un día lo abandonaríamos para siempre. No teníamos idea de que Jared había corrido por la calle, detrás del automóvil, creyendo que nunca nos volvería a ver.

Ambos hijos estaban aterrorizados de miedo. Las voces y el acoso nocturno de los demonios duró los cuatro días que estuvimos fuera. Como resultado, nos pasamos en el teléfono hablándoles a nuestros hijos, orando con ellos y repitiendo la lista del "Yo soy" y pasajes bíblicos.

Cuando volvimos a casa, enfrentamos una batalla peor que la que habíamos pasado. Las autoridades espirituales de las vidas de nuestros hijos habían sido sacadas de nuestro hogar cuando Pete y yo nos fuimos al aeropuerto. Las potestades de las tinieblas casi tuvieron rienda suelta con nuestros hijos. ¡Qué manera tan dura de aprender que como padres tenemos autoridad espiritual sobre nuestros hijos!

Miedo insondable

Cuando volvimos Dave y Jared empezaron a "acampar" en el suelo de nuestro dormitorio todas las noches. Las pesadillas y el terror no tocaron a Jalene pero volvió el miedo de Dave y las pesadillas de Jared se hicieron más frecuentes e intensas. Al poco rato de dormirse Jared era atormentado por el miedo en sus sueños. Aún no lográbamos despertarlo de su dormir profundo. Orábamos por él, le dábamos vuelta y él se tranquilizaba un poco.

Como los muchachos no estaban durmiendo en su cuarto —el cuarto donde había ocurrido toda la actividad demoníaca— yo cerré calladamente la puerta una tarde, esperando que nunca tuviera que abrirla de nuevo. Yo supuse en mi miedo que podía encerrar de alguna manera al mal en ese cuarto. La puerta se mantuvo cerrada en la noche durante una semana. Nadie entraba ahí a menos que hubiera luz afuera.

Una semana después Pete tenía planeado ir a un seminario Sonlife en el Instituto Bíblico Moody, de Chicago pero yo tenía miedo de quedarme sola en la casa con los niños. Le rogué a Pete que no fuera porque no me sentía segura de poder manejar los ataques sola. Yo necesitaba la fuerza de trabajar como equipo en Cristo. Temía lo que pasaría sin la cabeza de la familia ahí para asumir su autoridad sobre nuestros hijos. Empecé a odiar la noche y odiar la casa. No quería estar sola ahí cuando se ponía el sol y venía la oscuridad: la oscuridad de la noche y la oscuridad del mal.

Era imperativo que Pete fuera al seminario así que se nos ocurrió una solución: *todos* hicimos el equipaje y nos amontonamos en la camioneta para ir a Chicago con él. ¡Qué estupenda era esa idea! Yo me alegré de salir de la casa, y tener unas vacaciones parecía buena idea: algo que nos haría bien a todos.

Sin embargo, pese a mis expectativas, aquel fue uno de los momentos peores para la familia. Todos nos peleamos unos con otros la mayor parte del tiempo. Mientras Pete iba a las clases de Sonlife, yo me hallaba molesta constantemente con los niños; ellos estaban rebeldes conmigo y enojados entre sí. Nadie dormía mucho en la noche pues las pesadillas y el miedo continuaban pero eso *era* mejor que estar sola en una casa que todos comenzábamos a temer y detestar.

Pidiendo socorro

Dos semanas después Pete estaba participando en la filmación de un video de propaganda para el centro de manejo de crisis del embarazo. También se reunía con un pastor colega para orar y pedir socorro para nuestra situación. Así, pues, invitamos a casa a ese pastor, como también a un miembro del directorio del centro y a un querido amigo cristiano, para conversar y orar por nuestra familia. ¡Qué maravillosa velada! Conversamos, lloramos y leímos juntos la Biblia. Luego, esta gente maravillosa ungió con aceite a cada miembro de nuestra familia orando por cada uno de nosotros, que nos arrodillamos ante Dios. Recordamos los versículos de Santiago: "¿Está alguno entre vosotros afligido? Haga oración. La oración eficaz del justo puede mucho" (5:13,16).

Fue un rato que nos dio firmeza al darnos ánimo cada uno de nuestros amigos y exhortarnos a seguir luchando (ver Hebreos 10:24,25). Qué aliento maravilloso fue ser motivado por uno de nuestros amigos para leer y recordar Filipenses 4:6-8:

Por nada estéis afanosos, sino sean conocidas vuestras peticiones delante de Dios en toda oración y ruego, con acción de gracias. Y la paz de Dios, que sobrepasa todo entendimiento, guardará vuestros corazones y vuestros pensamientos en Cristo Jesús. Por lo demás, hermanos, todo lo que es verdadero, todo lo honesto, todo lo justo, todo lo puro, todo lo amable, todo lo que es de buen nombre; si hay virtud alguna, si algo digno de alabanza, en esto pensad.

Antes de irse ellos, fuimos todos de cuarto en cuarto, dedicando las habitaciones a Dios y Su verdad. Prohibimos a Satanás y sus obreros que residieran ahí o que afectaran a quien entrara ahí. La oposición espiritual ocurrió principalmente en el dormitorio de nuestros hijos: el cuarto que llevaba varios días cerrado. Al orar en ese cuarto, Dave y yo pudimos oír claros ruidos debajo del camarote.

Nuestros amigos sugirieron que Dave quitara el cartel contra el aborto de su ventana pero él rehusó inexorablemente a sucumbir a algo que pudiera complacer a nuestro adversario. Él no se iba a ir en retirada en un triunfo falso. Así que el cartel siguió ahí, desafiando a nuestro enemigo y como heraldo de la vida desde la ventana de Dave.

No hay tratos

Se fueron los invitados, algunos seguros de que nuestro hogar estaba limpio pero nosotros podíamos captar aún la opresión y las tinieblas. Seguimos adelante, confiando versículo tras versículo, promesa tras promesa de la Palabra de Dios. Los pasajes como el de 1 Pedro 1:6,7 resultaban edificantes:

Aunque ahora por un poco de tiempo, si es necesario, tengáis que ser afligidos en diversas pruebas, para que sometida a prueba vuestra fe, mucho más preciosa que el oro, el cual aunque perecedero se prueba con fuego, sea hallada en alabanza, gloria y honra cuando sea manifestado Jesucristo.

Aunque todavía no habíamos llegado al punto de regocijarnos en nuestro sufrimiento, sabíamos que si nuestra batalla *era* resultado de nuestras actividades en favor de la vida o el ministerio de la iglesia, rehusaríamos rendirnos al enemigo. Podríamos haber sacado con toda facilidad el cartel de la ventana de Dave, dejar de escribir el boletín del centro de manejo de la crisis del embarazo, renunciado de su junta directiva y mudado a otra casa. Pete pudiera haber dejado de predicar contra el aborto y empezado a aguar sus sermones para apaciguar a los paladines de la agenda liberal popular.

Cuán fácil hubiera sido hacer un trato con Satanás, diciendo: "No te molestaré si tú no me molestas". Pero cuán elevado precio hubiéramos tenido que pagar por negociar con el diablo, el padre de la mentira y maestro del engaño, que nunca hubiera cumplido su parte del trato. Retractarnos de cualquier ministerio nuestro hubiera sido negociar con el mismo Satanás. Estábamos impelidos a seguir adelante, creyendo que Dios nos ha confiado Su verdad y la armadura para proclamar esa verdad.

Dios es el general fiel de todas nuestras guerras y Él nunca nos pone en el frente sin equiparnos primero con la armadura y armas apropiadas para la batalla. Nosotros podemos optar por ponernos la armadura disponible para dar la batalla o echarnos para atrás y negociar con Satanás. Dios, nuestro fiel general, siempre irá delante de nosotros a la guerra: Él nunca nos dejará ni nos desamparará. Él nunca permitirá que estemos en una batalla sin habernos dado poder para hacerlo.

Nuestro general ya ganó la guerra: nosotros sólo tenemos que luchar contra esos demonios molestos que piensan que ¡todavía pueden ganar!

6

Pasos hacia la libertad

Dios honró nuestro rechazo a retirarnos de nuestra batalla aparentemente imposible. Nuestra falta de voluntad para acobardarnos ante nuestro feo enemigo nos llevó a un estudio profundo de las Escrituras y de las armas espirituales que Dios nos pone a disposición. Estuvimos leyendo la Escritura, orando y recitando la lista del "Yo soy" por las noches durante nuestros devocionales en familia. Dios nos dio versículos específicos que no sólo proclamaban la verdad sino que también nos daban ánimo y las armas que necesitábamos para nuestra guerra.

Los versículos del libro de Santiago eran especialmente alentadores:

Hermanos míos, tened por sumo gozo cuando os halléis en diversas pruebas, sabiendo que la prueba de vuestra fe produce paciencia. Mas tenga la paciencia su obra completa, para que seáis perfectos y cabales, sin que os falte cosa alguna.

Santiago 1:2-4

Bienaventurado el varón que soporta la tentación; porque cuando haya resistido la prueba, recibirá la corona de vida, que Dios ha prometido a los que le aman.

Santiago 1:12

Pete siguió predicando sermones de *Victoria sobre la oscuridad* y *Rompiendo las cadenas*. Como resultado de eso empezamos a darnos cuenta del poder de nuestra identidad en Cristo. Pronto Pete se volvió un entusiasta con los "Pasos hacia la libertad en Cristo", de Neil Anderson, proceso bíblico de arrepentimiento y renuncia para demoler las fortalezas de Satanás. Facilita la libertad personal al optar nosotros por confesar verbalmente, perdonando, renunciando y abandonando esas cosas que nos han mantenido esclavizados.

Nada que perder

La propia liberación de Pete por medio de los "Pasos hacia la ibertad en Cristo" (ver Apéndice A), resultaron ser tan beneficiosos que él proclamó su efectividad "desde los techos". El animó a su familia, su iglesia y a todos los que escucharan a ir a través de ellos. "Después de todo —argumentaba—, uno no tiene nada que perder. ¡Si no cree que tiene fortalezas en su vida, solamente puede ponerse muy bien con Dios!"

Dave decía que su vida se parecía a un edificio que había sido gravemente removido en un terremoto. El edificio había tenido daños; pero como resultado, él volvió a construirlo más fuerte para que futuros sismos no lo echaran abajo.

Pronto nuestro amado Dave pidió permiso para faltar un día a clases para quedarse en casa, ayunar, orar e ir a través de los Pasos. Me sorprendió su pedido y su decisión al incluir el ayuno en su jornada espiritual. Él debe haber oído que Dios reconoce la seriedad de nuestras oraciones cuando ayunamos, y él era serio definitivamente.

Jornada hacia la libertad

Pocos días después Dave y yo reemplazamos el desayuno con el ayuno y oración y empezamos la jornada hacia su libertad personal y espiritual. Orar fue una lucha para él. A medio camino de su segunda frase fue interrumpido por un ruido que sonó como una multitud vociferante. Ambos oramos, renunciando a las voces y clamando el poder de Dios, no sólo en el cuarto sino también en nuestras vidas. Las voces cesaron de inmediato.

Dave siguió orando con firme determinación de ganar esta batalla pero antes de terminar hubo más interferencias. Mientras leía Dave mezclaba, sin saberlo, palabras o agregaba una negación, cambiando por entero el significado. En lugar de decir: "Yo me pongo firme contra todas las obras de Satanás que me estorban en este rato de oración" decía: "Yo no me pongo firme contra todas las obras de Satanás que me estorban en este rato de oración". Costaba oír esa mínima negación ¡pero cuánta diferencia tenía en el significado!

La otra estrategia astuta de Satanás era hacer que David sólo negara la mitad de la frase, de modo que la mitad era cierta y la otra no. ¿No es eso lo que hizo Satanás en el huerto del Edén? Él engañó a Eva debido a que su mentira tenía la suficiente verdad para hacer que ella le creyera. Cuán a menudo ignoramos leves matices de mentira porque sentimos que gran parte de lo dicho es verdad.

Detuve a Dave varias veces ese día para que supiera que había cambiado la frase. Sin darse cuenta de que lo había hecho, volvía atrás y leía de nuevo con sumo cuidado, diciendo claramente cada palabra en forma correcta. Así que yo actúe como guardián de la verdad ese día, buscando formas en que podíamos estar siendo engañados.

Aprendimos a mantener el control tomando calmadamente nuestro lugar en Cristo sin dejar que el diablo estableciera el orden del día. Hallamos que los *Pasos hacia la libertad* constituyen un medio integral para someterse a Dios al resolver conflictos personales y espirituales: entonces podemos resistir al diablo (ver Santiago 4:7).

La fuerza de las Escrituras demostró nuevamente ser eficaz y cortante, penetrando hasta partir el alma y el espíritu (ver Hebreos 4:12). Ese día mi hijo de 10 años de edad fue libertado de las fortalezas de su vida. Aunque yo nunca desearía volver a vivir la batalla que llevó a Dave a este punto de necesidad, tampoco quisiera nunca tener que cambiar esas preciosas horas con él: las horas en que se humilló ante Su Señor con espíritu contrito y quebrantado. Era claro que él tenía un fuerte deseo: ponerse bien con Jesús.

Dave proclamó la verdad con la fortaleza de alguien que tuviera tres veces su edad pero con la dulzura e inocencia de un niño. Al empezar el primer Paso, yo agradecí que él solo hubiera querido meterse solamente en tres experiencias no cristianas. Una vez había jugado con una bola "ocho mágica" en casa de un amigo; otra vez, había leído su suerte en el horóscopo del periódico y, otra en una galletita de la suerte. Él renunció a esas cosas, sin importar cuán pequeñas hubieran parecido.

Dave tenía aún que renunciar a las experiencias no cristianas en que había estado metido sin quererlo, cosas que le habían causado mucho miedo. Él tenía que renunciar a las voces demoníacas con las que había accedido ocasionalmente y al demonio no invitado que le había visitado en su dormitorio. Las cargas fueron levantadas inmediatamente después de ese primer Paso, y se fueron las fortalezas que habían afectado la vida de Dave.

El segundo Paso, una declaración de la verdad, resultó ser un buen ímpetu para seguir a Pasos más difíciles. Al acercarnos al tercer Paso, del perdón, Dave se sentía muy mal ante la perspectiva de perdonar a personas que él sentía que merecían realmente su odio o venganza. El perdón no vino sin resistencia interior al optar él por soltar las heridas y las ofensas que le habían amargado aun a su poca edad. Hizo una lista de personas que tenía que perdonar, desde el matoncito del primer grado que siempre lo empujaba y menospreciaba de regreso a casa hasta el muchacho del barrio que siempre lo molestaba y el chico de la escuela que nunca le había caído bien.

Dave batalló victoriosamente en el proceso de perdonar a esas personas por las heridas que le infligieron, pero yo sabía que la lista de Dave estaba incompleta. Con un poco de duda y mucha confianza en Dios, dije: "Dave, si tienes que perdonarme a mí o a papá por algo, quiero que sientas la libertad de hacerlo. Yo me sentiré muy bien y aceptaré lo que digas". Él me aseguró que no tenía que perdonarnos pero yo sabía que algo no estaba resuelto.

Así que le pregunté cómo se sentía por ser adoptado y si sentía rencor o ira por eso. Él expresó sus sentimientos con madurez. Se sentía completamente seguro con el hecho de haber sido adoptado sabiendo que estaba donde Dios quería que estuviera. Pero no podía aún entender cómo su madre biológica podía haberlo abandonado. Hablamos abiertamente ese tema difícil.

Él tenía que saber cómo una mujer podía planificar una adopción para su hijo, no porque no lo amara sino por su increíble amor por él y su deseo de que él tuviera lo mejor de Dios. Fui capaz de explicarle que su madre biológica era incapaz de darle un hogar sano y estable en sus circunstancias difíciles y que había procurado hacer lo mejor para él: por amor. Él entendió y una semilla de amor por ella echó raíz pero él también estuvo de acuerdo en que tenía que perdonarla.

Cuán doloroso fue para él admitir eso y decidir perdonarla y terminar la mezcla de amor y rencor, afecto y rechazo que había abrigado. Cuando terminó la oración de perdón, nos abrazamos fuerte mientras nuestro llanto fluía. Fue casi como si la madre biológica de Dave hubiera estado ahí, compartiendo nuestro abrazo y el amor sin restricciones que ambos teníamos por ella. Qué persona tan especial era ella para nosotros dos y cuánta libertad disfrutaba ahora Dave.

Los versículos más liberadores que Dave leyó ese día fue Efesios 4:31,32:

> *Quítense de vosotros toda amargura, enojo, ira, gritería y maledicencia, y toda malicia. Antes, sed benignos unos con otros, misericordiosos, perdonándoos unos a otros, como Dios también os perdonó a vosotros en Cristo.*

También fue transformado por 1 Pedro 5:6-11:

> *Humillaos, pues, bajo la poderosa mano de Dios, para que él os exalte cuando fuere tiempo; echando toda vuestra ansiedad sobre él, porque él tiene cuidado de vosotros. Sed sobrios, y velad; porque vuestro adversario el diablo, como león rugiente, anda alrededor buscando a quien*

devorar; al cual resistid firmes en la fe, sabiendo que los mismos padecimientos se van cumpliendo en vuestros hermanos en todo el mundo. Mas el Dios de toda gracia, que nos llamó a su gloria eterna en Jesucristo, después que hayáis padecido un poco de tiempo, él mismo os perfeccione, afirme, fortalezca y establezca. A él sea la gloria y el imperio por los siglos de los siglos. Amén.

Paso a paso nuestro hijo fue libertado ese día y liberado de las fortalezas que le habían hecho vivir con miedo perdiéndose lo mejor de Dios para su vida. Él renunció al orgullo, se arrepintió de sus pecados y renunció a todos los pecados de sus antepasados que hubieran sido pasados a él. Porque no conocemos los detalles de su herencia, él tuvo que incluir todo lo que hubiera podido ser pecado en su trasfondo ancestral. Su conciencia de Éxodo 20:5 le obligó a hacer esto:

Porque yo soy Jehová tu Dios, fuerte, celoso, que visito la maldad de los padres sobre los hijos hasta la tercera y cuarta generación de los que me aborrecen.

Más tarde, la realidad de Jeremías 32:18 confirmaría la necesidad que todos tenemos de librarnos del pasado.

Que haces misericordia a millares, y castigas la maldad de los padres en sus hijos después de ellos; Dios grande, poderoso. Jehová de los ejércitos es su nombre.

Los *Pasos hacia la libertad* le cambiaron la vida a Dave. Ahora estaba seguro de su posición en Cristo, equipado para finalizar su batalla y confiado de estar en el lado ganador. Estaba definitivamente libre desde ese día en adelante. Solamente en una ocasión una sola voz volvió a arremeterle. Dave estaba orando y la voz dijo: "¡Cállate!" pero mi intrépido hijo renunció inmediatamente a la voz en el nombre de Jesús. Se fue para nunca volver. ¡Alabado sea Dios!

Tres años después, cuando Dave tenía 13 años, le pedí que reflexionara en su dura lucha y la libertad que halló en Cristo. Dijo que su vida se parecía a un edificio gravemente remecido en un terremoto. El edificio había tenido daños pero, como resultado, él volvió a edificarlo más firme para que los futuros sismos no lo echaran abajo.

En los meses venideros nuestra familia aprendió la importancia de darles mantenimiento constantemente a nuestros "edificios". Nos dimos cuenta de que nunca podríamos dejarlos que se deterioraran o quedaran sin reparar y nunca permitir que quedaran expuestos a otro terremoto. Cuando le pregunté a Dave qué creía sería el beneficio a largo plazo de su victoria, él tenía la expectativa de que, algún día, le enseñaría a sus hijos la verdad y les mostraría cómo tener libertad en Cristo. ¡Entusiasma pensar que otra generación tendrá la oportunidad de conocer la verdad y ser libertados!

Por medio de Cristo, nuestro hijo ganó su batalla. Él halló en su victoria Escrituras que le ayudaron no sólo a comprender la guerra sino también a celebrar el triunfo de vencer a su acusador por la sangre del Cordero. Él estaba animado y entusiasmado por saber que el tiempo de Satanás en la tierra era corto y que llegaría un día en que no podría molestarnos. Él encontró un pasaje en Apocalipsis que explicaba por qué Satanás estaba poniéndose tan activo:

Entonces oí una gran voz en el cielo, que decía: Ahora ha venido la salvación, el poder, y el reino de nuestro Dios, y la autoridad de su Cristo; porque ha sido lanzado fuera el acusador de nuestros hermanos, el que los acusaba delante de nuestro Dios día y noche. Y ellos le han vencido por medio de la sangre del Cordero y de la palabra del testimonio de ellos, y menospreciaron sus vidas hasta la muerte. Por lo cual, alegraos, cielos, y los que moráis en ellos. ¡Ay de los moradores de la tierra y del mar! porque el diablo ha descendido a vosotros con gran ira, sabiendo que tiene poco tiempo.

Apocalipsis 12:10-12

Escribimos inmediatamente esos versículos en la computadora e imprimimos varias copias con letra grande para pegarla en varias paredes de la casa. Pasar por esos versículos a diario nos haría decir: "¡Bendito sea Dios; el tiempo de Satanás es poco!"

¡Alabado sea Dios pues mientras Satanás *esté* aquí podemos vencerlo por la sangre de Jesucristo, el Cordero del sacrificio!

7

Victoria inesperada

El gozo y la alegría siguieron al momento en que Dave completó los *Pasos hacia la libertad*, pero nuestra oración final fue interrumpida por una llamada telefónica que informaba de la súbita muerte del padre de Pete. Impactados y entristecidos, Dave y yo derramamos lágrimas de pena pues nunca veríamos al abuelo de nuevo en la tierra.

Fuimos a buscar temprano a Jared a la escuela y a Jalene de la casa de unos amigos, luego nos dirigimos a la iglesia donde Pete estaba terminando un funeral en el que había oficiado: el tercero en ese mes para Pete. Le dijimos que su padre fue encontrado esa mañana en la iglesia donde trabajaba, sentado en su camioneta estacionada luego de haber tenido un ataque masivo al corazón.

La tensión de los últimos tres meses de lucha espiritual y los muchos funerales en que Pete había oficiado para los miembros de la iglesia en ese año, lo dejaron emocionalmente agotado. Pete se pasó la mayor parte de la noche recordando cariñosamente a su padre y escribiendo un poema a su memoria.

Nos fuimos para Nueva Jersey temprano la mañana siguiente, agotados por la pena y aflicción, pero agradecidos por la nueva libertad en Cristo de Dave. Los que fueron al funeral del abuelo afirmaron la efectividad de su vida cristiana y su aceptación de toda la gente. Nos gloriamos en que él conociera a Cristo como su Salvador y que estuviera regocijándose en el cielo con Él. Nos gloriamos en que, pese a lo inesperado de su muerte, era una victoria para él: un gozoso regreso a casa.

Regresamos a Wisconsin después de estar una semana en Nueva Jersey, entrando renuentes a nuestra sombría y opresora casa. No siendo personas que dependiéramos de nuestros sentimientos para verificar la realidad, creíamos que había cierta validez en la oscuridad y tristeza que todos sentíamos ahí. Como Jared aún seguía con muchas pesadillas, que no habían sido tan frecuentes cuando estuvimos en Nueva Jersey, queríamos eliminar por lo menos uno de los factores contribuyentes: la casa. No queríamos escapar de nuestros problemas pero estábamos fatigados. Así que le pedimos a Dios que nos diera otra casa si era Su voluntad.

Nos lanzamos con diligencia a buscar la casa ideal pero las puertas seguían cerradas. Por último confiamos en que Dios sabía lo que hacía al dejarnos donde estábamos. Confesamos que nos sentíamos como si estuviéramos tratando de escapar de nuestra situación y adversario. También sabíamos que no podíamos tratar de obtener una victoria falsa para Jared evitando la confrontación inevitable con sus enemigos.

Pete y yo insistimos en trasladar el cartel "El aborto mata niños" a la sala y cambiamos de dormitorio con nuestros dos hijos, desafiando a las potestades de las tinieblas a que nos molestaran a nosotros, las autoridades de la casa, en lugar de a nuestros hijos. ¡Y nos molestaron! Luego de unas pocas noches en el dormitorio de los niños, no nos quedó duda alguna de que alguien había cometido anteriormente algunos hechos diabólicos en ese cuarto, que nunca se sabría. Pero, nuevamente por medio de la oración y la Escritura, Dios ganó la victoria y las potestades de las tinieblas se vieron obligadas a irse. (Sin embargo, mirando atrás, nos damos cuenta de que, sin duda, se fueron a otra habitación de la casa: al lado del dormitorio principal donde dormía Jared ahora).

Cuando se aquietaron un poco las circunstancias, sentí que Dios me impulsaba en mi corazón a que diera los Pasos hacia la libertad. Yo había visto que habían transformado a mi marido y liberado a mi hijo, así que, ¿por qué yo no estaba atendiendo a mi propia relación con Dios? ¿Era por la falsa disculpa de que no tenía tiempo para estar sola? Probablemente. ¿Era orgullo? Probablemente. Así que dejé de lado mi orgullo y mi actitud de disculpa y reservé unas pocas horas para dar los Pasos.

Cuando los niños se fueron a la escuela y Jalene al preescolar, me senté a solas con Dios en la mesa del comedor, dispuesta y lista para que Él obrara en mi propia vida.

Siete pasos hacia la libertad

Yo confiaba que los Pasos ayudarían mi relación con Dios. Sin embargo, no estaba preparada para el efecto transformador de la vida que tendría al liberarme de las fortalezas que me habían mantenido esclavizada por años. Confirmé mi compromiso con Dios para dar esos Pasos solamente si podía ser totalmente honesta ante Él.

Esta señal de honestidad me transportó a mi experiencia de salvación. Una tarde dominical cuando tenía siete años, mi pastor anunció que habría en la iglesia un servicio de bautismo. Dijo que los interesados debían hablar con él. Cuando llegué esa noche a casa, le dije a mi madre que quería ser bautizada. Mi madre me explicó entonces lo que significaba el bautismo: era un testimonio de la fe en Jesucristo y que, primero, yo debía pedirle a Jesús que viniera a mi corazón. Ella explicó que si yo creía que Cristo murió por mis pecados, y si me arrepentía de ellos y le pedía a Jesús que entrara a mi corazón, sería salva. Entonces podría ser bautizada. Yo dije la oración de salvación esa noche estando mi madre y yo arrodilladas al lado del sofá.

Yo sabía que había sido salva esa noche, pero tenía que admitir que mi decisión tuvo algunos motivos egoístas: yo quería participar en el servicio de bautizo. Así que, ahora, habiendo hecho un compromiso total a ser honesta con Dios, confesé que mi decisión de confiar en Él había estado manchada por un ulterior motivo infantil egoísta. En un sentido me daba cuenta de que nadie va a Cristo basado en puros motivos. Si lo hiciéramos, entonces la salvación sería por puros motivos en lugar de ser por gracia por medio de la fe en lo que Dios hizo por nosotros en Cristo (ver Efesios 2:8,9). Dios nos alcanza en Su gracia, con motivos mezclados y todo. Por otro lado, yo quería profundizar mi compromiso con Cristo; no quería que mi relación con Él estuviera manchada por algo. Así que en la quietud de esa mañana dije:

Oh, Jesús, cuando te invité por primera vez a entrar a mi corazón, mis motivos no eran puros. Yo quería egoístamente participar en un servicio de bautizo en la iglesia. Pero ahora mismo quiero que sepas que yo confío en Ti como mi Salvador porque creo de todo corazón que Tú eres el único camino al cielo y que confiar en Ti es la única forma de restaurar mi relación con Dios. También te quiero como mi Salvador justamente porque te amo desde lo profundo de mi corazón. Quiero que sepas que si no hubiera habido nunca un servicio de bautizo, yo ahora confiaría en Ti justamente porque me amas tanto que enviaste a Tu Hijo a morir por mis pecados en la cruz, y solamente porque te amo tanto. No hay otro motivo. Si mi experiencia de salvación cuando tenía siete años fue impura a Tus ojos por cualquier razón, ahora me vuelvo a consagrar a Ti con toda honestidad y pureza.

Sentí una cosa nueva en mi relación con Dios en ese momento. Sabía que Dios había honrado mi oración infantil aunque había estado manchada por motivos impuros y que yo fui salvada eternamente de mis pecados en ese momento. Pero cuán fresca e impecable era ahora nuestra relación. Cuán nueva y sin culpa era mi experiencia de salvación (ver Salmo 32:1).

Ahora yo sabía que estaba lista para zambullirme en el primer Paso, (lo falsificado en contrate a lo real) en que yo renunciaría a toda participación pasada o presente en prácticas ocultistas o religiones falsas. No esperaba tener dificultades con este Paso porque fui criada en un hogar cristiano y había ido a una buena iglesia toda mi vida.

Aun con mi trasfondo religioso, yo *había* jugado con un tablero Ouija en las casas de varios amigos, viendo exitosamente que respondía cosas privadas que nadie presente en la sala conocía. Yo había atribuido este poder a la electricidad de la punta de nuestros dedos. Y también tenía una bola ocho mágica que usé como juguete cuando era niña y había tratado de levantar una mesa mediante poderes sobrenaturales en la casa de una amiga, cuando aún estaba en la escuela elemental. Yo había leído mi horóscopo, había probado suerte en la máquinas que dicen la fortuna y esperaba que fueran ciertos los mensajes más deseables de las galletitas chinas de la suerte.

Al crecer dejé de participar en esas cosas creyendo que si no me seguía metiendo en ellas, su efecto en mi vida desaparecería. Más que pecados que confesar o fortalezas que destruir, yo los consideraba como escapadas infantiles inofensivas. La verdad es que cada una de esas sombrías aventuras, sea que hubiera participado a sabiendas o inocentemente, le había dado un sostén en mi vida a Satanás. Habían permitido que Satanás metiera un dedo o quizá el pie en la puerta de mi vida.

Pero por el poder de Dios estas fortalezas fueron derribadas ese día, no con un despliegue de poderes sobrenaturales ni un exorcismo dramático de mi alma sino por la sencilla confesión de la verdad y la renuncia:

Señor, confieso que participé en el tablero Ouija.
Te pido perdón y renuncio al tablero Ouija.

Una por una cada fortaleza fue rota y el engaño fue reemplazado con la verdad —la verdad de la Palabra de Dios— cosa que trajo bendición tras bendición.

El segundo Paso, (el engaño en contraste a la verdad) era básicamente una oración y una afirmación doctrinaria, una declaración de la verdad bíblica. Pero declarar esas verdades se volvió una sesión ante Dios mucho más significativa y poderosa, permitiendo que Él escudriñara mi corazón y sacara a la luz cada fortaleza y cada pecado —pasado y presente—. Yo deseaba voluntariamente que fueran reveladas cualesquiera asechanza engañosa de Satanás en mi vida.

Al empezar la oración, experimenté una transparencia nueva conmigo misma y Dios. No sólo tenía una relación nueva con Dios sino que estaba demoliendo todas las paredes que habían ocultado lo más recóndito de mi ser. Leí la oración de los Pasos, lo que iba a empezar a echar abajo más paredes de mi vida.

Amado Padre celestial:
Sé que Tú deseas la verdad en el ser interior y que el camino hacia la libertad es enfrentar esta verdad (Juan 8:32). Reconozco que he sido engañada por el padre de las men-

tiras (Juan 8:44) y me he engañado a mí misma (1 Juan 1:8). Oro en el nombre del Señor Jesucristo que Tú, Padre celestial, reprendas a todos los espíritus engañadores por virtud de la sangre derramada y la resurrección del Señor Jesucristo.

Por fe Te he recibido en mi vida y ahora estoy sentada en los lugares celestiales con Cristo (Efesios 2:6). Reconozco que tengo la responsabilidad y la autoridad para resistir al diablo, y cuando lo haga, él huirá de mí. Ahora le pido al Espíritu Santo que me guíe a toda verdad (Juan 16:13). Te pido "Examíname, oh Dios, y conoce mi corazón; pruébame y conoce mis pensamientos: y ve si hay en mí camino de perversidad, y guíame en el camino eterno" (Salmo 139:23-24). Oro en el nombre de Jesús. Amén.

La afirmación doctrinaria que seguía era autorizada y autoritaria: era una declaración tras otra de verdades bíblicas, citadas casi iguales que la Biblia. Luego de manifestar quién es Dios, qué hizo por mí, quién soy yo, cómo puedo estar firme en mi fe, lo que Él me ha mandado hacer, y por qué puedo tener victoria y libertad, yo quedé sobrecogida con la grandeza de Dios y Su bondad. ¡Qué maravilloso Salvador tengo!

Yo perdono

El tercer Paso, (la amargura contra el perdón) no fue tan fácil para mí. Durante la lucha que tuvo Dave al dar este Paso del perdón, yo había perdonado callada y apuradamente a alguien que sabía que debía perdonar. Pero en este día profundicé más. Las palabras de 2 Corintios 2:10,11 se pegaron punzantes en mi mente:

Y al que vosotros perdonáis, yo también; porque también yo lo que he perdonado, si algo he perdonado, por vosotros lo he hecho en presencia de Cristo, para que Satanás no gane ventaja alguna sobre nosotros; pues no ignoramos sus maquinaciones.

La libertad era ahora mi decisión.
Yo podía esperar toda mi vida una disculpa,
todo el tiempo atada a esa persona con rencor,
o podía optar por perdonar y romper
todas las cadenas que me ataban.

¿En realidad Satanás me la había ganado todos esos años en que había tenido rencor contra esa persona? ¡Pero esa persona nunca se arrepintió de lo que me hizo! Tan pronto como dije esas palabras para mí misma vi las inolvidables palabras blasonadas en la página de los Pasos:

> Uno no perdona a terceras personas por ellos mismos sino por uno mismo, para poder liberarse. Su necesidad de perdonar no es cosa de uno y el ofensor sino cosa entre uno y Dios.

¿Era posible que en mi falta de perdón yo me hubiera estado hiriendo a mí misma más de lo que hería a mi ofensor? ¿Cómo podía superar lo que él me había hecho? Entonces más palabras se destacaron en la página.

> Perdonar es decidir vivir con las consecuencias del pecado de otra persona. Perdonar cuesta caro. Pagamos el precio de la maldad que perdonamos. Sin embargo, hay que tomar en cuenta que vamos a vivir con esas consecuencias, queramos o no; las únicas opciones son decidir si lo haremos con amargura al no perdonar o con libertad al perdonar.

La libertad era ahora mi opción. Yo podía esperar toda mi vida una disculpa, todo el tiempo atada a esa persona con rencor, o podía optar por perdonar y romper las cadenas que me ataban. Con mucho dolor en el núcleo emocional de mi corazón, opté por reconocer todas las heridas y el odio. Perdoné a esa persona y a algunas otras de mi lista por cada ofensa y cada herida. Dejé sus ofensas en la cruz y se las di a Dios obedeciendo Romanos 12:19:

No os venguéis vosotros mismos, amados míos, sino dejad lugar a la ira de Dios; porque escrito está: Mía es la venganza, yo pagaré, dice el Señor.

Las palabras no pueden expresar la emancipación de mi corazón en ese día. Un diluvio de lágrimas corrió por el río de mi alma y purificó mi pasado y mi presente. Las cadenas de esclavitud se rompieron y yo pude mirar a otras personas sin ver a mi ofensor en las caras de todos los que conocía. Podía amar a otras personas sin la desconfianza y el escepticismo que habían manchado las relaciones previas.

Más pasos

Yo necesitaba una pausa emocional después de aquel Paso pero sabía que tenía que seguir adelante antes que Pete trajera a Jalene desde el preescolar. El cuarto Paso, (la rebeldía contra la sumisión) me ayudaron a entender cuán seriamente trata Dios a la rebeldía. Me pregunté: *¿Había sido rebeldía mi naturaleza cuestionadora y mi espíritu desafiante? ¿Había sido mi personalidad independiente en realidad un carácter desafiante?* Sabiendo que: "Porque como pecado de adivinación es la rebelión, y como ídolos e idolatría la obstinación" (1 Samuel 15:23), tuve que confesar mi rebeldía con muchas personas que habían estado en autoridad sobre mí en el curso de mi vida. Me puse de acuerdo con: "Someteos unos a otros en el temor de Dios" (Efesios 5:21).

Proseguí con el Paso cinco, (el orgullo contra la humildad) confesando el orgullo que, tan a menudo, había acompañado a mi rebeldía motivando una falsa confianza. Optando por "no poner confianza en la carne" (Efesios 6:10) calmé mi espíritu y di la libertad de descartar mis falsas máscaras egoístas y descansar en la voluntad de Dios.

Considerar al prójimo como más importante que yo misma era una pieza del rompecabezas que encajaba perfectamente con perdonar y someterse a los demás:

Nada hagáis por contienda o por vanagloria; antes bien con humildad, estimando cada uno a los demás como superiores a él mismo.

Filipenses 2:3

Habían pasado más de dos horas y yo estaba cansada pero entusiasmada por terminar los Pasos. El deseo de mi corazón era experimentar la libertad total, la limpieza completa y la relación radicalmente justa con mi Salvador. Me zambullí con entusiasmo en el Paso seis (esclavitud contra libertad), ansiando ver qué otras cargas podrían ser levantadas y qué otro equipaje innecesario podría descartarse.

Le pedí a Dios que escudriñara mi corazón y me revelara todo pecado de mi vida que hubiera transgredido Su ley moral y contristado al Espíritu Santo. Dios me mostró uno por uno los pecados que debía confesar: no sólo los actuales sino los pecados de mi infancia, adolescencia, de mis primeros años de adulto y más allá.

Como yo había sido salva a temprana edad, había sido engañada eficazmente para que creyera que era muy buena y que llevaba una buena vida cristiana. Yo había confesado los pecados grandes pero muchos otros pecados se me habían deslizado porque estaba tan metida en la iglesia y me sentía muy buena. Creía que refrenarse de hacerlos era lo mismo que confesar. Como resultado de ello, anduve llevando carga extra todos estos años, lo que me impedía vivir la vida en toda su plenitud y experimentar el gozo de una vida justa y santa. Las promesas de Dios demostraron ser ciertas:

Si confesamos nuestros pecados, él es fiel y justo para perdonar nuestros pecados, y limpiarnos de toda maldad.

1 Juan 1:9

Yo he venido para que tengan vida, y para que la tengan en abundancia.

Juan 10:10

Por primera vez me sentí totalmente limpia ante mi Señor. Entendí que: "Como aquel que os llamó es santo, sed también vosotros santos en toda vuestra manera de vivir; porque escrito está: Sed santos, porque yo soy santo" (1 Pedro 1:15,16). Entendí lo que significa realmente presentar: "Vuestros cuerpos en sacrificio vivo, santo agradable a Dios, que es vuestro culto racional" (Romanos 12:1).

Al llegar al Paso final, (el consentimiento contra el rechazo), yo estaba emocionalmente agotada pero saturada con las bendiciones y la gracia de Dios. Me había remontado en mi pasado lo más atrás que pude recordar y, más aún al escudriñar Dios mi corazón. Aunque no pensé que nada hubiera quedado por confesar y renunciar, quería completar todos los Pasos. Resultó ser importante para mí y, más adelante para mi familia, no haberme saltado este Paso en que renuncié a los pecados de mis antepasados y a las maldiciones que pudieran haber sido echadas a mi familia (ver Éxodo 20:5; Jeremías 32:18).

Mi ancestro indígena (de los nativos de los Estados Unidos de Norteamérica) se remontaba a tres generaciones atrás por el lado de mi madre. Mi bisabuela era india (no estoy segura de cuál tribu) que fue sacada de la reservación por un hombre blanco. Cuando se le pedía a mi tía abuela que contara la historia de la familia que ella conocía muy bien, ella se negaba explicando que nuestro pasado era demasiado vergonzoso para contarlo.

Debido a que era muy grande la posibilidad de una historia impía en los ancestros de la familia, y debido a que era factible que hubiera una maldición echada a una generación sucesiva, yo y mis niños debíamos, decididamente, renunciar a todos los pecados o maldiciones generacionales. Había también homicidios, depresión, enojo y rencor en mis ancestros que debían renunciarse. Yo también creía que nuestras actividades en favor de la vida, podían haber causado que nosotros estuviéramos en el blanco de grupos satanistas, así que apliqué toda la autoridad y protección en Cristo que necesitaba para renunciar a los pecados de mis antepasados y las maldiciones y cargas que hubieran sido impuestas a mí o a mi familia.

Yo me llené de gran libertad cuando terminé ese último Paso. Se levantó una carga indescriptible. Probablemente nunca sepa cuáles pecados o maldiciones ancestrales estaban afectando a la familia pero sí sé que hallé esa libertad en el último Paso. Pete también experimentó un gran alivio en el último Paso debido a que hubo alcoholismo y suicidio en su herencia.

Luego de completar los siete Pasos con gran fatiga física y emocional, fui renovada espiritual y mentalmente como nunca antes. Fui limpiada para: No os conforméis a este siglo, sino transformaos por medio de la renovación de vuestro entendimiento, para que comprobéis cuál sea la buena voluntad de Dios, agradable y perfecta (Romanos 12:2).

Le di a Dios todos mis pecados y mi pasado. Le di mis cargas y mis hijos. Sin embargo, darle mis hijos a Dios fue más difícil de lo que había anticipado. Pete y yo habíamos sufrido 10 años de esterilidad antes de que Dios nos diera un bebé por medio de la adopción: nuestro querido Dave. Luego, casi milagrosamente, quedé embarazada y fuimos bendecidos con un niño precioso: nuestro amado Jared. Por último, después de una desilusionante pérdida, volvimos a ser bendecidos con otro embarazo y una hija: nuestra amorosa Jalene. Le agradecimos cada niño a Dios por hacer un milagro. Yo me identificaba con Ana, la de la Biblia, con cada hijo: "Por este niño oraba, y Jehová me dio lo que le pedí" (1 Samuel 1:27). Con cada niño alabábamos a Dios y le agradecíamos, agradecidos por siempre de que nuestra esterilidad hubiera recibido triple bendición, y abundante bondad y gracia de Dios. Pero ahora tenía que seguir el ejemplo de Ana y devolvérselos sin reservas a Dios: "Yo, pues, lo dedico también a Jehová; todos los días que viva, será de Jehová" (1 Samuel 1:28).

También tenía que aceptar que Pete y yo no podíamos sacar las fortalezas de las vidas de nuestros hijos. Estas podrían ser eliminadas solamente por el poder de Dios y la verdad de Su Palabra. Podían quitarse solamente cuando cada niño confesara, renunciara y se sometiera personalmente a Dios. Yo me di a Dios a mí misma y a mis niños en ese día, rindiéndoselos a Aquel que nos los había dado a Pete y a mí.

Yo descansé en la promesa de que por medio de Cristo somos vencedores. Descansé en la promesa de que nuestra fe en Cristo es la victoria que ha vencido al mundo:

Porque todo lo que es nacido de Dios vence al mundo; y esta es la victoria que ha vencido al mundo, nuestra fe. ¿Quién es el que vence al mundo, sino el que cree que Jesús es el Hijo de Dios?

1 Juan 5:4,5

8

Alcanzando al prójimo

Nos regocijamos al haber ahora tres personas de la familia libres en Cristo. Sin embargo, sabíamos que la batalla no estaba terminada. Luego de no encontrar casa para comprar, nos pusimos de acuerdo de que estábamos donde Dios quería que estuviéramos, así que determinamos quedarnos en nuestra casa.

Jared (8 años) todavía tenía pesadillas terribles en los recesos de su subconsciente. Jalene estaba también empezando a tener pesadillas intermitentes pero ella recordaba los detalles de sus sueños y renunciaba a ellos inmediatamente.

Como Jared presenciaba nuestro entusiasmo por los *Pasos hacia la libertad*, también quería hacerlos. Debido a que él había confiado en Cristo como su Salvador cuando tenía tres años, reafirmando su fe cuando cumplió siete años, confiábamos que los Pasos serían efectivos para establecer su libertad en Cristo.

Una noche me senté con él, a solas, y lo guié por los Pasos (ver los Pasos para 5 a 8 años en el capítulo 19). Poco después de haber empezado me cercioré de su comprensión y sinceridad. Él renunció, se arrepintió y proclamó todo con gran voluntad y candor ante su Señor. Fue honesto en cada detalle de su vida, yendo humildemente ante Dios, dispuesto a hacer todo lo necesario para eliminar su miedo a la vez que sus pesadillas.

Pese a su honestidad al ir a través de cada Paso, Jared luchaba con su incapacidad para recordar ciertas cosas de su pasado. No recordaba nada de las pesadillas horribles que tenía hacía años ni tampoco recordaba qué las había precipitado. Él sabía que tenía un miedo desmedido de que Pete y yo lo abandonáramos para siempre pero no podía recordar por qué. Él sabía que le había ocurrido algo que lo asustó mucho hace mucho tiempo, pero no recordaba qué era. Su memoria estaba completamente bloqueada.

Seguimos adelante a pesar del bloqueo de su memoria. Cuando Jared terminó los Pasos, entendía claramente quién era en Cristo y estaba definitivamente tan libre en Cristo como era posible. Las cosas ocultas en los recesos profundos de su memoria todavía lo ataban. Por eso la jornada de nuestra familia hacia la libertad total duró más de dos años. Pero él oraba fiel y diariamente para que Dios le escudriñara y conociera su corazón y nosotros confiábamos que Dios revelaría esas cosas en Su tiempo.

A su manera de niña de cinco años, Jalene también fue a través de los *Pasos hacia la libertad.* Uno de mis gozos más grandes había sido oírla invitar a Jesús a su corazón el año pasado. El recuerdo de su sencilla oración que decía que amaba a Jesús y quería que Él entrara a su corazón, era precioso. Ella amaba a Jesús desde la primera vez que supo de Él, así que confiar en Jesús como su Salvador fue una respuesta natural.

Como Jalene era tan pequeña le simplifiqué los Pasos al ir dándoselos. Entusiasmaba oírla proclamar su posición en Cristo y ser librada de cada miedo y pecado. Ella manifestó una fe de niña y una sencilla humildad al orar a través de los Pasos. Estoy segura de que algunas partes escaparon de su comprensión (tal como decir que no a los pecados de los antepasados), pero como amaba a Dios y confiaba en mí para que le entregara la verdad, decía fervorosamente las renuncias simples. Sin embargo, su falta de comprensión no impidió que el poder de la verdad fuera manifestado. Cuando se proclama la verdad los enemigos de Dios se paralizan y se vuelven ineficaces.

Jalene también aprendió algunas tácticas de combate ese día para usarlas cuando fuera atormentada por el miedo o las pesadillas. Aprendió a decir rápida y simplemente: "Sabemos que todo aquel que ha nacido de Dios, no practica el pecado, pues Aquel que fue engendrado por Dios le guarda, y el maligno no le toca" (1 Juan 5:18).

"Yo he venido para que tengan vida"

Nuestros hijos no eran los únicos que encontraron su libertad en Cristo en aquel año. El Señor nos envió un constante flujo de gente que quería ir a través de los *Pasos hacia la libertad*. Entusiasmaba tener, por fin, una herramienta bíblica de consejería para emancipar a la gente de sus ataduras ocultas y llevarlas a la libertad de una vida abundante en Cristo (ver Juan 10:10).

En nuestros 16 años de ministerio no habíamos sabido cómo guiar a los cristianos a la vida abundante en Cristo: la relación totalmente justa con Dios, liberados de sus pasados, pecados y rencores. Nunca antes *habíamos* sentido tal libertad en Cristo y, ahora, estábamos también viendo que los demás eran libertados (ver *Ayudando a otros a encontrar libertad en Cristo*, por Neil Anderson, Editorial Unilit). A la vez que Pete seguía predicando sobre su camino por las verdades abarcadas en *Victoria sobre la oscuridad* y *Rompiendo las cadenas*, empezó una serie de clases para padres en la escuela dominical, usando la serie de videos de *La seducción de nuestros hijos*. Dios estaba obrando en los corazones de mucha gente que solicitaba ir a través de los *Pasos hacia la libertad en Cristo*. Cuando se postraban ante Dios con honestidad y arrepentimiento, no sólo hallaban sus propias vidas en una relación correcta con Dios sino que sus matrimonios también eran fortalecidos y se sintonizaban con las necesidades espirituales de sus hijos.

Ese año Pete y yo guiamos simultáneamente a varios maridos y esposas por los Pasos. Pete con el marido en un salón y yo con la esposa, en otro. Cuando se juntaban después, se reunían con una nueva aceptación mutua que sólo surge de la libertad espiritual. Algunos de sus hijos también querían ir a través de los Pasos, impulsados por el cambio de sus padres.

Era un gozo guiar a los muchachos a través de los Pasos, sabiendo que no tendrían que vivir con las ataduras que, tan a menudo, empiezan en la infancia y se manifiestan como miedos, fobias e inestabilidad mental cuando son adultos. No se tiene que permitir que Satanás plante fortalezas de miedo o violencia o de pensamientos desmedidos de que no valemos, de muerte o sexo. No se le tiene que permitir que incapacite emocionalmente a los niños para que lleven una vida de terror silencioso, ansiedades inexplicables o síntomas del tipo esquizofrénico.

"Pero Jesús dijo: Dejad a los niños venir a mí, y no se lo impidáis; porque de los tales es el reino de los cielos" (Mateo 19:14). Vimos niños que aprendían que son aceptados en Cristo (ver Efesios 1:4,5). Vimos niños que reconocían su seguridad en Cristo (ver Romanos 8:35,37). Despojados de todos los talentos e importancia terrenales, los niños empezaron a entender su significado en Cristo (ver Efesios 2:4,5).

Los niños *pueden* saber que están sentados con Jesucristo en los lugares celestiales, muy por encima de todos los principados y potestades de las tinieblas, armados con el incomparable poder de Cristo para luchar contra el enemigo (ver Efesios 1:19-21; 2:6).

La búsqueda de la verdad

Los sermones de Pete junto con la clase de *La seducción de nuestros hijos* en la iglesia, estimularon el interés de una mujer llamada Carol, para ser guiada a través de los *Pasos hacia la libertad en Cristo*. Ella había confiado en Cristo como su Salvador pero su pasado inequivocablemente tenia aún un efecto en su vida cristiana.

Carol temblaba cuando empezó a contarme su historia. Al continuar no pudo mantenerse quieta, ella temblaba completamente. Como ella misma lo explicó después: "Era aterrador; había miedo real envuelto en mi pasado". Ambas oramos, renunciando así a los intentos de Satanás para impedirle llegar a ser libre en Cristo; inmediatamente dejó de temblar y pudo seguir adelante.

El primer Paso reveló que Carol había probado casi todas las religiones, sectas y prácticas ocultistas mencionados en el *Inventario de experiencias espirituales no cristianas* de los Pasos. Ella empezó fervorosamente a renunciar a cada una de ellas. Al ir avanzando por su larga lista de experiencias no cristianas, que abarcaban religiones falsas, uso de drogas, prácticas ocultistas, visitaciones de demonios y un gurú que acostumbraba a aparecer y desaparecer en un pestañeo, el cielorraso empezó a sonar. Carol se detuvo, renunció a la interferencia demoníaca, y los ruidos cesaron de inmediato. Entonces completó los Pasos. Carol se fue libre en Cristo, descargada de sus pasadas actividades y de su anterior desesperanza.

Cuando Carol llegó a su casa se dio cuenta de que la música que oían sus hijos y las cubiertas de sus discos compacto y casetes le producían a ella mucha oposición satánica. Sus hijos no le creyeron pero se deshicieron de la música. Al expresar ella su libertad en Cristo, los dos hijos menores (12 y 9 años respectivamente) quisieron ir a través de los Pasos. Carol tuvo el privilegio de guiarlos por los Pasos y ellos fueron liberados del miedo y las pesadillas.

La golpeó como un mazazo

Sharon, otra querida amiga nuestra, que es madre soltera desde que su hija, ya adulta, era un bebé, nos pidió una copia de los *Pasos hacia la libertad en Cristo*. Decidió ir a través de ellos ella misma (aunque es mejor que un facilitador guíe a la persona por los Pasos, se acepta que uno los haga a solas). Sharon empezó a leer y aplicar las partes de los Pasos que creía que necesitaba. Poco a poco, parte por parte, fue haciéndolos. Pasaron semanas antes que ella terminara tres Pasos. El tercer Paso sobre el perdón, fue tan doloroso, aunque liberador para ella, que pensó que había hecho todo lo que debía hacer.

Tiempo después decidió terminar los Pasos, del cuatro al siete. Cuando terminó el último, rechazando y repudiando todos los pecados de sus antepasados, dijo que la golpeó como "un mazazo". La liberación de la atadura de esos cuatro últimos Pasos y la liberación de los pecados de sus antepasados fue sobrecogedora. Ella se dio cuenta de la enorme importancia de eliminar las fortalezas de su vida: las mismas fortalezas que Satanás tuvo en sus padres y en los padres de sus padres. ¡Las cadenas estaban rotas y ella era libre!

Sharon también se dio cuenta de la importancia de ir a través de todos los Pasos en una sola sesión. Ella había experimentado la libertad parcial al aplicar partes de los Pasos cada semana, pero Satanás seguía obrando porque aún no había logrado la libertad total. Impactada por darse cuenta de eso, dedicó tiempo para dar de una sola vez todos los siete Pasos. Luego dedicó tiempo a estar a solas con su Señor, sin retener nada ni postergar nada de su camino a la libertad.

Sharon ha dado varias veces los Pasos no porque no tuviera libertad la primera vez, sino porque Satanás ha peleado para recuperar una posición en su vida. Él siempre trata de recuperar un sostén de pecado o una atadura de rencor en nuestras vidas. La Biblia lo llama tentación explicándolo en la siguiente forma:

Así que, el que piensa estar firme, mire que no caiga. No os ha sobrevenido ninguna tentación que no sea humana; pero fiel es Dios, que no os dejará ser tentados más de lo que podéis resistir, sino que dará también juntamente con la tentación la salida, para que podáis soportar.

1 Corintios 10:12,13

Cuando nuestra mente está siendo engañada para que se ate otra vez, *podemos* mantener nuestra libertad dando el control de cada pensamiento a la obediencia de Cristo antes que nos domine (ver 2 Corintios 10:5). Mantener la libertad significa reconocer y rechazar los patrones de nuestra carne y confiar en la verdad encontrada en la Palabra de Dios para que no tengamos que pecar (ver Romanos 12:2).

Tres años después del primer intento de Sharon por dar los Pasos ella sigue libre en Cristo y ha crecido en su fe y voluntad de ministrar por Cristo en el frente de guerra. Ella está participando en un ministerio nuevo a la comunidad homosexual de Madison, ministerio de perdón y restauración por medio de Jesucristo (ver *Una vía de escape*, de Neil Anderson, Editorial Unilit).

Sharon ha sufrido una grave oposición demoníaca debido a su compromiso con este ministerio pero cada ataque ha sido vencido por medio del poder de Jesús. Tal como el objetivo de Satanás es el aborto y nosotros somos su blanco por nuestro ministerio en favor de la vida, así también el propósito de Satanás es la esclavitud sexual de la homosexualidad. Pero en el nombre de Jesús todo enemigo es derrotado y toda atadura, quebrada. ¡Cuánto poder hay en el nombre de Jesús! (ver Filipenses 2:9-11).

Rompiendo las cadenas

Ese año, mientras soportábamos nuestras propias batallas espirituales, Dios nos mandó 40 personas que querían ir a través de los Pasos. La mayor parte halló completa libertad en Cristo por su voluntad a abrirse, ser honestos y arrepentirse ante Dios y proclamar la verdad.

No hay libertad sin conocer primero a Cristo como Salvador.

Una persona no halló la libertad porque estaba tomando medicamentos antidepresivos. Sus sentidos estaban atontados y sus emociones estaban tan adormecidas que la verdad no era clara. Ella se rió durante el Paso del perdón, haciéndonos dudar si las drogas le impedían sentir sus verdaderas emociones. Otra persona quiso librarse de los demonios que lo habían molestado por más de 20 años, pero no estuvo dispuesto a dar primero su vida a Jesucristo (ver Hechos 4:10,12).

No hay libertad sin conocer primero a Cristo como Salvador y creer en las propias palabras de Jesús: "Yo soy el camino, y la verdad, y la vida; nadie viene al Padre, sino por mí" (Juan 14:6). Por más que queríamos que ese hombre fuera libertado de sus atormentadores, su negación a aceptar a Jesús como su Salvador hizo impotentes a todos los que trataron de ayudarle.

Sin embargo, se rompieron poderosas ataduras en aquellos que confiaron en Cristo y le permitieron que escudriñaran y conocieran sus corazones. Dios hizo milagros en muchas vidas ahí mismo ante nuestros ojos. Un alcohólico no sólo llegó a conocer a Jesús como Salvador sino que también fue libertado de la adicción y logró una relación buena con su esposa que estaba lista para abandonarlo.

Una persona que cuando era niña, había sido víctima de maltrato en un ritual satánico abominable, fue libertada gloriosamente de las ataduras de esas atrocidades. Ella pudo renunciar a su boda con Satanás y anunciar que era la esposa de Cristo (ver Efesios 1:13,14).

Unas parejas de novios jóvenes también quisieron ser guiados a través de los Pasos para comenzar bien sus matrimonios. Fue un placer ver a estos novios ser limpiados ante su Señor y ante el uno y otro antes de casarse. La carga de esclavitud que andaban llevando en su pasado se acabó; los usos anteriores de sus cuerpos como instrumentos de injusticia fueron renunciados y presentaron sus cuerpos a Cristo como sacrificios vivos, santos y agradables a Dios (ver Romanos 12:1). Entonces, reservaron todo uso sexual de sus cuerpos solamente para el matrimonio renunciando a la mentira de que sus cuerpos no son limpios ni aceptables a consecuencia de sus experiencias sexuales anteriores. ¡Qué manera tan bella de ingresar a la unión matrimonial! (ver *Una vía de escape* de Neil Anderson).

Lejos de todo

Ese verano fuimos bendecidos con las mejores vacaciones que nuestra familia haya tenido. Exploramos por tres semanas el noroeste del Pacífico, evitando todas las autopistas interestatales del camino. Acampamos en carpa o dormíamos en la camioneta, disfrutando la abundancia de la riqueza de Su hermosa creación y designios.

Mientras viajábamos más de 7.000 millas (casi 14 mil kilómetros) por el campo de los Estados Unidos de Norteamérica, leí *Rompiendo las cadenas*, de Neil Anderson, dándome cuenta, con cada milla, cuánto necesita a Cristo la gente de cada ciudad y pueblo por el que pasábamos, y que sean rotas las cadenas de su esclavitud. Pero mientras me condolía por esa gente y afianzaba mi fuerza para pelear las batallas de mi familia, me agarró desprevenido uno de los casos del libro, que reveló un recuerdo bloqueado y una fortaleza olvidada de mi vida.

Cuando paramos en la siguiente estación de servicio, me fui apurada al baño para orar. No era el lugar más deseable para inclinarse ante el Salvador del mundo pero yo sabía que Dios no se preocupa por el entorno: Él se interesa por el estado de mi corazón. Así que renuncié a un recuerdo hacía mucho tiempo olvidado.

Por primera vez en mi vida me había formado la costumbre de decir: "Examíname, oh Dios, y conoce mi corazón; pruébame y conoce mis pensamientos; y ve si hay en mí camino de perversidad, y guíame en el camino eterno" (Salmo 139:23,24). Me di cuenta de que: "Conoceréis la verdad, y la verdad os hará libres" (Juan 8:32), y que el tiempo *no* cura todas las heridas. La libertad se sentía tan buena que dije a Dios: "Examíname un poco más, expone toda fortaleza".

El viaje fue un tiempo maravilloso de renovación emocional para nuestra familia después de seis meses de guerra espiritual. Fue espontáneo y lleno de sorpresas y bendiciones, manchado solamente en la noche cuando nos despertábamos por Jared (8 años) que, aún dormido profundamente, se sentaba en su saco de dormir, balbuceando cosas que no podíamos entender, a menudo vociferando y gritando. A veces, daba vueltas alrededor de la carpa como buscando, desesperado, o, quizá, huyendo para evitar algo. Nuestros intentos de calmarlo fueron inútiles de modo que sólo orábamos por él y tratábamos que dijera el nombre de Jesús.

Gracia sustentadora

Cuando volvimos a casa seguí participando en el centro de manejo de la crisis del embarazo y Pete y yo seguimos guiando a otras personas por los Pasos. Preciosos creyentes en Jesucristo venían a la oficina de Pete para ser liberados de ataques de angustia, sueños recurrentes, influencias de la Nueva Era, molestas ideas de suicidio, rituales satánicos, juegos de video violentos, espíritus sexuales, autohipnosis, religiones falsas, etcétera. Una cantidad fenomenal de personas fueron perdonadas desde el fondo de sus corazones.

Hacia fines de ese año revisamos nuestras luchas y batallas, victorias y triunfos agradeciendo a Dios por sustentarnos (ver 1 Corintios 1:8,9).

Ese año memorable, que incluyó meses de guerra espiritual personal de nuestra familia, la muerte del padre de Pete, las muertes de 11 personas de la familia de la iglesia, la reubicación de muchos de los preciosos santos de la iglesia en casas de ancianos, muchas sesiones largas por los Pasos y la caída moral de uno de los respetados líderes de la iglesia, nos agotó física y emocionalmente. Sólo por medio de la gracia sustentadora de Dios sobrevivimos ese año (ver Salmos 18:35-37; 94:18,19; Romanos 5:1-5).

Cuando llegó la próxima temporada navideña, y se fue, vacía de toda guerra o ataques espirituales durante la temporada de celebración, no sólo recordamos los sucesos del año anterior sino que celebramos que, tal vez, nuestra hora más tenebrosa hubiera terminado y no se repetiría. Pronto nos dimos cuenta de que nuestra batalla no había terminado y que Dios nos demostraría en formas aun más grandiosas Su asombrosa gracia que sostiene.

9

El segundo asalto

¿Feliz Año Nuevo?

Luego de una regocijada Navidad que se destacó con galletitas azucaradas, caras enharinadas y otra torta de cumpleaños para Jesús, esperábamos otro buen Año Nuevo. El primer día del Año Nuevo fue tranquilo y evocador, pues lo pasamos con amigos. Disfrutamos la cálida amistad, la sopa hecha en casa y la risa de los niños.

El accidente

El día siguiente al primero de año fue característico de la época ventosa de Wisconsin: cuando el chocolate caliente es un deber y la fiebre, una posibilidad grande. En la tarde decidimos como familia que dar un paseo en el automóvil aliviaría nuestro aburrimiento, así que nos amontonamos en la camioneta y nos dirigimos al centro del pueblo. Los caminos por donde vivíamos no eran resbalosos, pero cuando llegamos a la entrada del centro del pueblo, íbamos sobre una capa de hielo. Pete perdió el control de la camioneta y le fue imposible parar en una luz roja. Giró a la derecha con todo cuidado tratando de que la cosa pareciera una aventura divertida pues exclamaba: "¡Aquí vamos niños, eeeee!"

El hielo debajo de la camioneta no cooperaba en nada y no dejaba que las ruedas se agarraran. Pete gritó: "Señor, por favor, haz que este vehículo gire" pero seguíamos patinando. Él se preparó advirtiendo: "¡Sujétense! ¡Vamos a chocar con ese árbol!" Dave se tapó, convenientemente, la cabeza con una caja de cartón para no ver lo que iba a pasar inevitablemente mientras que Jared y Jalene miraban atentamente el árbol.

Aunque no íbamos muy rápido, el impacto fue fuerte, lo bastante para probar al máximo los cinturones de seguridad, detenernos de inmediato y causar daños por $ 2.500 en el frente de la camioneta. Luego que nos recuperamos del golpe súbito, miramos para atrás para ver si los niños estaban bien. Dave se había quitado la caja de la cabeza a tiempo para vernos chocar con el árbol y Jalene estaba en el suelo, víctima de no usar el cinturón de seguridad, pero ilesa.

Todos pudimos forzar una sonrisa después del choque, todos menos Jared que gritaba de terror. Nadie estaba herido físicamente pero pasamos un buen rato calmando los miedos y la semihisteria de Jared. Pete logró que la camioneta funcionara y regresamos a casa lentamente en nuestro vehículo dañado y que cojeaba. Tratamos de reír y hacer chistes tocante a la caja de cartón que Dave se puso sobre la cabeza y en general, sobre nuestro problema, agradeciendo de que nadie saliera con lesiones físicas pero conscientes de que algunas emociones habían sido dañadas.

El siguiente día fue un domingo tranquilo; nos metimos todos en nuestro viejo y oxidado Honda para ir a la iglesia; después, fuimos a comer con unos amigos y luego, a un asilo de ancianos para leer la Biblia y dar la comunión a una querida señora que estaba cerca de la muerte. La iglesia no tuvo servicio en esa noche debido al hielo de los caminos así que nos acurrucamos a mirar un partido de fútbol americano disfrutando la noche ventosa. Los niños se fueron a acostar orando que el hielo durara hasta la mañana siguiente para que las vacaciones de Navidad se alargaran un día más.

Gabriel

En medio de esa noche aparentemente pacífica nos despertaron a Pete y a mí ruidos en el cuarto de los muchachos: ruidos que sonaban desesperados. A estas alturas nos habíamos acostumbrado a dormir con sueño ligero así que salimos corriendo de nuestro pequeño dormitorio (antes, el cuarto de los niños) en dirección al dormitorio grande donde encontramos a Jared (ya de 9 años) tratando de gritar con sonidos ahogados. Ambos le preguntamos frenéticamente: "¿Pasa algo malo? ¿pasa algo malo?" Él no pudo contestar, sólo se sujetaba su cuello y se quería ahogar cada vez que trataba de hablar.

Yo concluí de inmediato que estaba enfermo así que dije: "Si vas a vomitar, anda al baño, ¡RÁPIDO!". Él reaccionó de inmediato, casi tirándose por la escalerita del camarote y corrió al baño.

Cuando Pete y yo llegamos a la puerta del baño, vimos a Jared que todavía se tomaba la garganta tratando aún de hablar. Yo traté de sostenerle la frente como hacía siempre cuando los niños vomitaban pero me alejó, y salió corriendo rápido del baño. Pete lo interceptó en el pasillo. A Pete le costó pararlo, a pesar de su cuerpo de 1,83 m. de altura y 100 kilos de peso, pero se las arregló para sujetarlo.

Jared preguntó cuando, por fin, pudo hablar: '¿Por qué están aquí? ¿qué hacen aquí?" Le explicamos lógicamente que queríamos ver qué era lo que pasaba. Entonces empezó a preguntar con una mirada fija vidriosa y miedosa: "¿Quiénes son ustedes?" En ese momento supimos que no estaba despierto y que teníamos un problema.

Tratando de calmarlo y responder racionalmente sus preguntas, dijimos: "Somos tus padres. Esta es mamá, este es papá".

Sus ojos lucían vacíos al contestar: "¡Ustedes no están aquí porque yo estoy muerto!" Repitió insistentemente que estaba muerto... y entonces que nosotros estábamos muertos... y que estábamos tratando de matarlo... o que nosotros también debíamos morir. El tema de la muerte era aplastante, para no entrar en detalles. Pete y yo sólo nos mirábamos, boquiabiertos, abrumados por otro ataque espiritual más.

Pete y yo sujetamos a nuestro hijo en el pasillo esa noche, inseguros de lo que pudiera pasar si lo soltábamos. No sabíamos cómo íbamos a despertarlo de un ataque tan horrible a su mente. Pero sabíamos que ahora era el momento de enfrentar directamente estas horribles experiencias.

Jared estaba oyendo sin duda mentiras mortales. Esa noche miramos de frente a nuestro hijo, que en otras circunstancias era tierno, y dijimos con énfasis la pura verdad: "¡Tú estás vivo! ¡tú estás vivo! ¡nosotros estamos vivos! ¡tú no estás muerto! ¡nunca te haríamos daño! ¡te amamos!" Él se subió a una silla en el pasillo, moviendo su cabeza en desacuerdo y alegando que ciertamente estaba muerto. Nosotros seguimos confrontándolo con la verdad: "¡Tú *estás* vivo! ¡tú no estás muerto! ¡Jesús te ama! ¡Jesús vive en ti!"

Él despertó con una súbita fe en sus ojos al mencionar a Jesús. El nombre de Jesús hizo cesar el miedo. Él transformó una víctima de una pesadilla horrible en un guerrero, listo para derrotar a su enemigo. De pronto él supo que nosotros no éramos sus enemigos sino que un enemigo demoníaco horrendo, que había estado molestándolo desde que tenía dos años, ahora había salido a la superficie y revelaba su plan asqueroso: la muerte.

Pete y yo teníamos mucho que preguntarle a Jared, que ahora estaba totalmente despierto: "¿Cuál fue el sueño que empezó todo esto? ¿qué viste? ¿oíste voces? ¿qué decían? ¿qué te hizo pensar que estabas muerto? ¿quién o qué te dijo que todos estábamos muertos?"

No contestó todas nuestras preguntas porque no sabía qué responder pero sabía que le habían dicho que estaba muerto, que nosotros debíamos morir y, luego, que estábamos muertos. Cuando nos oyó decir que él estaba vivo, la voz le dijo que *tenía* que morir. Pero el nombre de Jesús rompió la garra de su pesadilla espantosa. Por último, Pete le preguntó: "¿Cómo se llama este demonio?"

Jared respondió llanamente: "Se llama Gabriel".

Es típico del enemigo acérrimo de Dios esto de usar el engaño y las medias verdades para distorsionar la Escritura justo lo suficiente para que parezca correcto, especialmente a un niño. Si el nombre de este demonio hubiera sido Babosa o Escupa, Jared lo hubiera reconocido como malo desde el comienzo pero "Gabriel" no sólo evoca pensamientos del nacimiento de Cristo (ver Lucas 1:26,30,31) sino que también suscita sentimientos de grandeza y majestad de los lugares celestiales al imaginarnos a Gabriel y Miguel en el cielo con sus huestes de ángeles alrededor de ellos.

Jared renunció a Gabriel en el nombre de Jesús, y Gabriel se fue al mencionar Su nombre. Sin embargo, a los pocos minutos estaba de vuelta, desafiando a Jared a pelear por su vida. Jared estaba peleando con su enemigo, saltando casi los siete escalones a la sala, dirigiéndose luego a la gran ventana panorámica que hay detrás del sofá. Pete estaba justo detrás de él, tratando de alcanzarlo antes que golpeara la ventana. Al saltar Jared arriba del respaldo del sofá, con su puño dirigido a la ventana, Pete lo agarró y lo tiró hacia atrás con toda su fuerza.

Yo traté de abrazar a mi precioso hijo pero él luchó y empujó con mucha fuerza. Mientras me agarraba a su cuerpo que se retorcía y contorneaba, me di cuenta que iba a perder esta lucha. También supe que él estaba profundamente dormido de nuevo, vulnerable al ataque satánico.

"¡Pete, ayúdame!" rogué. Pete nos abrazó y quedamos sujetos los tres.

Jared nos miró y gritó: "¡Suéltenme! ¡ustedes van a matarme!"

Lo sujetamos repitiendo una y otra vez: "Te amamos. Jesús te ama. Nunca te haríamos daño. Te amamos. Jesús te ama. Nunca te haríamos daño".

El poderoso nombre de Jesús lo volvió a despertar finalmente y pudo escuchar la verdad. Pero todo lo que él podía decir era: "¡Ayúdenme! ¡por favor, ayúdenme! ¡oh, Dios, por favor, ayúdame!"

Su cuerpo se relajó por fin y yo quedé abrumada de angustia por nuestro hijo. Pero sabía que Dios era más grande que Satanás y que, por medio de la fe, Jared tenía a Cristo en su vida. También sabía que las actividades de Satanás estaban limitadas a lo que Dios le permitiera (ver Job 1:12) y que Dios promete a Sus hijos que "el maligno no le toca" (1 Juan 5:18).

En retrospectiva Pete y yo nos damos cuenta de que debimos haber tomado nuestro lugar en Cristo con toda calma y por Su autoridad mandar a Satanás y a todas las potestades demoníacas que dejaran de molestar a Jared. También nos damos cuenta de que la razón de la ineficacia de los *Pasos hacia la libertad* y de nuestras oraciones para Jared era que había miedos profundamente arraigados en su recuerdo bloqueado, miedos que permitían que Satanás mantuviera fortalezas potentes en su vida.

Solamente pudimos asegurarle a Jared que Dios lo *ayudaría* y que nosotros lo ayudaríamos en toda forma posible. Yo dije: "Jared, sujétate a mí lo más fuerte que puedas y no te sueltes. Yo voy a abrazarte bien apretado para que no puedas irte". Estando abrazados unos a otros muy fuerte, Pete oró fervorosamente, proclamando verdades de la Palabra de Dios mientras que invocaba el nombre de Jesús para recibir poder y autoridad sobre Jared. Con la ayuda de Pete, el niño rogó con potente oración que terminara esta batalla.

Una cosa que los cristianos debemos recordar es que somos totalmente incapaces en nuestra carne para batallar con las potestades de las tinieblas.

En los pocos minutos de paz que siguieron, hablamos tranquilamente con Jared que había vuelto a su ser normal, suave y despierto. Nos sentamos en el sofá y conversamos un rato, repitiendo pasajes bíblicos bien conocidos y orando con intensidad. La paz de Dios contrastaba mucho con el caos del mal que acabábamos de experimentar. El poder de Dios era evidente cada vez que invocábamos el nombre de Jesús o recitábamos las Escrituras. Cuando proclamábamos la verdad de Dios, los demonios huían pero la persistencia de este demonio parecía inagotable.

Sentado en el sofá Jared apuntó con calma a la mesa del comedor y dijo:

—Ahí está.

—¿Quién? —preguntamos.

—Gabriel —contestó—. Gabriel está justo ahí al lado de la mesa.

Nosotros no podíamos ver a Gabriel pero no teníamos motivo para no creer que lo que veía nuestro hijo era muy real. Tratando de demostrar a Jared que él pertenecía al equipo ganador de Dios y que los demonios de Satanás no podían hacerle daño, le dijimos, con ligereza, que fuera a pegarle a ese feo demonio viejo hasta aturdirlo. Así, pues, Jared fue corriendo a la mesa del comedor, la empujó con fuerza contra la pared y empezó a darle puñetazos y bofetadas a su adversario lo más fuerte que podía.

¿Cometimos un error? ¡Definitivamente sí! Una cosa que los cristianos debemos recordar es que somos totalmente incapaces en nuestra carne para batallar con las potestades de las tinieblas. *Únicamente* por medio de Jesucristo podemos tener autoridad sobre el reino demoníaco y nunca podemos entrar en batalla a menos que vayamos por intermedio de Jesús. Nuestra fuerza física y nuestro valor de mortales nada significan frente al príncipe de la potestad del aire y sus demonios. Únicamente por Jesucristo tenemos algún poder y, entonces, nuestro poder está en proclamar Su verdad, no en una pelea de perros.

Los intentos de Jared de contender físicamente con su atacante eran claramente fútiles y produjeron solamente otro episodio caótico con Gabriel. Pete alcanzó a Jared en su cama donde lo tomó y abrazó muy fuerte, orando e invocando el nombre de Jesús. Jared, sin aliento, empezó a invocar a Dios pidiendo socorro.

Se me rompió el corazón en ese momento. Yo siempre había podido proteger a mis hijos y darles un hogar cristiano seguro pero ahora no había nada que yo pudiera hacer salvo apelar a Dios, el único que podía socorrernos.

Preparamos una cama para Jared al lado de la nuestra y declaramos de nuevo que Jared era un hijo de Dios y que Satanás no podía tocarlo. Luego de orar juntos, leímos la Biblia y repetimos la lista del "Yo soy", sintiendo cierta victoria y paz al tratar de dormir un poco. Pete y yo sabíamos que teníamos que dormir con sueño ligero pero yo nunca me volví a dormir. Cada 30 ó 45 minutos Jared pasaba de nuevo por otro episodio aterrador y todos nos poníamos a orar mientras salía de eso. Jared usaba repetidamente las Escrituras para desarmar al enemigo y hacer que pasara el miedo.

Vimos el gran poder de Dios esa noche y ganamos un respeto nuevo por la Biblia. En la mañana habíamos adquirido una estima extraordinariamente alta por el yelmo de la salvación y la espada del Espíritu, que es la Palabra de Dios.

Pete y yo dimos la bienvenida a la luz de la mañana, escurriéndonos entre la niebla de nuestra falta de sueño para preparar a Dave y Jalene para la escuela. Ellos estaban desilusionados de que se hubiera derretido el hielo y que las clases no hubieran sido canceladas. Dejamos en casa a Jared ese día, en parte porque estaba tan agotado pero, principalmente, porque quería guiarlo de nuevo por los *Pasos hacia la libertad en Cristo* y fuera liberado de las fortalezas que quedaban en su vida. Él creía que Dios lo libraría de su noche más tenebrosa.

Felizmente entonces, ignorábamos que debido a las fortalezas de sus primeros años profundamente atrincheradas, pasarían casi dos años y medio antes de que él estuviera completamente libre.

10

Armas para la batalla

Tiempo de familia

Jared no sólo estaba dispuesto a dar los Pasos en esa fría mañana de lunes sino que también estaba listo para hacer lo que dijera la Biblia para ser libertado. Renunció a Gabriel y a todas las fortalezas a partir de la pesadilla que tuvo. Renunció a los pecados de sus antepasados y a todas las maldiciones de generaciones atrás. Cuando terminó los siete Pasos, estaba aliviado por haber renunciado a los hechos horribles de la noche anterior. Pero sus intentos por recordar fortalezas producidas por recuerdos reprimidos y años de sueños aterradores harían necesario repetirlos otra vez. Él empezó a orar diariamente pidiéndole a Dios exponer lo que lo mantenía atado.

Esa noche, antes de ir a acostarse, Pete planeó un tiempo de familia saturado de las Escrituras y de oraciones para la guerra espiritual. Cada miembro de la familia leyó parte de un Salmo seguido por un "Yo soy" (ver Apéndice A) mientras que los demás repetíamos después. Hasta Jalene, que estaba aprendiendo a leer en preescolar, leyó lenta y deliberadamente un versículo de un Salmo, y se regocijó en administrar y dirigir su "Yo soy" especial, que estaba en la contratapa de los *Pasos hacia la libertad*.

Pete también había revisado su ejemplar de *El Adversario*, de Mark. L. Bubeck, juntando oraciones de guerra espiritual para usarlas antes de entrar a la batalla de esa noche y las noches por venir. No estábamos acostumbrados a leer oraciones pero, como estábamos en el frente de la guerra espiritual, consideramos útil usar oraciones escritas. Ellas daban exactitud y relevancia bíblicas en nuestros momentos de fatiga y miedo. Sin embargo, hasta cuando las leíamos mezclábamos, ocasionalmente, las palabras y agregábamos negaciones que cambiaban el significado. Por tanto, para asegurar la exactitud todos mirábamos atentamente el texto mientras uno leía. Cuando terminaba nuestro intenso rato de oraciones de guerra espiritual, decíamos nuestra oraciones personales. Nuestros tiempos de familia aumentaron a más de 45 minutos a medida que nos armábamos para la batalla.

"Espadas" para la batalla

Jared durmió nuevamente en nuestro dormitorio, dándose vueltas y moviéndose, gritando y hablando. A menudo, se sentaba derecho en la cama, listo para salir corriendo del cuarto, en su sueño, sea para seguir a su enemigo o para pelear contra él —era difícil saberlo—. Pero estábamos preparados para agarrarlo en todo momento. A veces, dormíamos con un sueño tan ligero que nos preguntábamos si, después de todo, habíamos dormido algo.

Cuando Jared empezaba una de sus luchas, yo lo abrazaba rápidamente bien fuerte para que no saliera corriendo del cuarto. Le decía que me abrazara sin soltarse y Pete tomaba una de las muchas "espadas" (Biblias) que teníamos distribuidas estratégicamente en la pieza. Habíamos puesto una Biblia al lado de la almohada de Jared, 2 Biblias en nuestra cama y unas 12 Biblias en el tocador. Nos poníamos la armadura espiritual antes de acostarnos y no estábamos dispuestos a dejarnos atrapar sin nuestra arma: la Palabra de Dios.

Mientras yo abrazaba fuerte a Jared, Pete leía una frase de la Biblia y Jared la repetía. Aunque Jared seguía dormido cuando empezaban los combates, obedecía nuestras órdenes. Desgraciadamente esa docilidad también les servía a las potestades de las tinieblas al sucumbir él a sus sugerencias y mentiras. Así que peleábamos para que la verdad prevaleciera en su mente; cuando eso pasaba, él se despertaba decidido a ganar su batalla espiritual. Llegó el momento en que nos dimos cuenta de que cuando dormimos no tenemos el control consciente de la mente. Si tenemos cosas sin resolver en nuestra vida, el dormir puede darle fácil entrada a Satanás.

Cuando Jared estaba totalmente despierto pedía inmediatamente una Biblia, sin preocuparse por cuál parte leería porque toda ella es verdad revelada. La verdad siempre triunfaba, disipando las mentiras y forzando al enemigo a irse.

El martes por la mañana Pete y yo nos levantamos de mala gana, insatisfechos con las dos horas de sueño intermitente que habíamos acumulado en intérvalos de 30 minutos durante la noche. Jared estaba durmiendo bien por fin.

Pete se vistió y se preparaba para ir a un culto de oración de varones, temprano en su oficina, cuando me agarró el miedo. Le rogué que se quedara en casa en caso que Jared volviera a ser atacado. Yo no estaba segura de poder manejarlo sola porque habíamos visto una diferencia marcada en la batalla cuando Pete asumía su autoridad como jefe de hogar. Pete se quedó en casa y ambos esperamos expectantes otra invasión de nuestra vida espiritual. No hubo más ataques en esa mañana y nos dimos cuenta de que, habitualmente, la luz del sol traía un respiro de paz apreciado.

Peligro en la escuela

Dave y Jalene habían vuelto a dormir pacíficamente, protegidos divinamente del caos tenebroso de la noche. Dejamos otra vez a Jared en casa ese día pero llevamos a Dave y Jalene a la escuela aunque estábamos atrasados en unos 30 minutos.

Como Pete se quedó en casa con Jared, yo llevé a los otros dos niños a la escuela, me detuve en el nuevo edificio grande de la escuela para firmar en la oficina. Dave se quedó ahí porque su curso de quinto grado estaba en ese edificio. Entonces llevé a Jalene a otro edificio aproximadamente unos 200 metros de distancia, donde estaba la clase del preescolar. Luego de estacionar la camioneta, caminamos las dos al edificio. Como estábamos tan atrasadas, no había vehículos yendo y viniendo.

Cuando Jalene empezó a correr delante de mí, apareció un automóvil, salido de la nada, acelerando por el estacionamiento y dirigiéndose exactamente hacia Jalene. Todo pasó tan rápido que todo lo que pude hacer fue orar rápidamente: "¡Dios, sálvala!"

Como yo di un grito tembloroso, Jalene vaciló un poco y el conductor del automóvil viró justo lo suficiente para pasarle a unos pocos centímetros.

Después de dos noches casi sin dormir y batallando con espantosos ataques en casa, la muerte nos había seguido evidentemente a la escuela y dejaba entrever su peligro en la cara de Jalene. La niña no se puso nerviosa por lo sucedido pero yo casi me caí al suelo. Pensé para mis adentros: *¿Vamos a ser como Job y perder todos nuestros hijos antes que esto termine?*

La espada del Espíritu

Cuando volví a casa les conté a Pete y a Jared lo que había pasado y oramos inmediatamente pidiendo protección y seguridad para nuestra familia. Luego que Pete se fue a la iglesia, Jared hizo sus tareas escolares mientras que yo estaba trabajando en la computadora, escribiendo versículos bíblicos que, después, imprimimos en letras bien grandes para leerlos en medio de la noche.

Jared y yo pegamos los versículos en las paredes del pasillo y de los dormitorios de arriba, especialmente en las paredes y puertas del clóset donde estaba durmiendo Jared al lado de nuestra cama. Ahora podíamos tomar rápidamente un papel de la pared y tener la Palabra de Dios en la punta de los dedos. Los versículos nos dieron mucho ánimo para ir pasando por otra hora, otro día, otra semana de nuestra batalla. Algunos de los versículos que adornaban las paredes eran Job 23:10-12; Salmo 27:1,3; 91:5; Proverbios 1:33; 3:24,25,26; Isaías 41:13; 43:2; Juan 3:16; 14:27; Romanos 3:23; 6:23; 8:15,37,38,39; Efesios 6:10-18; Filipenses 1:21; 2 Timoteo 1:7; 1 Juan 4:1-6; Apocalipsis 12:12.

No tenemos que madurar a cierto nivel de nuestra vida cristiana antes de que Dios nos haga soldados y nos equipe con la armadura y las armas.

Armados para la batalla

Esa noche durante los devocionales de la familia nos preparamos para la batalla al ponernos espiritual y verbalmente la armadura de Dios, pieza por pieza (ver Efesios 6:10-13).

No tenemos que madurar a cierto nivel de nuestra vida cristiana antes de que Dios nos haga soldados y nos equipe con la armadura y las armas. Él nos ha dicho que solamente nos *pongamos* lo que Él ya ha preparado y podremos resistir a Satanás.

Así que cada noche *nos poníamos* la armadura: nos ceñíamos con la verdad declarando la verdad de la Biblia, estableciendo quién es Dios y quiénes somos en Él declarando la lista del "Yo Soy". Nos poníamos la coraza de la justicia confesando nuestros pecados unos a otros y, luego, arrepintiéndonos de esos pecados ante Dios. Preparábamos los pies con el apresto del evangelio de la paz acordando no vacilar en nuestra voluntad de ayudar a que los demás encuentren la verdad y libertad en Cristo. Cada noche levantábamos nuestro escudo de la fe, afirmando nuestra fe y confianza en Dios Creador y en Jesús Salvador y Señor de nosotros (ver Hebreos 11:1). Por fe creíamos que el escudo de la fe de Dios extingue las flechas de los adversarios. Entonces, por supuesto, tomábamos el yelmo de la salvación, bendito sea Dios, todos éramos salvos, y la espada del Espíritu, que es la Palabra de Dios y la afilábamos para la batalla leyéndola, aprendiéndola de memoria y pegándolas en las paredes de nuestra casa. Por último, orábamos:

> Padre celestial, reconocemos que Tú eres el Señor del cielo y de la tierra. Nos has dado ricamente todas las cosas para que las disfrutemos en Tu soberano poder y amor. Te agradecemos por este lugar donde vivimos. Reclamamos este hogar para nosotros como lugar de seguridad y protección espiritual en contra de todos los ataques del enemigo. Como hijos de Dios sentados con Cristo en los lugares celestiales, ordenamos que se vaya de aquí todo espíritu maligno que reclame posesión de las estructuras y mobiliarios de este lugar basado en las actividades de los ocupantes anteriores, y que nunca regrese. Renunciamos a todas las maldiciones y encantamientos utilizados en contra de este lugar. Te pedimos, Padre celestial,

que pongas ángeles guardianes alrededor de esta casa para salvaguardarla de los intentos del enemigo para entrar y perturbar Tus propósitos para nosotros. Te agradecemos Señor por hacer esto y te rogamos en el nombre del Señor Jesucristo. Amén.

(Oración para limpiar la casa, Pasos hacia la libertad en Cristo, ver Apéndice A).

El ministerio de los ángeles

Esa noche también salimos juntos y nos paramos en cada esquina del patio para tomarnos las manos en un círculo y orar para que Dios pusiera Sus ángeles en las esquinas de nuestra propiedad. Dijimos una oración extra al lado de la ventana de los vecinos, ventana que mostraba símbolos ocultistas y dejaba pasar sonidos de música no cristiana. Luego oramos para que las huestes de los ángeles de Dios nos rodearan y llenaran nuestro hogar. Entendimos que, "el mismo Satanás se disfraza como ángel de luz" (2 Corintios 11:14), así que proclamamos con cuidado la verdad de Dios, obligando a los ángeles falsos a irse. Al soportar la batalla de las noches siguientes, sabíamos que no estábamos solos peleando, Dios ha prometido: "No te desampararé, ni te dejaré" (Hebreos 13:5). Sabíamos que Sus ángeles poderosos estaban combatiendo junto con nosotros porque: "El ángel de Jehová acampa alrededor de los que le temen" (Salmo 34:7; ver también Salmo 91:11,12).

El poder de la Palabra

Nuestra batalla no terminó ahí pero sabíamos que no estábamos solos. Jared fue atacado mientras dormía, noche tras noche pero Dios lo capacitó para despertarse y mantener el control leyendo en voz alta las Escrituras y rehusando considerar las mentiras que bombardeaban su mente.

Cuando Jared se sentaba en la cama, gritando o balbuceando con palabras desconocidas y sobrecogido de terror, primero hacíamos que dijera el nombre de Jesús o frases como: "Yo soy un hijo de Dios" o "Renuncio a ti en el nombre de Jesús". Podíamos decir cuando la batalla de la mente de Jared estaba rugiendo a todo dar porque se le dificultaba decir el nombre de Jesús. Pero seguíamos insistiéndole. Cuando podía, por fin, decir "Jesús" se despertaba y pasaba de una postura defensiva a una ofensiva en su lucha contra el adversario. Leer los versículos bíblicos que habíamos pegado a las paredes le permitió volverse un triunfador.

Nosotros fuimos testigos oculares del poder de la Palabra de Dios para disipar las asechanzas de Satanás. Recordábamos que Jesús había usado las Escrituras como arma cuando batalló contra Satanás en el desierto. Así que nos zambullimos en la Biblia para encontrar más municiones para la guerra. Pete y yo descubrimos en las Escrituras más pasajes fuertes pero a la vez consoladoras. Había Salmos de victoria (Salmo 30), Salmos de ruegos (Salmo 31), Salmo de callado consuelo (Salmo 23) y Salmos para exhortar a la paciencia (Salmo 40).

Sin embargo, nuestro Salmo favorito era el 91, que se volvió un recurso fuerte para nosotros cada noche. Primero, Él promete que es nuestro castillo fuerte, nuestra defensa y nuestra ciudadela, que nos ampara con Su protección bajo Sus alas. ¡Qué lugar maravilloso para estar, bajo las alas de Dios! Luego, promete salvarnos del ataque de Satanás: garantía consoladora en un momento en que no estábamos seguros de que nuestra dura prueba terminara alguna vez. Su promesa de que no temeríamos el terror nocturno llegó en un momento en que casi teníamos demasiado miedo para dormir. Su promesa de que Sus ángeles nos levantarían en sus manos llegó en un momento en que estábamos demasiado cansados para salir de la cama en las mañanas.

El versículo 14 del Salmo 91 nos dio realmente la libertad para amar a nuestro Señor y elevar Su nombre en una época en que era fácil desesperarse y preguntarse cuándo iba Él a intervenir por fin. Dios nos estaba diciendo en este versículo que Él nos rescataría porque nosotros lo amábamos: "Por cuanto en mí ha puesto su amor, yo también lo libraré" (Salmo 91:14). Dice el Señor. Él nos protegería sencillamente porque reconocíamos Su nombre, sencillamente porque seguíamos repitiendo el nombre de Jesús a las dos de la madrugada. "Lo pondré en alto por cuanto ha conocido mi nombre".

Dios promete responder nuestros clamores de socorro (ver Salmo 91:15). Sencillamente nosotros podíamos amarlo, alabar Su nombre y decir: "¡Socorro!" y Él nos libraría, ¡y nos *honraría*! Cuán asombroso es que Él se interese lo bastante como para rescatarnos, pero cuán impensable resulta recibir *honores* de Aquel a quien se debe todo honor. Dios dijo: "Yo honraré a los que me honran" (1 Samuel 2:30).

El Espíritu nos ayuda en nuestras debilidades

Los próximos siete días y sus noches pasaron lentamente mientras Jared, Pete y yo seguimos soportando noches casi sin dormir. Seguimos dejando a Jared en casa, sin ir a la escuela, por unos cuantos de esos días para poder pasar tiempo con él tratando de descubrir cuáles eran las fortalezas de los rincones remotos de su mente.

Una mañana, después que Dave y Jalene se habían ido a la escuela, Pete y yo compartimos un íntimo tiempo espiritual a solas con Jared. En lugar de sólo orar juntos con Jared, Pete hizo que Jared se arrodillara al pie de nuestra cama. Entonces Pete y yo pusimos nuestras manos sobre nuestro amado hijo de nueve años, que estaba arrodillado y le pedimos a Dios que nos llenara a todos nosotros con Su Espíritu Santo para que pudiéramos orar con eficacia. Luego pedimos a Dios que abriera los recuerdos del pasado de Jared para revelar cuál era el sostén que Satanás tenía en su vida. Le pedimos que abriera las zonas subconscientes de la mente de Jared donde estaban hacía años los recuerdos de sus sueños. Le pedimos a Dios que liberara por completo a Jared de su hora más negra. Luego, con gran fervor y humildad, Jared oró rogando que Dios le revelara la fuente de sus miedos para poder ser libre.

Nuestras oraciones de esa mañana fueron poderosas, no por nuestra habilidad para articular oraciones bellas para Dios, sino porque no oramos por nuestros medios sino en el poder del Espíritu Santo que gemía: "*Abba*, Padre" por nosotros. Sentimos una osadía para acercarnos con confianza a Dios como nunca antes (ver Hebreos 4:16).

Pete y yo sabíamos que el Espíritu Santo intercedía por nosotros en formas inexpresables por nuestra carne débil y cansada. Nuestras palabras y pedidos por Jared no eran nuestros en esa mañana (ver Romanos 8:26,27). Aunque no lo supimos de inmediato, Dios empezó entonces a revelar lentamente a Jared las fortalezas de Satanás.

Deben pasar por mí

Por maravilloso que fuera ese rato de oración con Jared, no siempre hacíamos todo bien. A veces, nuestra carne se impacientaba e insistía en intervenir por Jared en lugar de esperar pacientemente en el Señor. Ocasionalmente aceptamos malos consejos de personas bien intencionadas que trataban de ayudarnos. Nuestra impaciencia y nuestro fracaso para verificar el consejo ajeno con las Escrituras produjeron problemas una noche durante una lucha intensa.

Ese día alguien le había dicho a Pete que como los padres tienen la autoridad espiritual sobre sus hijos, ellos pueden decir a los espíritus malignos que tienen que pasar por el padre o madre para llegar al niño. Así pues el padre o madre está mucho más capacitado para dar la batalla que el niño.

Así que esa noche, en medio de otro ataque nocturno, Pete, angustiado por lo que experimentaba Jared, proclamó que Satanás y sus obreros no tenían derecho sobre Jared ni sobre ninguno de nuestros otros hijos, y que todos los espíritus malignos tenían que pasar por él para llegar a cualquiera de nuestros hijos. ¡Eso es exactamente lo que hicieron los demonios! Atacaron a Pete con pensamientos horribles, con dolores de cabeza y con un dolor de espalda tan terrible que apenas podía caminar. ¡Qué error fue pensar que nosotros teníamos alguna autoridad sobre Satanás y sus demonios en nuestra simple humanidad! Habíamos dejado afuera al Único que tiene autoridad sobre Satanás, y ése es Jesucristo. Nosotros tenemos autoridad sobre las potestades de las tinieblas porque estamos *en* Cristo pero no porque meramente seamos padres.

Pasaron varios días mientras Pete soportaba el tremendo dolor de espaldas, hasta que nos dimos cuenta del error que habíamos cometido. Una noche se reunió toda la familia en torno a Pete que se desplomaba de dolor sobre el mostrador de la cocina. Todos pusimos las manos sobre la parte más dolorida de su espalda y oramos. Primero, Pete y yo confesamos nuestro error al mandar a los demonios pasar por Pete. Luego proclamamos la verdad de que como nosotros somos hijos de Dios en Cristo, comprados por la sangre de Jesús, todas las potestades de las tinieblas tenían que pasar por Jesucristo antes de poder acercarse a nosotros (ver Colosenses 2:9,10). Mientras orábamos los niños y yo sentimos una oleada de calor inmenso de la espalda de Pete. Cuando todos dijimos "Amén", Pete se paró derecho con facilidad, libre de todo dolor.

Nunca invitaríamos nuevamente ataques emocionales, mentales o físicos a nuestra familia pero la magnitud del poder de Dios que presenciamos por medio de nuestro combate espiritual es algo que no cambiaríamos por nada. La más grande negrura del mal reveló la sobrecogedora luz de Dios con mucho mayor intensidad.

11

Hijos del ministerio

En el frente de batalla

El 15 de enero de 1993, doce días después que Jared tuviera su primera escaramuza con el reino de las tinieblas, la familia se amontonó en el pequeño Honda oxidado y fuimos a Rockford, Illinois, para ir a un seminario sobre guerra espiritual. Habíamos decidido no repetir el error que cometimos el año anterior cuando dejamos a nuestros hijos con otra persona en medio de la guerra espiritual.

El seminario estaba a cargo del doctor Timothy Warner, que acaba de dejar la Escuela Evangélica de Divinidad "Trinidad" para asumir como vicepresidente de los Ministerios Internacionales de la Libertad en Cristo. Pete había anunciado este seminario en la iglesia, esperando que fueran muchos, pero solamente otra pareja optó por ir. Luego de la primera sesión se enfermó la señora así que empacaron sus cosas y regresaron a su casa anticipadamente. Ella se recuperó en cuanto llegaron a casa.

Pete y yo fuimos fervientes a cada sesión, estudiando detenidamente los materiales y escuchando cada palabra que dijo el doctor Warner. Nuestro objetivo era obtener más municiones bíblicas para ganar nuestra batalla. Habiendo servido como misionero, junto con Eleanor, su esposa, en una aldea de una tribu de África Occidental, el doctor Warner enseñaba con mucho conocimiento. Él dejó al descubierto las razones espirituales principales de la actividad demoníaca sin precedentes que hoy hay en los Estados Unidos de Norteamérica: el crecimiento del movimiento de la Nueva Era, el interés por las religiones orientales, la música rock con mensajes ocultistas, ciertos juegos y juguetes, ciertas películas, videos, programas de televisión y publicaciones, el interés por lo paranormal/sobrenatural y el aumento del satanismo. Pete y yo empezamos a comprender por qué nuestros hijos estaban viviendo luchas y conflictos personales, ajenos a nosotros cuando estábamos creciendo.

El doctor Warner usó material impreso en la contratapa del manual del seminario, aportado por Tom White, de Ministerios en el Frente, cosa que se aplicaba directamente a nuestra situación:

Sujetos a la soberanía de Dios, Satanás y sus huestes pueden influir y oprimir legalmente una vida basado en pecado inconfeso no limpiado —personal o ancestral. La liberación de la aflicción se logra eliminando la base de pecado, dejando al descubierto las sospechadas asechanzas del enemigo/espíritus, y resistiendo en la autoridad del nombre y la sangre de Jesucristo. Por lo general si la opresión ocurre en niños pequeños sus raíces están primordialmente en el pecado previo sin limpiar de los antepasados, el cual ha abierto las puertas del linaje consanguíneo a la influencia de los espíritus enemigos.

Los niños también están en el ministerio, sirviendo en el frente de la rugiente batalla espiritual.

Una aplicación posible a este motivo de aflicción demoníaca era "herencia ancestral impía de padres que son creyentes pero que, por la ignorancia y la falta de diligencia fallan en dedicarse a y orar por la liberación de los hijos de las influencias genealógicas". Ahora sabíamos por qué había ocurrido una liberación tan fuerte de la opresión en la noche que nosotros renunciamos a los pecados y maldiciones de nuestros antepasados. Pete y yo seguimos renunciando a toda influencia ancestral sobre nosotros mismos o sobre nuestros hijos en los meses siguientes porque esa fortaleza era tan aplastante.

Otra razón posible iluminó fuertemente nuestra situación:

Los hijos de siervos cristianos que ministran activamente están sujetos a un intenso ataque del enemigo, concebido para disminuir la efectividad del ministerio de los padres. Debe emplearse como defensa contra este tipo de opresión una oración específica y diligente pidiendo protección y tener sabiduría para criar a nuestros hijos.

Así que nuestras actividades en favor de la vida *tenían* efecto en nuestros hijos y nuestro ministerio en la iglesia *afectaba* nuestra vida de hogar. Empezamos a preguntarnos: *¿Es de asombrarse entonces, que los hijos de pastores tengan a menudo problemas más grandes que los otros? ¿Es de asombrarse entonces, que los hijos de misioneros suelan experimentar luchas que se oponen a la enseñanza bíblica dada en sus casas? ¿Es de asombrarse entonces, que Satanás derrote a los que están en el ministerio junto con sus hijos? ¿Es de asombrarse entonces, que la gente que está en el ministerio evite los temas de primera plana para protegerse a sí mismos y a sus familias contra la ira y venganza satánicas?*

No sólo comenzamos a orar pidiendo protección y sabiduría para ser padres de nuestros hijos sino que también empezamos a orar por los hijos de la directora del centro de manejo de la crisis del embarazo. Empezamos a orar por los hijos de un amigo nuestro, pastor en Florida. Oramos por los hijos de nuestros amigos misioneros que estaban sirviendo en una tribu "no alcanzada". La lista de niños cuyos padres están en el ministerio y que necesitan nuestras oraciones podía seguir al infinito porque los niños también están en el ministerio, sirviendo en el frente de la rugiente batalla espiritual. "Mas gracias sean dadas a Dios, que nos da la victoria por medio de nuestro Señor Jesucristo" (1 Corintios 15:57).

¿Debemos salirnos del ministerio del frente de la batalla espiritual para poder vivir tranquilos? ¡Absolutamente no! pero debemos estar espiritualmente alertas y conscientes de las asechanzas de Satanás debido a nuestra mayor vulnerabilidad. Dios no sólo nos ha llamado, sino que Él también va delante de nosotros en la batalla, habiendo ya obtenido la victoria (ver Hebreos 2:14,15; Romanos 8:28-31).

12

Derribando fortalezas

Exhortado por los demás

Mientras seguía la conferencia del doctor Warner, seguía también nuestra propia guerra espiritual nocturna en el cuarto del hotel. Hablamos con el doctor Warner y su esposa sobre nuestra intensa batalla y ellos nos exhortaron a que siguiéramos haciendo lo que hacíamos.

Cuando volvimos a casa, continuaron los anteriores ataques a Jared. Así que empezamos a pedirle a Dios que escudriñara a Jared y conociera su corazón (ver Salmo 139:23,24). Dependíamos totalmente de Dios para que revelara aquellas cosas de su vida que él no podía recordar. También escudriñábamos las Escrituras en busca de respuestas y conversábamos con amigos cristianos confiables para recibir consejo santo. Muchas personas eran compasivas y comprensivas —especialmente los amados de nuestra iglesia. Como la noche del sábado era preferida para las escaramuzas diabólicas (probablemente intentando arruinar la efectividad de Pete en la mañana del domingo), estábamos a menudo físicamente exhaustos y emocionalmente agotados en la iglesia. Muchos nos preguntaban semana tras semana cómo andaban las cosas.

Cuando la congregación cruzaba los pasillos, cada domingo, para orar juntos, solían orar por nosotros. Cuando Pete prorrumpía en llanto durante un sermón, la gente se mostraba compasiva, llorando con nosotros a menudo. Las reuniones de la junta de la iglesia se volvieron un tiempo para que Pete compartiera nuestra lucha y orara con los líderes. Durante el estudio bíblico para damas yo compartía mi petición de oración (libertad del ataque demoníaco), las mujeres no me juzgaban como si estuviera enloqueciendo o no fuera una cristiana suficientemente firme para manejar mis propios problemas. Ellas me creían y oraban (ver Efesios 5:19-21).

Sin embargo, pocos eran los que realmente entendían espiritualmente lo que nos estaba pasando; y nadie tenía respuestas reales para nuestro dilema pero la compasión y empatía de ellos nos sostenía (ver Colosenses 3:12).

La profesora del preescolar de Jalene, una mujer cristiana maravillosamente comprensiva que había pasado por su propia guerra espiritual, era una de las que comprendía nuestras circunstancias. Ella era una tremenda ayuda para mí cuando le llevaba diariamente a Jalene a la clase. Cada mañana esta profesora estaba en la puerta del aula para saludar a una larga fila de niños de cinco y seis años que, ansiosos, esperaban su abrazo y tierno saludo. Esta notable profesora, responsable de unos 40 alumnos de preescolar, se daba el tiempo para orar conmigo casi todos los días.

Era tan consolador saber que ella había estado orando por nosotros a las 2 de la madrugada cuando no podía dormir. Quizá Dios la mantenía despierta justo para que pudiera interceder por nosotros. También consolaba saber que podía llamarla a medianoche y orar con ella. La efectividad de sus oraciones era notable no sólo porque sus oraciones concordaban con la Escritura mientras oraba sino porque oraba por su experiencia personal y por sus victorias pasadas.

Ella también oró con Jared un día, después de clases. Fue alentador tener una intercesora que oraba por nosotros cuando estábamos tan cansados. Ella discernió un día que yo estaba por rendirme así que me llamó a su aula, después de las clases matutinas, me hizo sentar al lado de su escritorio y me mostró unos versículos de la Biblia que nunca olvidaré pues me sostuvieron cuando pensaba que no podía soportar más.

No perdáis, pues, vuestra confianza, que tiene grande galardón; porque os es necesaria la paciencia, para que habiendo hecho la voluntad de Dios, obtengáis la promesa. Porque aún un poquito, y el que ha de venir vendrá, y no tardará. Mas el justo vivirá por fe; y si retrocediere, no agradará a mi alma. Pero nosotros no somos de los que retroceden para perdición, sino de los que tienen fe para preservación del alma.

Hebreos 10:35-39

En nuestro momento más tenebroso cuando tan pocos entendían lo que realmente pasaba a nuestra familia, le agradecía al Señor por proveer una profesora santa para alentarnos y estimularnos con amor.

Pete también recibía aliento de algunas personas con las que hablaba durante su jornada. Él y un pastor del otro lado de Madison, conversaban con frecuencia y discutían soluciones. Cada semana, cuando Pete iba a la estación de la emisora cristiana para grabar su programa semanal, descargaba su preocupación en el gerente de la radio. Dios usa a personas que exhortan para ayudarnos a soportar, gente "para estimularnos al amor y a las buenas obras" (Hebreos 10:24).

La fisura del miedo

Justo cuando pensábamos que éramos los únicos en el mundo que habían luchado alguna vez contra las potestades de las tinieblas por nuestros hijos, Dios envió a alguien que podía identificarse con nuestra situación. Fue la llamada a un pastor que nunca habíamos conocido antes, lo que nos ayudó a descubrir la razón del episodio demoníaco de Jared.

Este pastor nos contó cómo él iba en el automóvil, con su hija, a la casa durante una terrible tormenta de truenos con relámpagos y lluvia torrencial. Se detuvieron frente a la puerta cerrada del garaje y él se bajó corriendo a abrirla. Al hallarla cerrada con llave, corrió a la parte de atrás de la casa para entrar e ir a la puerta del garaje. Mientras estaba en la parte de atrás de la casa, cayó un rayo y el trueno sonó casi simultáneamente, aterrorizando a su hija que estaba sola en el automóvil. Cuando volvió al automóvil, su hija lloraba y gritaba histérica. Esa noche empezó su dura lucha. El trauma de la tormenta había producido una fisura del miedo en su vida abriendo la puerta para un ataque demoníaco.

Pete y yo empezamos a pensar en el trauma de Jared. Inmediatamente reconocimos la puerta de miedo que se abrió en él cuando nuestra camioneta patinó en el camino congelado y chocó con el árbol. En ese momento no entendimos sus gritos histéricos o su reacción exagerada a ese accidente tan moderado. ¿Cómo pudo ese leve choque causar un miedo tan grande? Ese accidente era "la punta del iceberg" de los miedos que él había sentido durante años en el silencio de sus sueños y recuerdos olvidados. Satanás estaba usando su táctica primordial: *el miedo* para victimizar a nuestro hijo y retenerlo en esclavitud.

En nuestro intento por ayudar a Jared para que rompiera la garra del miedo en su vida, volvimos al sitio del accidente. Igual que el jinete tiene que volver a montar un caballo luego de haberse caído, creímos que así Jared reviviría la escena del accidente para impedir que siguiera aumentando el miedo.

Viajamos por la misma ruta que tomamos la noche del choque pero, esta vez, el camino no tenía hielo. Detuvimos el Honda cerca del lugar más próximo al árbol, caminamos por la nieve y nos quedamos parados al lado del árbol con el que pensábamos habíamos chocado, luego de discutir un poco tocante a dos árboles, e ir de uno a otro árbol varias veces. Pete y yo insistimos que era el árbol en cuyo lado estábamos parados.

Todos hablamos de los árboles en broma, todos menos Jared que estaba parado en silencio helado de miedo. Pete y yo todavía creíamos que teníamos la razón, así que nos quedamos cerca de "nuestro árbol" y cada uno oró para renunciar a cualquier fortaleza de miedo causada por el accidente. También aclaramos que el árbol no estaba habitado por demonios. Subrayamos que el miedo de Jared había empezado ahí y que, en ese mismo lugar donde había nacido el miedo, podía ser vencido por medio de la oración y renuncia.

---

*La táctica de Satanás siempre ha sido
confundir la mente.*

Pasaron dos días y las noches de Jared no mejoraron. Finalmente, ante la insistencia de los niños de que habíamos orado en el árbol equivocado, todos nos amontonamos de nuevo en el Honda y fuimos a la escena del accidente. Esta vez oramos en el 'árbol de los niños' y renunciamos de nuevo al miedo del accidente. Cuando terminamos, uno de ellos se agachó recogiendo de la nieve un pedazo de metal que estaba al pie del árbol. Entonces otro encontró otro pedazo, cerca. Lo reconocimos como parte de la parrilla del frente de la camioneta. Los niños tenían la razón: ¡estábamos finalmente orando al lado del árbol correcto! Aunque no era imperativo orar en el árbol correcto para romper la fortaleza, Jared se sintió mejor. Durmió mejor esa noche, no porque encontramos el árbol, sino porque él empezaba a creer que no había motivo para temerle al árbol o a la escena del accidente. La fortaleza del miedo estaba empezando definitivamente a romperse.

La batalla por la mente

El miedo seguía atenazando la mente de Jared, el miedo que se remontaba a años. Todos nos habíamos aprendido de memoria 2 Timoteo 1:7: "Porque no nos ha dado Dios espíritu de cobardía, sino de poder, de amor y de dominio propio". Aumentaba nuestro valor saber que no tenemos que vivir con miedo (ver 1 Juan 4:18). La táctica de Satanás siempre ha sido confundir la mente —convenció a Eva de que Dios no dijo en realidad lo que ella pensó que Él dijo. Satanás desbarató la mente de Job con pena, muerte y dolor. Satanás sabía que Jesús no le temería de modo que trató de tentarlo con el deseo de poder y autoridad terrenales. Satanás averiguará nuestra flaqueza y trabajará en esa área de nuestra mente. Satanás estaba peleando por la mente de Jared con el arma del miedo porque sabía que estaba viéndosela con un niño dulce y confiado al que fácilmente podía impactar para que se callara.

Explorando el pasado

Mientras esperábamos que Dios abriera la memoria de Jared, explorábamos lo que conocíamos de su vida y renunciábamos a todo lo que podíamos imaginar. Empezamos con un incidente que ocurrió antes de que naciera. Pete y yo fuimos a las clases de parto

Lamaze en el último mes de embarazo para aprender las técnicas del parto natural indoloro.

La profesora de esas clases pidió a todos, maridos y esposas, que se acostaran en el suelo con unas cómodas almohadas para ayudarnos a relajarnos. Entonces se nos instruyó que cerráramos los ojos y vaciáramos de todo contenido nuestra mente, concentrándonos en una luz brillante colocada lejos en el espacio. Teníamos que concentrarnos en ese objeto tan profundamente que nos dirigiríamos cada vez más cerca a su fulgor. El beneficio de esta actividad era aprender a bloquear la realidad del dolor del parto. Pete y yo nos comunicamos sólo con los ojos esa noche, diciéndonos no hacer lo que ella decía.

De regreso a casa concordamos en que ella fomentaba y mandaba a la meditación y a la autohipnosis, cosas que pueden vaciar la mente de su propia sensibilidad lo suficiente como para dar a Satanás la oportunidad de llenarla con pensamientos contrarios a nuestra fe. Dios nos dice que nos llenemos con el Espíritu, no que vaciemos la mente. La cosa más peligrosa que podemos hacer espiritualmente es dejar que nuestra mente quede en blanco. La Palabra de Dios nos manda llevar cada pensamiento cautivo a la obediencia de Cristo (ver 2 Corintios 10:5) y pensar en aquellas cosas que son verdaderas (ver Filipenses 4:8).

Pete y yo habíamos pasado ese rato en el suelo pensando sólo en Jesús, rogando que Él mantuviera nuestra mente sintonizada con la realidad y sintonizada únicamente con Él. Aunque no habíamos participado directamente en el ejercicio de meditación, renunciamos a nuestra presencia ahí esa noche. También renunciamos a cualquier fortaleza que Satanás hubiera podido obtener en nuestra vida o en la vida de Jared debido a los juegos mentales que se habían jugado.

Jared nació dos semanas después de la fecha debida, con el cordón umbilical enrollado en su cuello con al menos tres vueltas. El médico musulmán que me atendía se preocupó cuando Jared no empezó a respirar después que le desenrollaron el cordón. Él trabajó en Jared por lo que pareció una eternidad hasta que el bebé, por fin, empezó a llorar. ¡Qué ruido maravilloso! Aunque estábamos muy agradecidos por el trabajo que el médico hizo, tuvimos que renunciar a la religión falsa que el médico representaba y a todo dios falso que él hubiera invocado para ayudarle en la crisis de Jared.

Con cada renuncia, por pequeña que fuese, la garra de Satanás se debilitaba y él perdió algo de su poder. Así que seguimos explorando y renunciando. Diariamente le hacíamos preguntas a Jared para desbloquear su memoria. Le preguntábamos si alguna película, programa de televisión o juegos de video le habían producido miedo.

Él nos contó de un juego de video que había jugado que era sólo una excursión por una selva peligrosa, esto es, hasta que él obtuvo la destreza suficiente para ir al último nivel del juego en que peleaba con una enorme criatura extraña, como demoníaca. Jared creía que el miedo que experimentó en el último nivel le había formado una fortaleza en su vida, así que él renunció a eso.

Jared también tenía un problema con las figuras del G. I. Joe, no de la clase que recordábamos de nuestra niñez, sino las nuevas que tienen caras inhumanas grotescas. Ya habíamos botado todas las figuras G. I. Joe pero ahora Jared renunció al miedo que le habían dado en su vida. Más tarde, nos cercioramos de que nuestros hijos se dieran cuenta de que las figuras del G. I. Joe no eran malas en sí y que tampoco habían demonios viviendo en ellas sino que, meramente, Satanás usaba esos juguetes para producir miedo en los niños.

Seguí interrogando a Jared sobre las películas o programas de televisión que le hubieran dado miedo. Nosotros creíamos que éramos discrecionales en cuanto a lo que mirábamos. Nunca permitíamos que los niños vieran algo con matices sexuales y tratábamos que evitaran la violencia gráfica y las escenas de crímenes. Pero aun con nuestras estrictas normas discrecionales, todavía teníamos mucho que aprender sobre las entradas sutiles del mal en nuestro hogar por medio de las películas y la televisión.

Habíamos sido engañados para que creyéramos que estaba bien ver *Batman* porque era uno de esos programas divertidos de nuestra infancia pero pronto supimos que la inocencia de varias décadas atrás fue reemplazada con los temores de un mundo tenebroso. El superhéroe de nuestra niñez se había vuelto personaje oscuro de ambientes infernales. Ahora, años después, estábamos descubriendo que la película había afectado a Jared.

Él recordó finalmente la escena inicial de *Batman*. Recordó cómo Batman se dejaba caer, de tamaño mayor que en la vida real en su siniestro ambiente. Luego recordó cómo algo pesado y diabólico se había abalanzado frente *a él* que estaba tieso en su asiento. Esta potestad de las tinieblas produjo un miedo increíble a Jared, atenazándolo en silencioso terror por años.

Cuesta mucho creer que Satanás pueda hacer su obra por medio de películas y televisión pero hemos conocido a adultos que se metieron en el ocultismo luego de interesarse extraordinariamente por programas como "Embrujada". Las múltiples avenidas de la entretención electrónica han abierto nuestra mente y la vida de nuestros hijos a la incitación, el medio y la seducción malignas.

Muchas escuelas tratan los problemas del miedo, la ansiedad, la violencia y la ira enseñando a los alumnos, en clases de manejo del estrés, la manera de meditar o transportar sus espíritus a alguna parte como un lago bello y claro para escapar de sus ansiedades.

Conocimos un matrimonio cristiano durante unas vacaciones; el hijo de este matrimonio había aprendido eso en su escuela. Estos padres cristianos no sabían que le estaban enseñando a hacer eso hasta que se empezaron a preocupar por su reacción a la ira. Él se iba a su cuarto y se metía bajo las frazadas por largos períodos. Cuando su madre le confrontó finalmente por esta conducta tan rara, él le dijo que le habían enseñado a irse al "lago claro" para encontrar paz y calma durante momentos de estrés o enojo. Le dijeron que se quedara ahí hasta que se sintiera mejor.

También se estimula a los escolares para que 'disfruten' la compañía de un amigo imaginario. Se le dijo a un grupo de alumnos que manejaran sus dificultades cerrando los ojos y pensaran en un pariente muerto a quien hubieran querido mucho. Entonces, les ordenaron que abrieran, en su mente, la puerta de un ascensor y que se encontraran con ese pariente en el ascensor. Cuánta vulnerabilidad crea esto en esos niños que ahora están abiertos para las visitas de demonios. La puerta de la mente de ellos ha sido abierta a posibles guías espirituales y demonios 'amistosos' que, primero, parecen ayudar pero que mostrarán inevitablemente su aborrecible naturaleza.

Jared tuvo que renunciar a uno de esos demonios 'amistosos'. Jared admitió que había un demonio que le agradaba, junto con

Gabriel y algunos de los otros demonios obviamente destructores. Le explicamos que los demonios son engañadores y astutos. Primero, pretenden ser simpáticos pero después de haberse ganado nuestra confianza, siempre mostrarán su naturaleza maligna y su plan perverso. Cuando Jared renunció en el nombre de Jesús a este demonio que le agradaba, y anunció que no quería ser engañado, el demonio nunca lo molestó otra vez.

Yo me acuerdo

Jared tuvo que renunciar también a las voces que había oído. Tuvo que renunciar a los programas de televisión que lo asustaban. Pero la fortaleza más grande en la vida de Jared vino a su recuerdo a los 17 días después que el choque había abierto fisuras de miedo en su vida.

Seguía siendo atacado de noche y Pete y yo seguíamos pasando noches casi sin dormir. Era un martes por la tarde y Jared andaba afuera en su bicicleta. Entró corriendo a la casa para decirme que se había acordado de una fortaleza. Así, pues, nos sentamos de inmediato para renunciar a eso, pero prontamente se instaló el desencanto cuando dijo "Me acordé mientras estaba andando en bicicleta en la calle pero cuando entré a casa, la olvidé". Yo traté de estimular su memoria pero él sencillamente no podía recordar.

No fue sino al día siguiente en que Jared estaba afuera andando en bicicleta de nuevo cuando se acordó del incidente sucedido varios años antes, cuando tenía como cinco años de edad. Él había ido en bicicleta hasta el final de nuestra calle, donde vivía un niño de mayor edad que, a menudo, había venido a jugar en nuestra casa. El niño había invitado a Jared a su casa, ofreciéndole dulces, juguetes y diversión.

Nosotros le habíamos dado instrucciones estrictas de no entrar nunca a una casa sin permiso nuestro, pero los dulces y juguetes fueron demasiado atrayentes. El niño le dio dulces y juguetes pero, entonces, lo llevó arriba, a un cuarto donde había un equipo estéreo grande con enormes parlantes adosados en los ángulos del cielorraso. Con este estéreo puesto a volumen muy alto, el niño tocó un casete de Freddy Krueger que seguía mujeres y las mataba. Sólo por medio del sonido Jared sintió el miedo de alguien que era seguido por un asesino loco que expresaba repetidamente, por medio de sus palabras amenazantes y sus jadeos y respiración entrecortada, su intención de matar a la mujer que gritaba mientras corría huyendo de él. Jared escuchó los pasos de la carrera desesperada, las constantes amenazas de muerte, el quejido y grito temerosos de la víctima, luego los ruidos de las repetidas puñaladas y los gritos agonizantes de dolor de la mujer que moría. En el silencio de su muerte, se oía la estridente risa de Freddy Krueger que se deleitaba en la muerte de la mujer. Entonces, él empezaba a acechar y seguir a otra presa humana y éstas escapaban corriendo, gritando "¡ahí viene!" "¡cuidado!" "¡ahí está!"

¿Por qué no nos contó nuestro hijo de un hecho tan traumático? Porque era tan repugnante que su joven mente no pudo manejarlo. Tuvo tanto miedo que lo sepultó en lo más profundo de su banco de memoria. Se había olvidado del hecho hasta aquel día casi cuatro años más tarde. Él lo había olvidado pero su efecto en él había estado activo en su vida todos esos años.

Agradecemos a Dios por revelar ese recuerdo penoso a Jared o él seguiría aún hoy viviendo bajo la esclavitud de ese miedo y Satanás lo usaría en contra suya para debilitarlo e impedirle ser libre en Cristo. Cuánto ama Satanás aterrorizarnos al extremo de la impotencia hasta que sepultamos los sucesos de nuestro pasado que son demasiado horrorosos para recordar. A medida que vamos creciendo, crecen más los miedos y nuestra mente nos protege empujando esos miedos y traumas a profundidad aún mayor de nuestros bancos de memoria.

Jared no sólo renunció al incidente ocurrido con Freddy Krueger sino que también perdonó al niño por aterrorizar su mente. Ese día él derribó una de las grandes fortalezas de Satanás y también rompió las cadenas que lo ataban por miedo a Freddy Krueger y al niño de calle abajo. Esta ruptura fue monumental pero no estaba aún terminada la jornada de Jared que siguió perseverando en su ruta a la libertad (ver Isaías 40:30,31).

13

Represalias

Contragolpe del miedo

Al ir el miedo perdiendo su sostén en Jared, el reino de las tinieblas contragolpeó con un feroz esfuerzo final.

Una noche Jared fue vencido por el miedo en las horas tempranas de la madrugada, así que empezamos a despegar las Escrituras de la pared para leer, como habíamos estado haciendo desde hacía tiempo. Sin embargo, esa noche particular Jared trataba de leer los versículos pero no podía ver las palabras. Su perspectiva óptica estaba al revés y ya no podía leer los versículos que habían sido su espada en cada batalla. Se dejó llevar por el pánico así que le dijimos que cerrara sus ojos y repitiera, después de nosotros, a medida que leíamos versículos de la Biblia. Él ganó la batalla repitiendo los versículos después de nosotros.

A la mañana siguiente podía ver bien y fue a clases. Su incapacidad para enfocar su vista se limitó, primero a la lectura de las Escrituras en medio de la noche. Llegó el momento en que el problema de su perspectiva visual empezó a presentarse también aproximadamente a la 5 de cada tarde, hora del choque con el árbol. Cuando se proclamaba suficiente verdad cada vez la vista de Jared se volvía a normalizar.

Estas batallas no se ganaban fácilmente porque las fortalezas estaban siendo derribadas en la vida de Jared y su adversario tomaba represalias. Felizmente Dios nos dio la fuerza para persistir y la vista de Jared volvió a la normalidad en una semana. Nunca tuvo una repetición de problemas oculares. Su visión fue 20/20 en un examen reciente de los ojos.

Después supimos de un joven cuyos ojos fueron afectados tal como los de Jared, poco después de un hecho que lo atemorizó. Sus padres lo llevaron al oculista y este joven empezó a usar anteojos pero eso no le arregló el problema. El joven siguió atrapado en el miedo hasta que le diagnosticaron esquizofrenia.

Si tan sólo cuidáramos nuestros problemas del reino espiritual antes de atribuir nuestras dificultades a una causa física o psicológica, podríamos eliminar nuestros problemas por medio del poder de Dios en nuestra vida. Eso no significa que no haya problemas físicos legítimos pero ¿por qué no acudir *primero* a Dios, como nos manda la Escritura? Si los síntomas desaparecen como respuesta a la oración y Escritura, entonces sabremos que el problema primordial no es físico.

El piano del sótano

Llegó el final de enero antes que Satanás perdiera su lucha por restablecer el miedo en la vida de Jared afectando sus ojos. Su intento de represalias había fallado.

Estábamos ganando la batalla y muchas fortalezas habían sido derribadas pero estábamos agotados. La vida había estado plagada de horrores infernales durante 13 largos meses y nosotros anhelábamos tiempo en la presencia de Dios. Luego de tanta tiniebla buscábamos más de Jesús, la luz del mundo. Él promete que "el que me sigue, no andará en tinieblas, sino que tendrá la luz de la vida" (Juan 8:12). Todos nos gloriamos en la promesa de que, un día, Jesús nos llevará a casa al cielo donde no hay noche (ver Juan 14:1-3; Apocalipsis 21:23-25; Salmo 30:5; 1 Tesalonisenses 5:5).

Una tarde, luego de haberse puesto el sol trayendo la oscuridad que habíamos aprendido a aborrecer, fui al sótano donde me senté en el banco de nuestro viejo piano grande. Primero sólo me senté ahí, incapaz de tocar o cantar. Me acordé de la firme declaración de Martín Lutero tocante a la música:

> Deseo ver todas las artes, principalmente la música, al servicio de Aquel que las dio y creó. La música es una dádiva justa y gloriosa de Dios. Yo no cambiaría mi humilde cuota de música por todo el mundo. Los cantantes nunca se apesadumbran sino que se alegran y cantan sonriendo sus problemas. La

música hace más amable, bondadosa, seria y razonable a la gente. Yo estoy firmemente convencido de que, después de la teología, no hay arte capaz de brindar paz y gozo de corazón... el diablo huye ante el sonido de la música casi tanto como ante la Palabra de Dios.[1]

Llegó el momento en que empecé a tocar algunos himnos antiguos como "Cuán grande es Él". Amo la letra de ese himno pero, como mi voz estaba tan sofocada por emociones y fatiga, solamente pude tocar las notas.

Luego no pude evitar cantar las letras de otros himnos porque su poder tenía que ser proclamado esa noche. Algunos de esos himnos estaban llenos de verdades teológicas y vivencias de primera mano, compuestos por personas que habían sido examinadas y probadas en el horno y que habían salido del fuego del refinador tan puras como el oro:

De paz inundada mi senda ya esté
cúbrala un mar de aflicción,
Mi suerte, cualquiera que sea, diré:
"Estoy bien con mi Dios".
Ya venga la prueba o me tiente Satán,
No amengua mi fe ni mi amor;
Pues Cristo comprende mis luchas, mi afán
Y su sangre obrará en mi favor.
Estoy bien, con mi Dios.
Estoy bien, estoy bien con mi Dios.[2]

Cuando la paz llegue a mi senda como río,
Cuando las penas como ondas marinas rueden;
Cualquiera mi suerte sea, Tú me habéis enseñado a decir,
"Está bien, está bien para mi alma".
Aunque Satanás golpee, aunque deba haber pruebas,
Que se encargue esta bendita seguridad
De que Cristo ha considerado mi impotente estado
Y ha derramado Su sangre por mi alma.
Está bien, para mi alma.
Está bien, está bien para mi alma.

En nuestra autosuficiencia pasamos por alto muy a menudo la vivencia de la fuerza de Dios. En nuestra autosuficiencia Dios nos pasará por alto muy a menudo hasta que nos volvamos dependientes de Él.

A través del dolor tuve que admitir que "estaba bien para mi alma". Al cantar canto tras canto, las lágrimas corrían como ríos por mi cara. Yo estaba en mi hora de mayor debilidad y, no obstante, sentía una nueva sensación de la gracia y fuerza de Dios. Hasta "lo débil de Dios es más fuerte que los hombres" (1 Corintios 1:25). Me sentía consolada siendo débil porque no sólo estaba sintiendo la fuerza de Dios sino también al Espíritu Santo que nos ayuda en nuestra debilidad (ver Romanos 8:26).

Me sentí libre para derrumbarme ante Dios porque Él dijo: "Bástate mi gracia; porque mi poder se perfecciona en la debilidad. Por tanto, de buena gana me gloriaré más bien en mis debilidades, para que repose sobre mí el poder de Cristo. Por lo cual, por amor a Cristo me gozo en las debilidades, en afrentas, en necesidades, en persecuciones, en angustias; porque cuando soy débil, entonces soy fuerte" (2 Corintios 12:9,10).

¡Qué paradoja es que cuando soy débil, entonces sea fuerte! En nuestra autosuficiencia nos pasamos por alto muy a menudo la vivencia de la fuerza de Dios. En nuestra autosuficiencia Dios nos pasará por alto muy a menudo hasta que nos volvamos dependientes de Él.

Ahí estaba yo, sentada al viejo piano con sus acabados mellados y los marfiles quebrados, cantando las palabras de Martín Lutero para "Castillo fuerte es nuestro Dios", con voz débil y temblorosa que, irónicamente, exudaba el poder de Dios a través de mi propia fragilidad:

Nuestro valor es nada aquí,
Con él todo es perdido;

Mas por nosotros pugnará
De Dios el Escogido.
¿Sabéis quién es? Jesús,
El que venció en la cruz, Señor de Sabaoth;
Y pues Él sólo es Dios,
Él triunfa en la batalla.[3]

Yo alabé al Todopoderoso Dios como nunca antes y Él me consoló y me exaltó mientras yo cantaba "Dios, dirígenos". La letra hablaba de los tiempos en que nuestras sendas no pasan por los pastos verdes a la sombra sino por el valle más oscuro —como algunas personas solamente van por el agua mientras que otras pasan por la inundación y el fuego.

Actualmente estábamos en la inundación y en el fuego, pero decididamente, todos estábamos en la sangre —la sangre de Jesucristo, y ¡estábamos en el bando triunfador!

NOTAS

1. Tomado del programa de Conciertos Sacros de los sábados, Ministerio de la Iglesia Bíblica de la Comunidad del Pueblo de Boca Ratón, estado de la Florida.

2. La traducción está tomada de la letra traducida al español de este himno: "Himnos de la vida cristiana" Copyrigh 1967 Alianza Cristiana y Misionera p. 110.

3. Letra tomada de "Castillo fuerte es nuestro Dios"; Himnos de la vida cristiana, Alianza Cristiana y Misionera 1967, p. 10.

14

Victorias

Victorias, una a la vez

Durante aquellos meses invernales vimos que no podíamos mirar televisión al tratar nuestra familia de relajarse y disfrutar las tardes. Tratamos de mirar solamente programas sanos pero hasta los avisos comerciales estaban salpicados de inmundicia. Casi todas las noches renunciábamos a la basura de los medios de comunicación que se filtraba en nuestra casa. Así que, por último, dejamos de encender el televisor.

Sólo escuchábamos la radio cristiana. También fuimos a la librería cristiana de la localidad y compramos montones de buenos libros de aventuras para niños y novelas cristianas para toda la familia. Cuando se terminaba la comida y los niños estaban cansados de jugar, pasábamos juntos nuestro tiempo de familia, abríamos los libros y leíamos hasta que era hora de acostarse.

Jared volvió a su cuarto, que compartía con Dave, cosa que nos alegró a todos. Él seguía teniendo unos cuantos ataques de miedo cada semana, pero eran suaves comparados con las batallas que rugieron en enero.

Pete predicó en invierno sobre nuestra identidad en Cristo, la libertad que podemos tener en Él y cómo ha sido crucificada nuestra vieja naturaleza (ver Romanos 6:6,7). Interrumpió su tema solamente una vez para predicar un fuerte sermón en pro de la vida el 24 de enero, el *Domingo de la santidad de la vida humana*. Recibió muchos elogios por su punzante mensaje pero también firmes reprimendas de dos personas de la iglesia ese día, confirmando que la batalla por el aborto seguía rugiendo —hasta en la iglesia. Un hombre le dijo que si volvía a predicar un sermón así, él nunca regresaría, y otro que iba a la iglesia hacía mucho tiempo le preguntó cuándo iba a desistir de su "pasatiempo en pro de la vida".

Menos fortalezas —más libertad

Nuestra familia seguía orando que Dios revelara las últimas fortalezas de miedo que quedaban en la memoria de Jared. Habían pasado casi 15 meses desde que empezara la dura prueba de nuestra familia y nosotros seguíamos preguntándonos cuándo terminaría.

Mientras tanto, estábamos empezando a comprender en qué manera podían considerarse nuestras tribulaciones como puro gozo (ver Santiago 1:2). Ellas nos enseñaron lecciones inestimables. Pudimos entender cómo nuestros sufrimientos estaban produciendo perseverancia (ver Romanos 5:3) y que sin las tinieblas no hubiéramos tenido el privilegio de ver el resplandor de Su luz y la gloria de Su poder que supera todo. Habíamos llegado a conocerle íntimamente a Él y habíamos participado en la batalla por la verdad en contra de nuestro común adversario.

Estábamos empezando a decir con confianza y honestidad que estábamos "atribulados en todo, mas no angustiados; en apuros, mas no desesperados; perseguidos, mas no desamparados; derribados, pero no destruidos" (2 Corintios 4:8,9).

Dios reveló fielmente otra fortaleza a Jared. Un día en que él estaba sentado en el mostrador de la cocina, dijo imperturbable: "Mamá, recuerdo un sueño que he estado teniendo todas las noches desde que me acuerdo".

En mi propia manera imperturbable, repliqué: "¡Oh, bien. Renuncia a eso!"

Y eso es lo que hizo. Ahí mismo, en el mostrador, agradeció a Dios por ayudarle a recordar y, luego, renunció a la fortaleza que este sueño tuvo en su vida durante muchos años, probablemente desde que nos mudamos a la casa cuando él recién cumplía dos años.

Describió un sueño en que dos hombres con pistolas lo perseguían interminablemente en su jeep, acechándolo. Hasta recordaba las noches que lo tuve en brazos, en la mecedora, mientras él gritaba de miedo. Tan pronto como describió el sueño y renunció a su garra en él, desapareció el miedo de ese sueño. Él proclamó que no había verdad en el sueño y que en Cristo no hay miedo (ver 1 Juan 4:18).

Pocos días después, recordó por qué tenía tanto miedo de que Pete y yo lo fuéramos a abandonar. Cada noche que podía recordar, lo había atormentado un pensamiento molesto y repetido después que lo acostábamos. Él había tenido miedo de dormirse, temeroso de que cada sonido fuera el de la puerta principal que se cerraba tras sus padres que nunca iban a regresar.

Por la mañana esa idea había sido metida en las profundidades de su memoria, donde el miedo reemplaza a la verdad a veces. Ahora él podía recordar ese pensamiento recurrente y renunciar al miedo nocturno en el nombre de Cristo. Osadamente anunció la verdad a su adversario: la verdad de que sus padres no iban a abandonarlo y que "no nos ha dado Dios espíritu de cobardía, sino de poder, de amor y de dominio propio" (2 Timoteo 1:7).

Jared obtuvo una tremenda libertad esa primavera y sus episodios a mitad de la noche estaban ocurriendo menos de una vez por semana. Alabamos a Dios por escudriñar su corazón y poner al descubierto muchos de sus miedos ocultos. Pero seguimos orando, esperando pacientemente que Dios revelara el resto de las fortalezas que eran como migas que caían de la mesa: eran pequeñas pero seguían desordenando todo.

Diversiones veraniegas

Jared fue ese verano a un campamento cristiano con su mejor amigo. Aunque estaba sólo a hora y media de casa, teníamos cierta aprehensión por lo que pudiera pasar en la noche. Así que reunimos nuestra fe y lo confiamos a la protección de Dios. ¡Jared habló y embromó tanto con sus compañeros de cabina que apenas durmieron en la semana! Dios era fiel.

Nuestra asociación con el campamento se volvió más grande que la experiencia de Jared en el campamento. Cuando uno de los directores del campamento supo que parte de su personal universitario de verano tenía problemas profundamente arraigados, Pete le presentó los *Pasos hacia la libertad* como herramienta de consejería. Este director empezó a usar los Pasos con los varones del personal y vio que ellos experimentaban gran libertad. Cuando unos miembros del personal femenino quisieron también dar los Pasos, él me pidió que las guiara yo. La libertad empezó a empapar al personal de verano.

Un año después supimos que estos estudiantes habían mantenido su libertad en Cristo.

Libre por fin

Casi un año después que Jared recordara su sueño recurrente y pensamiento atormentador de nuestro abandono, otra fortaleza fue revelada. Él seguía aún teniendo incidentes de miedo intermitentes al dormir cuando advertimos un patrón. Jared tenía problemas cada vez que escuchaba música rock de ritmo metálico fuerte. Él empezó por renunciar a la música rock y permaneció lejos de ella lo más que podía. Al irse volviendo sus noches notablemente más tranquilas y su actitud durante el día menos rebelde, la libertad total parecía estar muy a la mano.

La afirmación de que la música rock era una fortaleza de su vida, vino tarde una noche, después que Pete y yo nos habíamos dormido mirando las noticias. Mientras estábamos durmiendo, Jared entró a nuestro dormitorio y se quedó parado al lado de nuestra cama asustado, pero no estaba completamente despierto. Nosotros mismos, no estábamos del todo despiertos, empezamos a orar por él cuando se dio vuelta de súbito señalando el televisor mientras gritaba: "¡Apáguenlo! ¡Apáguenlo!"

Para el cristiano podría resumirse lo que dijo Franklin Delano Roosevelt: "¡No tenemos nada que temer!"

Mientras orábamos, había empezado a cantar un grupo rock y él reaccionó inmediatamente a la música con mucho miedo y aprehensión. Eso nos confirmó que la música rock le había afectado negativamente produciendo una fortaleza de miedo. Él siguió renunciando a eso y sus noches mejoraron lentamente hasta el punto en que sólo sentía miedo mientras dormía, cada dos o tres meses.

La última fortaleza que Jared tuvo que vencer fue el miedo mismo. Me acordé de lo que afirmó Franklin Delano Roosevelt, "¡Lo único que tenemos que temer es al miedo mismo!" A menudo eliminamos todos nuestros miedos excepto el miedo del miedo. Jared había tratado su miedo de Freddy Krueger, Batman y G.I. Joes. Había renunciado al miedo de que sus padres lo abandonaran y había renunciado a su aterrador sueño recurrente. Ahora no tenía nada que temer sino al miedo mismo.

Para el cristiano podría resumirse lo que dijo Franklin Delano Roosevelt a "¡No tenemos nada que temer!" Tenemos una posición en el cielo al lado de Jesús y debido a que se nos ha dado autoridad sobre Satanás y todos sus demonios, ¡nada tenemos que temer!

La Navidad pasada cada persona de nuestra familia recibió "sudaderas" de color gris, haciendo juego entre sí. Bordadas adelante y atrás están las palabras. "NO TEMAS". Bajo estas palabras triunfantes hay una parte de un versículo del Salmo 23: "No temeré mal alguno, porque tú estarás conmigo" (versículo 4). Todos tuvimos que aprender que el miedo no tiene que ser parte de la vida cristiana.

El miedo de Jared fue probado una vez más en el verano de 1994 en un campamento cristiano en el páramo cuando realmente se aventuraron a acampar en carpas puestas en el bosque. Pete y yo teníamos la impresión de que los líderes estarían en las carpas con los niños por la noche, pero las leyes del estado lo prohibían.

Estar solo de noche en una carpa con otros tres niños, durante una fuerte tormenta eléctrica, como también ser agarrado en unos rápidos del río inesperadamente fuertes, hizo que Jared de nuevo tuviera que enfrentarse al miedo. Pero esta vez él supo cómo vencerlo. Él conocía la verdad y la verdad otra vez lo hizo libre. Darse cuenta de que los cristianos no tienen que vivir con miedo si confían en Cristo y de la autoridad que tienen en Él le ha dado gran libertad a Jared.

Después de casi dos años de luchar contra sus enemigos con las verdades de la Escritura, orando diariamente para que Dios escudriñase su corazón y revelara todas las fortalezas de Satanás, Jared está libre. ¿Volverá a levantarse en su vida la fea cabeza del miedo? Probablemente sí pero ahora él sabe qué hacer cuando pase. Él sabe que la libertad es suya por derecho y que todo lo que tiene que hacer es apropiársela (ver Gálatas 5:1).

Pete y yo nos regocijamos de que Jared no duerma tan profundo como acostumbraba. Desde que empezó a someterse verbalmente a Dios y resistir al diablo cada noche antes de acostarse, no ha tenido problemas. Santiago 4:7 nos dice: "Someteos, pues, a Dios; resistid al diablo, y huirá de vosotros". Es una promesa que si *primero* nos sometemos, *entonces* resistimos, y el diablo *huirá*.

Guerrero

Luego que Jared quedó totalmente libre, Pete fue a la Conferencia Moody para Pastores en la primavera de 1995. Trajo a casa un cartel grande para cada niño, a fin de que cada uno lo pusiera en su habitación. El cartel de Jared muestra osadamente una espada de plata, bella, grande y brillante, recamada con oro y refulgente contra un fondo gris oscuro. En primer plano hay un yelmo de plata que irradia fuerza e invencibilidad. Se ve lo bastante grande como para tapar toda la cabeza de la persona, incluyendo la cara por debajo de la barbilla. Está colgando ahí, frente a la espada, en toda su realeza y autoridad. Impresa en grandes letras que cruzan todo el cartel está la palabra "GUERRERO" y, abajo, hay palabras que proclaman: "No tenemos lucha contra sangre y carne, sino contra principados, contra potestades, contra los gobernadores de las tinieblas de este siglo, contra huestes espirituales de maldad en las regiones celestes" (Efesios 6:12).

Ese cartel tiene ahora un lugar importante en la puerta del clóset de Jared. Es un testimonio de lo que él pasó. Él es un *guerrero*, sin duda. Él luchó una larga batalla en el frente y salió victorioso en Cristo.

Todos salimos victoriosos de la batalla de tres años que peleó la familia. No hubo bajas de guerra, solamente vencedores. Nos deleitamos en nuestra victoria a diario porque Jesús ha ganado nuestras batallas y ¡Él ha ganado la guerra!

> *No temáis ni os amedrentéis delante de esta multitud tan grande, porque no es vuestra la guerra, sino de Dios.*

2 Crónicas 20:15

No ganamos ninguna batalla en nosotros mismos. Únicamente por medio de Jesucristo fuimos victoriosos. Únicamente por medio de Jesucristo fuimos libertados.

15

La Iglesia bajo ataque

Caos y confusión

En medio de nuestra batalla por la libertad de Jared (1993) nos fuimos a otra ciudad y a otra iglesia. Con el incremento de nuestros contactos con alumnos de secundaria y universidad que necesitaban desesperadamente hallar la libertad en Cristo, nos llevó a empezar un ministerio dedicado a ayudarlos. Pete aceptó un cargo de pastor de jóvenes en una iglesia sólo a hora y media de distancia.

En medio de muchas lágrimas dejamos a nuestros queridos amigos de la iglesia de Madison donde servimos durante nueve años. El Señor confirmó nuestro cambio casi diariamente orquestando el cambio con uniformidad. Los planes para encontrar una casa en nuestra nueva comunidad y preparar la que teníamos para venderla, salían bien.

Nos sentimos como en casa en esta iglesia de unas 800 personas. Nos recordaba, a los dos, las iglesias a que íbamos cuando éramos niños. Esta iglesia tenía un historial de firme enseñanza y prédica de la Biblia; una buena parte de su presupuesto era distribuido a misioneros, muchos de los cuales habían crecido en esa iglesia.

Sentimos mucha paz y expectativa de que Dios nos guiara a una iglesia donde podíamos ministrar cómoda y efectivamente. Sin embargo, en cambio, descubrimos una iglesia bajo ataque.

La iglesia estaba repleta de programas maravillosos y los miembros abundaban en talento, pero muchos eran muy orgullosos.

El orden había sido reemplazado con confusión y chisme. Muchas personas estaban enojadas y rencorosas con los líderes. La iglesia había sido profundamente herida por los pecados sexuales de un pastor anterior. Como resultado de ello, los líderes de la iglesia no confiaban unos en otros ni tampoco una gran parte de la congregación en los líderes. La falta de respeto por los líderes se filtró hasta los adultos jóvenes y a los adolescentes.

El ejército de Satanás estaba de fiesta ahí. Un miembro del personal estaba con permiso médico debido a una crisis nerviosa reciente. Las decisiones eran confirmadas por medio de prácticas antibíblicas. Los asuntos menores eran agrandados a catástrofes mientras que se minimizaban los mayores.

En general, encontramos una iglesia que, en muchas formas, había perdido su primer amor (ver Apocalipsis 2:4) y que no dejaba que Jesús fuera su cabeza. Así que, en lugar de dedicarse a un gozoso ministerio a los jóvenes, Pete halló una iglesia esclavizada: un cuerpo de creyentes con fortalezas personales y colectivas.

Pete explicó que las fuerzas demoníacas no significa posesión demoníaca. Ellas son pecados o hechos que permiten que Satanás ejerza un efecto prolongado en la vida de una persona o de una iglesia.

Muchos de los ancianos de la iglesia no demostraban reconocer que estos problemas no eran cuestión de "sangre y carne, sino contra principados, contra potestades, contra los gobernadores de las tinieblas de este siglo, contra huestes espirituales de maldad en las regiones celestes" (Efesios 6:12). Por un tiempo Pete se halló con las miradas fijas vacías y la oposición de la junta de ancianos compuesta por 25 miembros, cuando él atribuía abiertamente los problemas de la iglesia a conflictos espirituales y personales sin resolver, que producían fortalezas demoníacas que debían derribarse con armas espirituales.

Un anciano le preguntó a Pete si él estaba acusando a la gente de estar poseída por demonios. Pete explicó que las fortalezas demoníacas no significan posesión demoníaca sino que son pecados o hechos que permiten que Satanás ejerza un efecto prolongado en la vida de una persona o de una iglesia. Explicó cómo una persona que vive su vida sin perdonar, tiene una fortaleza de rencor que la debilita y la mantiene esclavizada.

Al comienzo sólo hubo un líder laico de la junta que estuvo de acuerdo con Pete creyendo que 2 Corintios 10:3-5 podía aplicarse a la iglesia en su situación presente:

> *Pues aunque andamos en la carne, no militamos según la carne; porque las armas de nuestra milicia no son carnales, sino poderosas en Dios para la destrucción de fortalezas, derribando argumentos, y toda altivez que se levanta contra el conocimiento de Dios, y llevando cautivo todo pensamiento a la obediencia a Cristo.*

En el cuarto mes de nuestro ministerio ahí, en medio de la atareada temporada navideña, la junta empezó a tratar fervorosamente al miembro del personal que llevaba casi seis meses de ausencia con permiso médico como asimismo a alivianar la desconfianza entre los líderes.

El conflicto y la confusión campeaban en cada reunión de la junta, el chisme y el enojo florecían al tratar los miembros y la junta directiva de la iglesia de esclarecer la verdad. El miembro del personal renunció en medio del rencor y el conflicto.

Poco después renunciaron los miembros de la junta directiva, quedando líderes voluntarios y, a los pocos meses, cientos de personas se fueron de la iglesia a la que, muchos, habían ido por más de quince años.

Cuando la junta tuvo que vérselas con una amenaza de suicidio en la iglesia, creyeron finalmente que la batalla de la iglesia no era contra sangre y carne sino contra principados y potestades de las tinieblas. Se convencieron de la existencia de fortalezas demoníacas en esta iglesia que Dios había usado tan poderosamente en el pasado.

Finalmente, con un deseo sincero de entender cómo podía Satanás afectar la iglesia, cada uno de los ancianos aceptó un ejemplar del libro de 54 páginas de Neil Anderson, titulado *"Cómo ganar la Guerra Espiritual"* (Editorial Unilit). También se unieron, por primera vez en muchos años, para ayunar y orar por un tiempo. Se turnaron durante toda una semana para ayunar y orar, uniéndose con otros miembros que también estuvieron de acuerdo en ayunar y orar por la iglesia.

Dios honró la sinceridad del ayuno que acompañó a esas oraciones. Él fue fiel para eliminar las costumbres no bíblicas y para impedir el suicidio. Pero se necesitaba mucho más limpieza.

La importancia del arrepentimiento personal y del cuerpo fue destacada y se animó a la gente a que leyera *Victoria sobre la oscuridad* y *Libertando a su iglesia*, (Editorial Unilit). Se subrayó que era muy necesario que primero fueran liberados en Cristo los líderes de la iglesia antes que la iglesia pudiera ser libertada; se recomendó que fueran a un seminario del ministerio Libertad en Cristo sobre resolución de conflictos personales y espirituales, como asimismo que dieran personalmente los *Pasos hacia la libertad en Cristo*.

Diez meses después de haber renunciado el miembro del personal, el pastor titular y unos cuantos miembros de la junta directiva fueron a un seminario sobre *Resolución de conflictos personales y espirituales*, dado por Neil Anderson en Rockford, Illinois. El pastor titular y un miembro de la junta se quedaron a todo el seminario. Algunas de las esposas y una pareja de otros miembros asistieron a unas cuantas sesiones. Dos de los que fueron se impresionaron con lo que significaba ser libres en Cristo pero el resto no se interesó realmente.

La iglesia compró la serie de videos sobre *Resolución de conflictos personales y espirituales*. Un mes después, casi la mitad de la junta directiva asistió a un retiro de un fin de semana para ver la serie de videos e ir a través de los *Pasos hacia la libertad*. Los que no pudieron ir al retiro, la vieron por su cuenta. Pronto la junta tomó el acuerdo de que la iglesia tenía que pasar por el proceso de *"Libertando a su Iglesia"*.

Sin embargo, el final del año conllevaba el término de los períodos de algunos ancianos de la junta que no pudieron participar en este empeño para obtener la libertad colectiva de la iglesia. Otros ancianos, que se entregaron completamente al esfuerzo de resolver los problemas, renunciaron y se fueron de la iglesia. Sentían que ya no podían seguir manejando el estrés y la frustración de servir en la junta. Como consecuencia, el Año Nuevo empezó con una nueva junta de ancianos laicos que estaban dispuestos a dedicarse a resolver los conflictos de la iglesia.

A mediados de febrero de 1995, Dios les mostró la necesidad de pasar por un proceso bíblico para liberar a la iglesia de sus fortalezas y dejar que Dios la libertara. Se organizó un retiro para ir a través de los *Pasos para libertar a su iglesia,* (Editorial Unilit), que se haría el último fin de semana de marzo.

16

El proceso de fortalecimiento

Preparación anticipada

El retiro de marzo fue precedido por mucha planificación y preparación. Los miembros de la junta empezaron por llevar todo el proceso en oración. Se dieron cuenta de la urgencia de la situación de la iglesia, y supieron que sus corazones tenían que estar sintonizados con Dios antes que Él pudiera hacer una obra completa. Leyeron *Libertando a su iglesia* de Neil Anderson y Charles Mylander, para entender la herramienta que iban a usar para permitir que Dios obrara. También comenzaron a comprender la naturaleza de la guerra de la iglesia y su defensa bíblica. Al seguir examinando las verdades de la Palabra de Dios, el orden y la unidad crecieron entre ellos.

La junta tuvo, entonces, que elegir un facilitador que los dirigiera para ir a través de los *Pasos para libertar a su iglesia*. Nadie discutió la recomendación para que fuera el doctor Gerald W. Gillaspie, un ex pastor de la iglesia, muy respetado y de confianza. Luego de dejar la iglesia casi 30 años atrás, había regresado a menudo para hablar o participar en conferencias misioneras. Su posición actual como pastor de misiones de la Misión Mundial Unida, lo calificaba para ministrar a los líderes de la iglesia. El doctor Gillaspie accedió gustoso a ayudar en el retiro.

Hacia fines de marzo los ancianos habían pasado por los Pasos, y se habían preparado con oración y arrepentimiento para entrar a la batalla por la iglesia. Todos se habían comprometido a estar preparados y asistir al próximo retiro.

Comienzos

El retiro empezó en la tarde del último viernes de marzo, en un pequeño centro para retiros, sólo a unas pocos kilómetros de la iglesia. Los miembros de la junta habían estado ayunando y orando todo el día, planificando seguir así hasta la tarde del sábado. El doctor Gillaspie había llegado y empezaron con un cántico sencillo, nada pretencioso, expresando así el deseo de abrir sus corazones y sus vidas a la obra del Espíritu Santo.

Los miembros de la junta desmantelaron voluntariamente las máscaras de hipocresía de la iglesia, pidiéndole a Dios que la volviera a moldear y a formarla en una iglesia que le fuera grata a Él.

Y eso es lo que hicieron: pusieron sus vidas ante Jesús volviéndose transparentes ante Él y entre unos y otros. Buscaron la liberación de fracasos pasados y ataduras actuales.

Su búsqueda fue realizada conforme a Apocalipsis 2 y 3, pidiéndole a Dios que les escribiera una "carta" por medio de la iluminación del Espíritu Santo para discernir los puntos de vista de Dios sobre nuestra iglesia. Los ancianos se preguntaron a sí mismos: *Si Dios tuviera que escribir una carta a nuestra iglesia, ¿qué elogiaría Dios y qué reprendería?*

También usaron Nehemías 9 como prototipo para restaurar la adoración y las ordenanzas de Dios. Esdras había animado a los judíos a que: "Levantaos, bendecid a Jehová vuestro Dios desde la eternidad hasta la eternidad" (versículo 5) por las cosas que Él ha hecho. Los ancianos siguieron ese ejemplo.

Igual como Esdras se había dolido y angustiado orando por los pecados colectivos de su pueblo, así mismo nuestros ancianos habían agonizado por los pecados de nuestra iglesia antes de llegar a esa noche de viernes y derramarían lágrimas de arrepentimiento al ir avanzando el retiro.

Lados fuertes—lados flacos

Al seguir nuestros líderes espirituales el ejemplo de Nehemías, empezaron a alabar a Dios y agradecerle por los lados fuertes de la iglesia. Uno por uno mencionaron los puntos fuertes de la iglesia, las maneras en que Dios los había usado como cuerpo para hacer Su obra.

Recordar los lados fuertes de la iglesia fue agradable, pero el sábado por la mañana la junta revisó las debilidades y los recuerdos dolorosos de la iglesia, preguntándose objetivamente a sí mismos cuáles eran sus faltas, fallas y pecados.

Admitieron dolorosamente el orgullo, el chisme y el rencor por encima de relaciones rotas. Reconocieron que habían dejado su primer amor amando más a la iglesia que a Jesucristo, la cabeza de la Iglesia. Confesaron que el estudio de la Biblia, la oración y la evangelización habían quedado en segundo plano ante el desempeño y el complacer a la gente. Fue difícil confesar esas debilidades y escribirlas pero ellos deseaban la verdad. Desmantelaron voluntariamente las máscaras de la hipocresía de la iglesia, pidiéndole a Dios que la volviera a moldear y a formarla en una iglesia que le fuera grata a Él.

Recuerdos

La humildad y la confesión fueron seguidas por asuntos más regocijantes al ir recordando los líderes los buenos recuerdos que tenían de la iglesia.

Pero con los buenos recuerdos también vinieron los recuerdos de aquellas experiencias dolorosas del pasado de la iglesia. Al pasar de los buenos recuerdos a los recuerdos dolorosos, oraron:

> Amado Padre celestial, te agradecemos las riquezas de Tu bondad, indulgencia y paciencia, sabiendo que Tu bondad nos ha conducido al arrepentimiento. Reconocemos que no hemos dado esa misma paciencia y bondad a quienes nos han ofendido. No hemos actuado bondadosa y sabiamente en

todos nuestros tratos pasados. A veces, el dolor ha sobrevenido a los demás aun cuando usamos nuestro mejor
juicio para seguirte a Ti. Las acciones y las actitudes de los
demás también nos han herido profundamente. Muéstranos
dónde permitimos que surgiera una raíz de rencor, causando problemas y deshonrando a muchos. Al esperar silen-
ciosos ante Ti, trae a nuestra mente todos los recuerdos
dolorosos del pasado de nuestra iglesia. Oramos en el
compasivo nombre de Jesús. Amén.

Experimentar el núcleo emocional que acompañó a este Paso de
perdón fue doloroso. Cada persona a quien tenían que perdonar era
nombrada y se inscribía cada ofensa en una lista en una gran hoja
de papel, puesta al frente de la sala. Cada recuerdo fue elevado ante
el Señor, que les dio el valor de enfrentar el dolor con honestidad y
gracia para perdonar plenamente. Luego, se destruyó la lista de
ofensas.

Pecados colectivos

En Apocalipsis 2 y 3 Jesús recuerda los pecados colectivos a las
iglesias y les insta a arrepentirse. Hacer lo mismo con nuestra
propia iglesia fue un proceso que destrozó el corazón tanto de los
ancianos como del personal. Se acordó en una lista de quince
pecados colectivos:

1. Un espíritu destructor, crítico y enjuiciador (ver Mateo 7:1-5).

2. Falta de sumisión al Señorío de Cristo y a la guía del Espíritu
   Santo (ver Lucas 6:46-49; 1 Tesalonicenses 5:19).

3. Permitir que continuaran los pecados y la falla para seguir las
   guías bíblicas para resolver conflictos (ver Mateo 18:15-18).

4. Meterse en chismes y rumores (ver Santiago 3:1-12).

5. Comunicación poco saludable (ver Efesios 4:29).

6. Fallar en llevar la evangelización como estilo de vida (ver
   Mateo 28:19,20).

7. Apatía y tibieza (ver Apocalipsis 3:15,16).

8. Orgullo y arrogancia (ver 1 Pedro 5:5,6).

9. Falta de voluntad para perdonar (ver 2 Corintios 2:10,11).

10. Descuidar la satisfacción de las necesidades de unos y otros con amor (ver 1 Juan 3:16-18).

11. Actitud impenitente (ver 1 Juan 1:8-10).

12. Pérdida de nuestro primer amor (ver Apocalipsis 2:4,5).

13. Falta de oración (ver 1 Tesalonicenses 5:17,18).

14. Falta de disciplinas espirituales (ver Hebreos 5:11-14).

15. Permitir la inmoralidad sexual en todas sus formas (ver 1 Corintios 6:18-20).

Los ancianos y el personal oraron:

Padre celestial, confesamos (nombraron un pecado colectivo por vez) como pecado y desagradable para nuestro Señor Jesucristo. Te pedimos nos perdones por eso. Nos arrepentimos de ello, lo abandonamos y renunciamos. Oramos en el nombre de Jesús. Amén.

Luego, pidieron individualmente que el Espíritu Santo les revelara su propia participación en los pecados colectivos de la iglesia, confesándolos en voz alta. La sanidad y resolución de conflictos personales que ocurrió fue un despliegue poderoso del amor de Dios que reconcilia.

Las asechanzas de Satanás

Jesús reveló en el Apocalipsis a cada una de las siete iglesias cómo habían permitido que Satanás las atacara y derrotara. Igualmente los líderes de nuestra iglesia reconocieron que Satanás se había infiltrado en las operaciones del cuerpo de nuestra iglesia.

Como lo expresó el doctor Gillaspie: "Esto es una revelación para muchos de nosotros porque pensamos que Satanás está obrando solamente en África o en Irian Jaya pero él obra aquí y trata de infiltrarse en la Iglesia para destruirla y devastarla. A menudo Satanás nos ataca en nuestros puntos fuertes y hace que nos enorgullezcamos. Eso derrota nuestro ministerio y derrota nuestro servicio".

Plan para la oración en acción

Al terminar el día, los miembros de la junta desarrollaron un plan de acción en oración. Condensaron la lista de los quince pecados colectivos a nueve y, por cada uno de ellos, dijeron *renunciamos* (arrepentimiento), *anunciamos* (recuerdo), *afirmamos* (sostenerse a) y *queremos* (obediencia). Por ejemplo:

- Renunciamos a nuestro espíritu crítico, impenitente y enjuiciador.

- Anunciamos que en Cristo nos amamos y aceptamos unos a otros.

- Afirmamos que como nacemos del Dios de amor, podemos amar y aceptarnos unos a otros (ver 1 Juan 4:7,8).

- Queremos aceptarnos y amarnos unos a otros como Cristo nos ha aceptado y amado (ver Romanos 15:7).

Rompiendo el ayuno

La junta terminó los Pasos a las 6 de la tarde del sábado, sintiéndose exhaustos pero dichosos. Estaban físicamente hambrientos pero espiritualmente llenos. Sus esposas estaban en la iglesia esperando para concluir el retiro con un "desayuno" vespertino (una comida para romper el ayuno de ellos).

Al día siguiente (domingo), se había planeado un servicio de adoración combinado en lugar de los dos servicios acostumbrados, de modo que los ancianos y el personal pudieran compartir juntos sobre su fin de semana. No habría sermón sino solamente música y testimonios personales.

17

Publicando

Limpiando la casa

Temprano en la mañana siguiente los ancianos y el personal llegaron a la iglesia para orar juntos por el servicio conjunto y consagrar a Dios el edificio y la propiedad.

Se habían cometido pecados ahí por lo que los ancianos y el personal asumieron su autoridad en Jesucristo sobre todos los principados o las potestades de las tinieblas que hubieran podido habitar el edificio. Luego dedicaron a Dios cada sala para Su servicio únicamente. Se necesitó mucha gracia y sabiduría para que estos hombres admitieran que la iglesia les había dado a Satanás y a sus obreros un espacio en su edificio. Ellos limpiaron espiritualmente la casa de Dios.

Cuando terminó la escuela dominical, empezó el servicio de adoración conjunto. Empezó como siempre, con un preludio musical y el canto de la congregación. Pero el servicio fue diferente ese día porque los corazones de la mayor parte de nuestros líderes estaban limpios y arrepentidos, y porque ellos se habían arrepentido de los pecados colectivos de la iglesia. Al ir el equipo de adoración dirigiendo el servicio con cánticos, la congregación se le unió con "La batalla es del Señor".

Más tarde me acordé del poderoso versículo de las Escrituras asociado con ese cántico, aquel que nos dice: "No temáis ni os amedrentéis delante de esta multitud tan grande, porque no es vuestra la guerra, sino de Dios" (2 Crónicas 20:15).

Castillo fuerte

Mi amor por Dios estaba inundado de emoción por lo que Él había hecho ese fin de semana. Entonces la letra de "Castillo fuerte es nuestro Dios" apareció en las pantallas mientras el equipo de adoración seguía dirigiendo a la congregación.

> *Castillo fuerte es nuestro Dios,*
> *Defensa...*

Mi boca seguía formando las palabras pero mis emociones ahogaban los sonidos que podían seguir. Yo quería cantar osadamente esas palabras de fuerza y verdad. Mientras estuve de pie en la iglesia en aquella temprana mañana dominical de la primavera de 1995, me olvidé de los cientos de otras personas que estaban de pie conmigo elevando sus voces a nuestro Creador y Salvador.

Yo estaba notablemente inmune al intento de cualquiera para analizar mi pena, o era mi gozo o quizá mi pasada relación con las verdades del gran himno de Martín Lutero. Probablemente parecía como que hubiera seguido cantando al pronunciar las palabras...

> *Y buen escudo;*
> *con su poder nos librará*
> *en este trance agudo.*
> *Con furia y con afán*
> *Acósanos Satán;*
> *Por armas deja ver*
> *Astucia y gran poder;*
> *Cual él no hay en la tierra.*

El himno nos recordó a Pete y a mí los recuerdos dolorosos aunque triunfantes de nuestro pasado, sintiendo ambos el sobrecogedor poder y la habilidad continuas de Dios para ser un "Castillo fuerte".

Adoración espiritual

Nuestras almas adoraron al Señor al cantar el solista: "Con todo mi corazón". Pete y yo cantábamos por dentro a nuestro Salvador y

Dios la letra que la compositora Babbie Mason canta tan verazmente desde su propio corazón. La letra expresaba nuestros propios deseos de vivir diariamente conociendo, sirviendo, confiando y obedeciendo a Dios con todo nuestro corazón.

Pete y yo seguimos adorando a Dios desde las profundidades de nuestro ser espiritual, alabándole por las victorias de nuestra familia en los últimos tres años y por obrar tan poderosamente en nuestra iglesia en ese fin de semana.

Los nueve ancianos, tres miembros del personal y el doctor Gillaspie se acercaron a la plataforma al terminar el himno final. La manera en que dejaron sus lugares en las bancas y se dirigieron al frente del santuario traducía paz. La manera en que subieron a la plataforma manifestaba humildad. Y las expresiones de sus rostros al cantar "Redimido por Su misericordia infinita, Su hijo por siempre soy", emitían la libertad en Cristo.

Viaje espiritual

Los Ancianos tomaron sus lugares en las trece sillas puestas en semicírculo en la plataforma, formación que expresaba unidad e invitaron a la congregación a completar el círculo. Muy por encima del piso alto del coro, que estaba directamente sobre ellos, había una gran cruz de madera, iluminada por luces fluorescentes, declarando en su simplicidad la razón de la iglesia y la razón de que estos hombres estuvieran sentados en la plataforma. Un micrófono solitario estaba en el centro de la plataforma.

El doctor Gillaspie, el ex pastor que ahora era el facilitador, se acercó suavemente al micrófono con su Biblia en la mano para explicar el viaje espiritual del cual acababan de regresar los trece. Al resumir los siete *Pasos para libertar a su iglesia*, él transmitió lo doloroso del proceso y la hondura del compromiso que estos hombres experimentaron. Explicó los pecados colectivos de nuestra iglesia y la manera en que esos hombres, no tan sólo se arrepintieron de ellos ante Dios sino que también se arrepintieron personalmente de su propia participación en esos pecados.

El doctor Gillaspie contó cómo los líderes habían organizado un plan de acción en oración por la gracia de Dios. Dijo cómo habían renunciado a o arrepentido de sus fallas y, luego, pedido perdón a

Dios. Resumió el fin de semana como "un tiempo de santidad ante Dios, un día de liberación gloriosa". Caracterizó a los líderes de la iglesia como hombres ahora diferentes, hombres que habían hecho un pacto unos con otros y un pacto con Dios, el cual obedecerían.

Desnudando el alma

Uno por uno los ancianos derramaron sus corazones ante la congregación.

Cuando los ancianos terminaron sus testimonios, quedaban muy pocos ojos secos. La gente fue profundamente conmovida por el Espíritu Santo e, incuestionablemente cambiada por el arrepentimiento humilde de la mayoría de sus líderes espirituales.

La libertad completa no siempre llega instantáneamente. Dios suele ir sacando una capa a la vez y, mientras esperamos, crece nuestra fe al ir confiándonos al Espíritu Santo para que escudriñe corazones y traiga convicción a nuestras almas.

Aunque la gente fue conmovida por lo que experimentaron muchos de los ancianos, el fuego del avivamiento no se encendió entre ellos. No dejaron que la chispa iniciada por los ancianos se volviera un incendio que se diseminara por toda la iglesia. Yo me sentí desilusionada pero tuve que recordar que esto era nuevo para muchos. Algunos estaban abrumados y, posiblemente, confundidos por la profundidad de la confesión que habían experimentado los líderes. Y yo me recordé que la jornada a la libertad de nuestra familia empezó poco más de tres años antes. Las capas de esclavitud seguían siendo sacadas por Dios. Sabía que tenía que tener paciencia y bondad al empezar la congregación a digerir este trocito de libertad.

Nos regocijamos en aquellos líderes que experimentaron la libertad completa en Cristo en aquel fin de semana y confiamos en que Dios continuara la obra. Dios está obrando en la iglesia y nosotros estamos rogando que Él lleve a cada persona a la libertad, una por una. Nos entusiasma observar cómo Dios obra lentamente en la vida de la gente. Dios sacó una tremenda capa de pecado y esclavitud de la iglesia en ese fin de semana y completará la obra: en Su tiempo.

Nosotros aprendimos en nuestra propia familia que la libertad completa no siempre llega instantáneamente. Dios suele ir sacando una capa a la vez y, mientras esperamos, crece nuestra fe al ir confiándonos al Espíritu Santo para que escudriñe corazones y traiga convicción a nuestras almas. Dios honrará la oración fervorosa y consistente del justo (ver Santiago 5:16).

No dejaremos de orar por la Iglesia de Dios porque la cabeza de la iglesia es Jesucristo. La iglesia es el cuerpo de Jesús y Él es el Salvador de ese cuerpo (ver Efesios 5:23; Colosenses 1:24).

Muchos ancianos están dedicados al rebaño que Dios les ha dado y están esperando fielmente que Dios haga una obra completa dentro de la iglesia. "Por tanto, mirad por vosotros, y por todo el rebaño en que el Espíritu Santo os ha puesto por obispos, para apacentar la iglesia del Señor, la cual él ganó por su propia sangre" (Hechos 20:28).

EPÍLOGO

La verdad os hará libres

Y conoceréis la verdad, y la verdad os hará libres.

Juan 8:32

Después de tres años de guerra espiritual en nuestra familia y de tres años de servir en una iglesia bajo ataque, podemos decir que Dios nos ha bendecido en realidad con la libertad. "Así que, si el Hijo os libertare, seréis verdaderamente libres" (Juan 8:36). Hemos visto la gloria de Dios y conocido que Él también ha sido glorificado.

La guerra nunca es bella ni es algo que deseemos, pero cuando nuestra libertad está en juego, voluntariamente vamos a la batalla.

Ocasionalmente aún me pregunto: *¿Por qué pasó todo esto? ¿Por qué fue nuestra familia atacada tan ferozmente? ¿Por qué fuimos llevados después a una iglesia que necesitaba libertad tan desesperadamente?* No tengo respuestas para estas preguntas salvo que Dios fue glorificado increíblemente en medio de todo. La batalla le pertenece a Él y nosotros somos llamados solamente a ser fieles.

La guerra nunca es bella ni es algo que deseemos pero cuando nuestra libertad está en juego, voluntariamente vamos a la batalla. Confiamos que nuestro General nos arme suficientemente y que Su estrategia venza al enemigo. Creemos que nuestro ejército es más fuerte que el del enemigo porque nuestro General ya ha derrotado eternamente al líder del bando opuesto. Entramos a la guerra como niños y niñas y salimos de ella como hombres y mujeres, fuertes y enfocados. Aunque heridos en la batalla nunca somos derrotados. Y no experimentaremos realmente la libertad hasta que vivamos la guerra.

No hasta qué...

No comprendimos verdaderamente la gloria de la luz de Dios
...hasta que vimos la profundidad de las tinieblas del mal.
No valoramos plenamente la vida que tenemos en Cristo hasta
...que caminamos por el valle de la sombra de muerte.
No entendimos la gloria de la presencia de Dios hasta que
...fuimos visitados por los habitantes del infierno.
No sentimos realmente los preciosos brazos amantes de Jesús hasta que
...abofeteamos a los principados y potestades de las tinieblas.
No sondeamos la integridad hallada en Jesucristo hasta que
...fuimos duramente presionados por todos lados.
No nos dimos cuenta del sorprendente gozo de llevar una vida santa hasta que
...nos arrepentimos totalmente de nuestros pecados.
No anhelamos la promesa del cielo hasta que
...saboreamos un poco del infierno.
No apreciamos la asombrosa paz de Dios hasta que
...sentimos un miedo increíble.
No nos gloriamos verdaderamente en la victoria de Cristo sobre la muerte hasta que
...vimos el propósito de muerte de Satanás.
No nos dimos cuenta de cuánto más increíblemente poderoso es nuestro Dios hasta que
...vimos el poder de Satanás.

No experimentamos la vida abundante hallada en Cristo hasta que
...supimos que Satanás no tiene poder sobre el creyente.
No experimentamos realmente la libertad hasta que
...experimentamos la guerra.

Nos regocijamos en que mayor es Él que está en nosotros que el que está en el mundo (ver 1 Juan 4:4). Nos regocijamos en que por medio de Cristo "estamos atribulados en todo, mas no angustiados; en apuros, mas no desesperados; perseguidos, mas no desamparados; derribados, pero no destruidos" (2 Corintios 4:8,9). Nos regocijamos en que el tiempo es corto para Satanás y sus demonios que un día, serán arrojados al lago de azufre hirviente donde serán atormentados día y noche por siempre (ver Apocalipsis 20:10). Nos regocijamos en que, un día, Jesús vendrá de nuevo y viviremos por siempre en el lugar que Él nos ha preparado —un lugar sin mal, sin pecado, sin miedo y sin tinieblas— un lugar donde nos regocijaremos por siempre con Jesús, nuestro Salvador y nuestra Luz. Y nos regocijamos en que este mensaje de verdad esté siendo proclamado, aun por medio de la historia de nuestra familia, todo para Su honra y gloria.

Pero el Señor estuvo a mi lado, y me dio fuerzas, para que por mí fuese cumplida la predicación, y que todos los gentiles oyesen. Así fui librado de la boca del león. Y el Señor me librará de toda obra mala, y me preservará para su reino celestial. A él sea gloria por los siglos de los siglos. Amén.

2 Timoteo 4:17,18

PARTE II

Guiando a sus hijos hacia la libertad en Cristo

18

Superando el engaño y el miedo

Pete y Sue Vander Hook tienen que ser elogiados por compartir su historia. Sé de primera mano cuál es el riesgo de "salir del clóset cristiano evangélico" con la verdad sobre la realidad del mundo espiritual en que vivimos. Andar en la luz (ver 1 Juan 1:7) y "siguiendo la verdad en amor" (Efesios 4:15) conlleva un elemento de peligro si nuestros amigos, familia y comunidad no entienden o prefieren vivir negando. Pero ese es precisamente el problema. Escuchen la sobria advertencia del profeta Oseas del Antiguo Testamento:

> *Mi pueblo fue destruido, porque le faltó conocimiento. Por cuanto desechaste el conocimiento, yo te echaré del sacerdocio; y porque olvidaste la ley de tu Dios, **también yo me olvidaré de tus hijos.***

Oseas 4:6, énfasis del autor.

La ignorancia no es una bendición: es una derrota. Pablo pudo decir: "pues no ignoramos sus maquinaciones" (2 Corintios 2:11). ¿Podemos hacernos eco de las palabras de Pablo en nuestro mundo occidental presente? Esta no es época de vivir negando, e ignorar la verdad no es excusa. Debemos conocer la verdad que nos hará libres en Cristo. Debemos esforzarnos por una respuesta equilibrada para nosotros mismos y nuestros hijos. Así que, ¿por dónde empezamos?

Queridos madre y padre, tío y tía, hermano y hermana, pastor y ministerio de los niños, profesor de escuela dominical y director de patios de recreo, vecino y amigo, empezamos con nosotros mismos.

Esto es lo que Pete y Sue descubrieron cuando buscaban desesperadamente materiales basados en la Biblia y una respuesta centrada en Cristo para sus hijos. Los padres suelen traer a sus hijos a nuestras conferencias esperando que nosotros los "enderecemos". Sin excepción, primero arreglamos una cita con los padres.

No estamos culpando al padre o a la madre ni tampoco sugerimos que ellos sean la causa primordial del problema de sus hijos pero decimos que un factor principal de la recuperación y crecimiento de cada niño es un hogar centrado en Cristo donde los padres son libres en Cristo. Nosotros podríamos ayudar a algunos niños, aparte de sus padres, pero ¿cuánto se lograría a largo plazo si tenemos que volver a colocarlos en hogares disfuncionales?

Los cristianos pueden ser atacados no porque estén haciendo algo malo sino porque están haciendo algo bueno.

En el Apéndice A están los *Pasos hacia la libertad en Cristo* para adultos. En Ministerios de Libertad en Cristo calculamos que ochenta y cinco por ciento de la gente de la comunidad cristiana puede ir a través de este proceso por cuenta propia. La posibilidad de que eso suceda y la seguridad de seguir libres se verá aumentada si primero leen *Victoria sobre la oscuridad* y *Rompiendo las cadenas*. El otro quince por ciento precisa de la ayuda de un facilitador/exhortador con preparación bíblica.

La lógica teológica y el proceso práctico de consejería de otras personas está dado en mi libro *Ayudando a otros a encontrar libertad en Cristo* y su edición para los jóvenes (título por salir). Por favor, vea el Apéndice B donde hay una lista completa de los recursos para usted mismo y su iglesia. Comprenda que los *Pasos hacia la libertad en Cristo* no libertan a nadie. Déjeme repetir:

Quien nos libera es Cristo y *lo que* nos liberta es nuestra respuesta a Él en arrepentimiento y fe. No hay sustituto para la Palabra de Dios. Es la verdad de la Palabra de Dios lo que nos hace libres.

Una vez que usted haya asegurado su propia libertad en Cristo le recomiendo firmemente que lea *La seducción de nuestros hijos*. El libro está dedicado a ser padres, a entender a nuestros hijos y el mundo al cual están expuestos. Algunas de las instrucciones que siguen para ayudar a que sus hijos encuentren su libertad en Cristo, han sido adaptadas de la Parte 3 de *La seducción de nuestros hijos*. Otro libro útil para una familia que esté experimentando ataques espirituales es *Reclaiming Surrendered Ground* de mi querido amigo Jim Logan. Antes que volquemos nuestra atención a eso, permítanme, sin embargo, que aclare dos puntos importantes de la historia de Pete y Sue.

Lo primero se refiere a su casa. ¿No podría haber estado 'embrujada'? Esa es una pregunta difícil de contestar después de los hechos. Establecer la causa no siempre es fácil. Por ejemplo, Pete y Sue tenían cosas personales que resolver, como todos las tenemos, y su firme postura en pro de la santidad de la vida pudiera también haber sido un factor de su batalla espiritual.

Los cristianos pueden ser atacados no porque estén haciendo algo malo sino porque están haciendo algo muy bueno. Esto se asemeja al problema del sufrimiento. Ciertamente sufriremos las consecuencias de nuestro propio pecado y conducta irresponsable pero podemos también sufrir por la justicia, como Job y otros muchos santos valientes a lo largo de la historia de la iglesia. Pablo dice: "Y también todos los que quieren vivir piadosamente en Cristo Jesús padecerán persecución" (2 Timoteo 3:12).

No debiera sorprendernos cuando experimentamos oposición al evangelio y a un mensaje de la verdad. Juan registra: "Y esta es la condenación: que la luz vino al mundo, y los hombres amaron más las tinieblas que la luz, porque sus obras eran malas. Porque todo aquel que hace lo malo, aborrece la luz y no viene a la luz, para que sus obras no sean reprendidas" (Juan 3:19,20). Aquellos que no se arrepientan ni escojan la verdad deben huir de la luz o tratar de desacreditar la fuente de la luz. Solamente 'en Cristo' podemos vivir en la luz y seguir la verdad en amor. Lo que resulta tan insidioso del diablo es su incansable persecución de aquellos que son más vulnerables, como nuestros hijos.

La casa a que se mudaron Pete y Sue *pudiera* haber sido un factor. Quién sabe qué hicieron en esa casa los propietarios u ocupantes anteriores. Pudieron haber dedicado la casa a Satanás o haber hecho rituales satánicos en ella. Pudieron haber usado la casa como base para vender drogas o hacer sesiones espiritistas. ¿Habitan los demonios en objetos inanimados como casas o cosas de nuestros hogares? Para ser honesto, no estoy seguro pero la Escritura indica la posibilidad. Leemos en Hechos 19:18,19:

> *Y muchos de los que habían creído venían, confesando y dando cuenta de sus hechos. Asimismo muchos de los que habían practicado la magia trajeron todos los libros y los quemaron delante de todos; y hecha la cuenta de su precio, hallaron que era cincuenta mil piezas de plata.*

En Apocalipsis 2:13 Jesús dijo a la iglesia de Pérgamo: "Yo conozco tus obras, y dónde moras, donde está el trono de Satanás".

Sabemos que: "Para esto apareció el Hijo de Dios, para deshacer las obras del diablo" (1 Juan 3:8). Recapturar el terreno perdido, liberar cautivos y restaurar los años que se comieron las langostas, es parte de la obra continua de Cristo. Pete y Sue eran los dueños legales de la casa; por tanto, estaban y aún están bajo la autoridad de las leyes de la tierra que Dios estableció para nuestra protección (ver Romanos 13:1-7). Se nos requiere que seamos buenos mayordomos de todo lo que Dios nos ha confiado (ver 1 Corintios 4:1,2).

¿Por qué no caminar por su propiedad recientemente adquirida y renunciar de palabra a todo uso anterior de la propiedad que no agrade al Señor o renunciar a toda dedicación previa de esa propiedad a alguien que no es el Señor? Luego, dedique la propiedad y todo lo que en ella hay al Señor. Pida Su protección divina y resista al diablo. La Escritura dice claramente: "Someteos, pues, a Dios; resistid al diablo, y huirá de vosotros" (Santiago 4:7). No tiene nada que perder haciendo esto y, potencialmente, mucho que ganar. Yo limpiaría personalmente mi casa de todo lo que pudiera estorbar mi caminar con Dios o echar dudas sobre mi identidad en Cristo.

Por otro lado, personalmente resiento la idea de que los objetos creados por Dios deban ser prohibidos sencillamente porque son usados por el ocultismo. La cabeza de una cabra puede simbolizar el satanismo pero Dios creó las cabras y no son malas. Tampoco es mala una calabaza sólo porque los precursores del Halloween las esculpieran como linternas de "jack-o" para asustar a los malos espíritus. "Porque todo lo que Dios creó es bueno, y nada es de desecharse, si se toma con acción de gracias; porque por la palabra de Dios y por la oración es santificado" (1 Timoteo 4:4,5). Todo lo que Dios ha creado y nos ha confiado puede ser dedicado al Señor.

Cuando andemos buscando resolver conflictos personales y espirituales en nuestros hogares, debemos considerar toda realidad y toda causa posible. Los padres deben resolver sus asuntos en forma individual y como pareja. Hemos descubierto que los individuos pueden resolver sus propios asuntos personales pero seguir teniendo asuntos sin resolver que deben enfrentarse como pareja.

Consecuentemente, en el *El matrimonio Cristocéntrico* (Editorial Unilit), que escribí junto con Charles Mylander, hemos presentado un proceso eficaz para liberar matrimonios. La intención de Dios es que los dos lleguen a ser uno en Cristo y sean un modelo visible de la relación que la Iglesia tiene con Cristo. Como los padres son las autoridades establecidas por Dios en el hogar sobre sus hijos, tienen que ejercer esa autoridad en forma santa. Una manera de hacerlo es dedicándole al Señor todo lo que ha sido confiado a ellos, incluyendo sus propiedades, ministerios y familias.

Hemos descubierto el mismo fenómeno en nuestras iglesias. El personal individual y miembros de juntas directivas pueden resolver sus propios asuntos personales dejando sin solucionar asuntos colectivos. Muchos dirigentes de iglesia de todo el mundo han resuelto sus conflictos colectivos pasando por el proceso descrito en nuestro libro *Libertando a su iglesia,* como hizo la iglesia donde servían Pete y Sue Vander Hook. Las decisiones impías tomadas por líderes espirituales anteriores deben ser resueltas por aquellos que ahora están en posiciones de autoridad del mismo cuerpo colectivo.

Lo mismo rige para los matrimonios. Si ellos han tomado decisiones o hecho cosas como pareja que son malas, tienen que enfrentar la verdad y solucionar los asuntos como pareja.

Al dar una respuesta equilibrada para nuestras familias, debemos considerar también la posibilidad de los asuntos de salud. Los niños pueden llegar a "ser atados" comiendo comida mala o comiendo demasiado dulces. Un padre preguntó si yo podría hablar con su hijo de 19 años de edad. El joven parecía muy normal aunque estaba educacionalmente discapacitado por ser incapaz de leer. Le pregunté si alguna vez lo habían examinado por dislexia. Me sorprendió que su padre dijera que no, aunque había pasado por casi todos los demás exámenes médicos.

Algunos problemas son claramente físicos; otros, claramente espirituales. Los casos difíciles son aquellos que pueden ser uno u otro o ambos. Cuando hace 25 años empecé mi ministerio, la cosa de moda era la hipoglucemia. Yo fui atrapado en esto. Le sugería a una de cada cuatro personas que aconsejaba como pastor, que se hiciera una prueba de tolerancia a la glucosa. Muchos me informaban que habían dado en el límite. Ahora, rara vez oímos que el azúcar en la sangre esté bajo. ¿Qué le pasó a la hipoglucemia? ¿Cambiaron sus hábitos alimenticios todos los estadounidenses? Luego, vino el síndrome de Epstein-Barr o de la fatiga crónica. Ahora la gente dice tener trastornos deficitarios de la atención (ADD es la sigla en inglés; TDA, en español).

Por supuesto que debemos considerar una explicación física de estos trastornos, pero en demasiados casos, ese es el único aspecto de salud que se considera. En nuestra sociedad debe agotarse toda posible explicación física. Cuando no se encuentra una conexión física la gente dice: "No hay nada que hacer ahora sino orar".

¿Por qué no buscar primero el reino de Dios (ver Mateo 6:33) especialmente si los síntomas se relacionan con la mente? Si nada se resuelve sometiéndose primero a Dios y resistiendo al diablo (ver Santiago 4:7), entonces, vaya al médico. Como somos seres a la vez espirituales y físicos, necesitamos a la vez a la iglesia y al hospital.

Los *Pasos hacia la libertad en Cristo* son una manera segura de "comprobarlo". Pero estamos haciendo mucho más que sólo comprobarlo. Estamos tratando de ayudar a la gente a que se ponga radicalmente bien con Dios de modo que el Gran Médico pueda traer sanidad e integridad al cuerpo de Cristo. No tenemos nada que perder y, potencialmente, mucho que ganar.

La madre de dos niños me oyó hablar de la batalla por la mente en una conferencia de escritores. Ella compró *Rompiendo las cadenas* y fue a través de los Pasos por su cuenta esa noche. Como resultado, se abrió toda una nueva posibilidad para sus hijos que habían sido diagnosticados con un trastorno obsesivo compulsivo (OCD, siglas en inglés; TOC o SOC en español). Los remedios solamente empeoraron sus problemas. Ella nunca había considerado preguntarles a sus hijos si tenían pensamientos o voces que les decían lo que tenían que hacer. Cuando les preguntó por fin lo que estaba pasando por dentro, ellos rápidamente admitieron que había una batalla por sus mentes. Entonces ella pudo guiarlos por los *Pasos hacia la libertad* modificados para niños, que discutiremos en el próximo capítulo. Ambos niños experimentaron inmediata resolución y libertad.

En el caso de Pete y Sue y en muchos otros casos parecidos, debemos considerar la posibilidad de estar bajo ataque por adoptar una firme postura en aras de la justicia. No debemos sorprendernos cuando experimentemos oposición espiritual por tomar una postura pública por Cristo. Pablo dijo: "Por lo cual quisimos ir a vosotros, yo Pablo ciertamente una y otra vez; pero Satanás nos estorbó" (1 Tesalonisenses 2:18). ¿Cómo hizo eso? No lo sé y no creo que sólo haya una forma en que obre Satanás que es demasiado astuto para limitarse a una sola manera de ataque pero sí sé que nosotros tenemos que:

Sed sobrios, y velad; porque vuestro adversario el diablo, como león rugiente, anda alrededor buscando a quien devorar; al cual resistid firmes en la fe, sabiendo que los mismos padecimientos se van cumpliendo en vuestros hermanos en todo el mundo.

1 Pedro 5:8,9

Pienso que, sin embargo, es seguro decir que las estrategias primordiales de Satanás son el engaño y el miedo. El león ruge para paralizar a su presa a través del miedo. Luego se la come. La mayor parte de la obra de Satanás es cumplida por gente engañada que cree su mentiras. "El padre de mentira" (Juan 8:44) ha cegado las mentes "del incrédulo" (2 Corintios 4:4) y esa gente se opone a la obra de Dios. Satanás no puede ir en contra de una iglesia unida. Por tanto, gran parte de su esfuerzo es para engañar a los obreros cristianos y a los miembros de sus familias para que se vuelvan uno en contra del otro. Mire Santiago 3:13-16:

> *¿Quién es sabio y entendido entre vosotros? Muestre por la buena conducta sus obras en sabia mansedumbre. Pero si tenéis celos amargos y contención en vuestro corazón, no os jactéis, ni mintáis contra la verdad; porque esta sabiduría no es la que desciende de lo alto, sino terrenal, animal, diabólica. Porque donde hay celos y contención, allí hay perturbación y toda obra perversa.*

El primer consejo que doy a los padres que están luchando con sus hijos, es: "No dejen que esto los separe. Eso es exactamente lo que quiere Satanás al atacar a sus hijos. Ustedes deben combatir esto con un frente unido". Una casa dividida contra sí misma no puede durar. Apuntar con el dedo y echar culpas es jugar precisamente en las manos de su adversario.

Ahora suponga que la madre y el padre han tratado suficientemente todos sus asuntos, dedicado su hogar al Señor y resistido los ataques del enemigo. Cada niño seguirá necesitando asumir su responsabilidad personal, lo que comprende el segundo punto. ¿Por qué llevó tanto tiempo resolver los terrores nocturnos de Jared, el segundo hijo de Pete y Sue?

Una razón fue los recuerdos bloqueados. Cosa que estudiaré más adelante. La otra razón era su lucha con el miedo y la ansiedad. En mi libro *Caminando en la luz* (la edición para jóvenes se llama *Know Light, No Fear*), analizo y ofrezco una respuesta bíblica a ambos, ansiedad y miedo. Permítame que resuma los puntos principales.

La ansiedad es el miedo a lo desconocido o el miedo sin una causa adecuada. La base de la ansiedad es la incertidumbre y la falta de confianza. De acuerdo a la Escritura nos preocupamos por lo que atesoramos en nuestro corazón (ver Mateo 6:19-24) y nos preocupamos por el mañana (ver versículos 25-34) porque no sabemos lo que pasará. Jesús dijo: "Así que, no os afanéis por el día de mañana" (versículo 34) porque vuestro Padre celestial los cuidará.

La vida espiritual es el valor definitivo. Será el cielo cuando nuestra alma se separe de nuestro cuerpo; será el infierno si nuestra alma está separada de Dios.

Estar ansioso es tener doble ánimo. Por eso Jesús dijo: "Ninguno puede servir a dos señores; porque o aborrecerá al uno y amará al otro, o estimará al uno y menospreciará al otro. No podéis servir a Dios y a las riquezas. Por tanto, os digo: No os afanéis por vuestra vida" (versículos 24,25). Una mente que es libre y pura está enfocada en una sola cosa.

Santiago escribió que si estamos pasando por pruebas en la vida, debemos pedir en fe sabiduría al Señor. Pero si nos vamos a dejar abrumar por dudas, seremos derrotados por las tormentas de la vida. "No piense, pues, quien tal haga, que recibirá cosa alguna del Señor. El hombre de doble ánimo es inconstante en todos sus caminos" (Santiago 1:7,8). Dios es el antídoto de la ansiedad. Por tanto, arroje "toda vuestra ansiedad sobre él, porque él tiene cuidado de vosotros" (1 Pedro 5:7). Nosotros tenemos que optar por confiar en Él y acudir a Él en oración. "Por nada estéis afanosos, sino sean conocidas vuestras peticiones delante de Dios en toda oración y ruego, con acción de gracias" (Filipenses 4:6).

Al contrario de la ansiedad el miedo tiene un objeto. Hasta se clasifican los miedos según sus objetos. Por ejemplo, la claustrofobia es el miedo a los lugares cerrados. La xenofobia es el miedo a los extranjeros o extraños. La agorafobia es el miedo generalizado al 'mercado' o lugares públicos donde la gente parece cerrarse sobre uno. El objeto de miedo debe tener dos características para ser legítimo: debe ser percibido como potente (que tiene algún poder) y debe ser inminente (presente).

Por ejemplo, yo tengo lo que creo que es un saludable miedo a las víboras de cascabel pero mientras escribo esto, no siento miedo en absoluto porque no hay ninguna en la sala. Si usted tirara una en mi sala, yo reaccionaría de inmediato por miedo, porque ahora es, a la vez, inminente y potente en mi mente. Si no la viera tampoco me asustaría aunque debiera.

El objeto de miedo puede eliminarse quitándole sólo una de sus características. Por ejemplo, la muerte ya no es más un objeto legítimo de miedo para nosotros porque Dios le quitó una de las características. Aunque la muerte aún es inminente, ya no es más potente porque: "Sorbida es la muerte en victoria" (1 Corintios 15:54). Por tanto, Pablo pudo escribir: "Porque para mí el vivir es Cristo, y el morir es ganancia" (Filipenses 1:21).

Algunos creen que lo peor que puede pasarles es morir pero la muerte física no es el valor final. Tan sólo estaremos en la presencia de nuestro Padre celestial y en mucho mejor estado que ahora. La vida espiritual es el valor definitivo. Será el cielo cuando nuestra alma se separe de nuestro cuerpo; será el infierno si nuestra alma está separada de Dios. "Y no temáis a los que matan el cuerpo, mas el alma no pueden matar; temed más bien a aquel que puede destruir el alma y el cuerpo en el infierno" (Mateo 10:28).

Eso no es permiso para suicidarse ni disculpa para ser un mal mayordomo de la vida física que Dios nos da sino una verdad que libera. Aquellos que están libres del miedo a la muerte son libres para vivir sus vidas en forma responsable. Tampoco tenemos que tener miedo a la humanidad. "Mas también si alguna cosa padecéis por causa de la justicia, bienaventurados sois. Por tanto, no os amedrentéis por temor de ellos, ni os conturbéis, sino santificad a Dios el Señor en vuestros corazones, y estad siempre preparados para presentar defensa con mansedumbre y reverencia ante todo el que os demande razón de la esperanza que hay en vosotros" (1 Pedro 3:14,15).

¿Por qué: "El temor de Jehová es el principio de la sabiduría" (Proverbios 9:10)? Porque el temor de Jehová es aquel miedo que expulsa a todos los demás miedos. "No llaméis conspiración a todas las cosas que este pueblo llama conspiración; ni temáis lo que ellos temen, ni tengáis miedo. A Jehová de los ejércitos, a él santificad; sea él vuestro temor, y él sea vuestro miedo" (Isaías 8:12-14). ¿Cuáles son los dos atributos de Dios que hacen que Él sea el objeto definitivo del miedo? Él es omnipotente (todopoderoso) y omnipresente (presente en todo lugar).

No adoramos a Dios porque Él necesite que le acaricien Su ego y tampoco nos necesita a usted ni a mí para que le digamos Quién es Él. Dios es totalmente suficiente en y de Él mismo. Nosotros adoramos a Dios porque nosotros necesitamos mantener constantemente ante nosotros Sus atributos divinos. Si así lo hiciéramos, podría darse el siguiente escenario:

Nuestro niño entra corriendo a nuestro dormitorio, gritando: "¡Hay algo en mi cuarto!"

Podríamos contestarle con calma: "Lo sé, mi amor, Dios está ahí".

Probablemente su niño dijera: "¡No! ¡otra cosa!" El niño percibió algo pero también tiene que saber que Dios siempre está presente y, porque Él es, podemos someternos a Él y resistir al diablo.

Les he preguntando a congregaciones de cristianos de todo el mundo si han tenido encuentros amedrentadores con una fuerza espiritual que los asustara: por lo menos cincuenta por ciento ha respondido que sí. Yo he hallado que ese porcentaje es mayor en los líderes cristianos, cosa que no debiera sorprendernos. Por lo menos treinta y cinco por ciento del mismo público se ha despertado aterrorizado o alerta en un momento preciso de la madrugada, como a las 3 de la mañana.

Ese ataque de terror puede ser percibido como si se estuviera apretando el pecho de la persona o que algo le estuviera apretando la garganta. Cuando la persona trata de responder físicamente, no puede. La persona quiere invocar al Señor pero ni siquiera puede decir el nombre "Jesús". ¿Por qué no?

Recuerde: "Porque las armas de nuestra milicia no son carnales, sino poderosas en Dios para la destrucción de fortalezas" (2 Corintios 10:4). Tratar de reaccionar físicamente puede resultar fútil. Porque Dios "discierne los pensamientos y las intenciones del corazón" (Hebreos 4:12) siempre podemos invocarle en nuestro corazón y mente. Tan pronto como lo reconozcamos a Él y Su autoridad en la persona interior seremos libres para decir "Jesús". Y eso es todo lo que tenemos que decir.

Por favor, no presuponga que está pasando por un ataque espiritual cada vez que se despierte a medianoche. En la mayoría de los casos es probable que tenga que ir al baño o que su estómago no reacciona bien a algo que comió. También puede que se despierte bruscamente pues hay un ladrón tratando de entrar a su casa o porque una ráfaga de viento hizo que se golpeara una persiana. Pero si hay una pauta definida, tal como cierta hora y el despertar es brusco, contrario a la toma de conciencia gradual, entonces puede ser un ataque espiritual.

Debo confesar que noy soy tímido pero he sentido terror de un ataque espiritual nocturno. En cada caso he experimentado la victoria inmediata acudiendo a Dios en el hombre interior y, luego, resistiendo con palabras al diablo.

Los ataques persistentes suelen deberse a cosas no resueltas de su vida u hogar. Los ataques de pánico pueden ocurrir también durante el día. Habitualmente puede remontarse a pensamientos engañadores. ¿Alguna vez ha ido manejando su automóvil y, súbitamente, se vió sobrecogido por pensamientos impulsivos como *choca ese automóvil que va adelante* o *salta del automóvil?* ¿Alguna vez ha sentido pánico cuando miró un abismo y pensó *salta?*

Mucha gente que lucha con la agorafobia tienen un prolapso de la válvula mitral lo que no suele ser una enfermedad grave del corazón pero hace que el corazón sople causando pánico a la persona. Esta gente no quiere asustarse en sociedad así que viven evitando tener la reacción en público. El remedio más común es quedarse en la casa pero esa no es la solución del Señor. Ellos dejan que el miedo controle sus vidas. Esta clase de temores tiene que ser enfrentada y vencida. Un sabio prudente dijo: "Haz lo que más temas y la muerte al miedo es certera".

He conversado con varias señoras que luchaban contra la depresión posterior al parto. Una mujer puede que acabara de dar a luz a su tercer hijo, que llora reclamando su atención. Los otros dos niños están peleando por un juguete. En su estado débil y vulnerable ella piensa repentinamente: *¡Mata a tu bebé! ¿Cómo puedo pensar eso? ¿Qué clase de madre soy para siquiera pensar en matar a mi propio hijo?* Esa clase de ataque a la mente que hace el acusador de los hermanos ha dejado a mucha gente cuestionándose su salvación o paralizados de miedo.

Si compartimos algunas de estas experiencias con médicos o consejeros seculares, ellos lo llamarán ataque de pánico o ataque de angustia ¿por qué no lo llaman como es: un ataque de miedo?

Porque no pueden identificar el objeto del miedo, lo clasifican por la definición de la ansiedad. Sin embargo, yo puedo identificar el objeto del miedo de ellos y usted también debiera poder.

Todo hijo de Dios debiera aprender cómo discernir un ataque espiritual y saber cómo resolverlo. Desafortunadamente muchos cristianos no son suficientemente maduros para discernir la naturaleza de la batala en que están metidos, como lo expresó claramente el escritor de Hebreos: "Y todo aquel que participa de la leche es inexperto en la palabra de justicia, porque es niño; pero el alimento sólido es para los que han alcanzado madurez, para los que por el uso tienen los sentidos ejercitados en el discernimiento del bien y del mal" (Hebreos 5:13,14).

Hay una enorme diferencia entre los miedos desarrollados en el transcurso del tiempo y aquellos que esencialmente son ataques. Estos últimos pueden ser tratados en el momento. Cuando la gente "oye" o "ve" algo que los asusta, que disciernen como ataque espiritual, pueden ejercer su autoridad en Cristo sometiéndose a Él y resistiendo al diablo.

Importa entender que la autoridad no aumenta con el volumen de la voz. Nosotros no le gritamos al diablo.

Tomar nuestro lugar en Cristo puede requerir que expresemos con palabras la verdad de 1 Juan 5:18: "Sabemos que todo aquel que ha nacido de Dios, no practica el pecado, pues Aquel que fue engendrado por Dios le guarda, y el maligno no le toca". Yo podría contar muchos casos de cristianos que resistieron ataques de gente engañada diciendo, "yo soy hijo de Dios y usted no puede tocarme" pero esto exige discernimiento. La persona podría tener retardo mental o estar lo bastante desesperada para robar comida.

Una señora de gran tamaño que estaba en una profunda esclavitud espiritual se levantó de su silla, en mi oficina, y empezó a caminar hacia mí con ojos amenazadores. ¿Qué haría usted? Tranquilamente dije en voz alta: "Yo soy hijo de Dios, el maligno no puede tocarme". Ella se paró bruscamente. Entienda que yo no me dirigí a la señora sino a las fuerzas espirituales a las que ella se había rendido.

Importa entender que la autoridad no aumenta con el volumen de la voz. Nosotros no le gritamos al diablo. Esto no es diferente de cuando ejercitamos autoridad como padres. Si usted trata de controlar a sus hijos gritando, no está ejerciendo la autoridad que Dios le da, la está saboteando. Todo lo que hace es obrar en la carne cosa que, precisamente, es lo que el diablo quiere que usted haga. El miedo a algo (alguien) que no sea Dios es mutuamente excluyente de la fe en Dios.

Los miedos irracionales aprendidos en el transcurso del tiempo y por repetición deben ser desaprendidos, cosa que llevará tiempo. Primero, los miedos legítimos que son necesarios para sobrevivir deben diferenciarse de los miedos irracionales (fobias). Las fobias nos obligan a hacer algo irresponsable o nos impiden hacer lo que es responsable.

El segundo hijo de Pete y Sue luchó contra miedos irracionales. Se necesitó mucha oración y tiempo para desarraigar las causas. Algunos niños pueden negarse a contarles a sus padres las experiencias que tuvieron y que los llevaron a temerle a lo desconocido. Ellos pueden ser amedrentados por las tinieblas para que no cuenten nada. Otros pueden tener miedo de hablar con sus padres que les mandaron específicamente no hacer aquello que les creó el miedo.

Algunos pueden no recordar lo que hicieron para abrir la puerta al maligno. En tales casos debemos hacer lo que hicieron Pete y Sue. Ellos siguieron estableciendo en Cristo a todos sus hijos, ayudándoles a que se dieran cuenta de la verdad de que "mayor es el que está en vosotros, que el que está en el mundo" (1 Juan 4:4). "Porque no nos ha dado Dios espíritu de cobardía, sino de poder, de amor y de dominio propio" (2 Timoteo 1:7).

Cuando humanamente no sabemos qué es lo que mantiene esclavizada a la gente, les instruimos a que le pregunten al Señor. A veces reciben una respuesta inmediata a sus oraciones. En otros casos, las respuestas vienen al seguir ellos creciendo en Cristo. Por eso Pablo escribió: "Así que, no juzguéis nada antes de tiempo, hasta que venga el Señor, el cual aclarará también lo oculto de las tinieblas, y manifestará las intenciones de los corazones; y entonces cada uno recibirá su alabanza de Dios" (1 Corintios 4:5).

Cuando yo era niño los malos de las películas de horror eran King Kong, Godzilla y la Mancha. Eran cosas que podíamos ver. Las películas de horror actuales son *Poltergeist*, *El exorcista*, *La maldición*, etcétera. Hollywood ha pasado de los monstruos físicos a los entes espirituales para asustar a muerte a un público crédulo. En consecuencia la gran mayoría de los estadounidenses le tiene un miedo mortal a las cosas con que se topan en la noche, y no tienen temor de Dios. Eso es exactamente lo opuesto de la Escritura. Ningún versículo bíblico nos enseña temerle a Satanás. Dios es el único objeto legítimo de temor.

Todos hemos oído la jerga computacional, basura adentro, basura afuera. Nuestros hijos son sumamente vulnerables a este célebre axioma. Todos los padres tienen la responsabilidad de proteger a sus hijos contra las películas y programas de televisión malos. Hollywood es incapaz de dar una respuesta bíblica equilibrada para el mundo en que vivimos.

Los niños pueden tener pesadillas después de ver películas de horror porque se asustan con facilidad. Pero cuesta mucho establecer una reacción de autoridad para combatir el miedo una vez que se ha instalado. Antes de que Pablo nos advirtiera, en Efesios 6, de la necesidad de ponernos la armadura de Dios, nos aseguró, en los capítulos 1 y 2, de nuestra rica herencia y posición en Cristo. Tenemos que conservar el mismo orden.

Durante una conferencia me habló una señora de su hija que estaba teniendo pesadillas y visitas. Esta madre no tenía idea de que la conferencia fuera a tener tal impacto en ella misma. Ella no tenía idea cuán esclavizada vivía hasta que encontró su libertad en Cristo. Entonces empezó a ayudar a su hija de cuatro años de edad para que se diera cuenta de todo lo que ella es en Cristo y de todo lo que no es Satanás. Una noche escuchó que su hija decía: "Tienes que dejarme sola, yo pertenezco a Jesús". Ni la madre ni la hija volvieron a tener más problemas. Ambas son libres para ser todo lo que Dios las ha llamado a ser.

19

Pasos para libertar a su hijo

Cada vez que viajo en avión escucho a las aeromozas que señalan debidamente las características de seguridad de la nave y nos instruyen cómo usar adecuadamente las máscaras de oxígeno por si se perdiera presión en la cabina. Siempre les dicen a los padres que se pongan ellos primero las máscaras de oxígeno antes de tratar de socorrer a sus hijos. Los padres atenazados por el pánico y medio ahogados no están en condiciones de ayudar a sus hijos. Aunque el aire sea pobre, los niños no corren peligro inmediato. Ellos pueden esperar hasta que los padres hayan resuelto sus cosas.

Lo mismo rige para el socorro espiritual de nuestros hijos. Ellos nos necesitan fuertes y confiados en el Señor. No podemos impartir lo que no tenemos. Si los padres no son libres en Cristo, pasarán un tiempo difícil, si es que no imposible, guiando a sus hijos hacia la libertad. Examinemos el pasaje más claro del Nuevo Testamento para ayudar a que el prójimo encuentre libertad en Cristo:

Porque el siervo del Señor no debe ser contencioso, sino amable para con todos, apto para enseñar, sufrido; que con mansedumbre corrija a los que se oponen, por si quizá Dios les conceda que se arrepientan para conocer la verdad, y escapen del lazo del diablo, en que están cautivos a voluntad de él.

2 Timoteo 2:24-26

Como usted ve, este es un buen modelo, amable, capaz de enseñar, paciente cuando le hacen mal, que exige la presencia de Dios para libertar a un cautivo. El pasaje enseña también claramente que la libertad viene de conocer la verdad. Se muestra que la batalla se da en la mente porque, cuando recuperan su sano juicio, escapan de la trampa del diablo. También establece el hecho de que aquel que va a socorrer al niño debe ser siervo del Señor.

La consejería cristiana debe entenderse como un encuentro con Dios más que una técnica que aprendemos. Jesús es el consejero admirable y solamente Él puede otorgar arrepentimiento y libertar a un cautivo. Los pastores, los consejeros, los profesores y los padres deben depender totalmente del Señor para ser eficaces al ayudar a los niños.

¿Ha tenido paciencia cuando su hijo se porta mal? ¿Fue duro o amable? ¿Corrigió la rebeldía de su hijo con bondad? ¿Conoce bastante bien la verdad para enseñarle a su hijo qué hacer cuando esté siendo atacado? Puede que usted deba empezar por pedirle a su hijo que lo perdone por las veces que no lo haya disciplinado con amor o por no haber entendido la verdadera naturaleza de su problema.

Si un padre o madre ha disciplinado severamente a un niño sin saber lo que le está pasando por dentro, probablemente el niño haya borrado (de su mente) al progenitor y a cualquier otra figura de autoridad que haya tratado de moldear solamente su conducta, sin comprender la batalla que pueda estar librándose por la mente del niño. ¿Puede imaginarse la frustración de oír voces o sentir una presencia aterradora en un cuarto sin tener a nadie a quien poder hablarle de eso? ¿Y cómo se sentiría usted si tratara de contarle a otra persona lo que le estaba pasando y que no lo aceptaran? ¡Qué alivio sería para alguien saber que no se está enloqueciendo sino que hay una batalla librándose por su mente y que el problema tiene solución!

En este capítulo voy a compartir cómo puede usted ayudar a su niño preadolescente y al preescolar. Si usted está tratando de socorrer a otro adulto o adolescente, le recomendamos que lea los siguientes libros en el orden en que se nombran:

Adulto	Adolescente
Victoria sobre la oscuridad	*Emergiendo de la oscuridad*
Rompiendo las cadenas	*Rompiendo las cadenas: Edición para jóvenes*
Ayudando a otros a encontrar libertad en Cristo	*Helping Young People Find Freedom in Christ (tentativo).*
Caminando en la luz	*Know Light*
Una vía de escape	*Pureza bajo presión*

Además de los *Pasos hacia la libertad* para adultos hemos organizado Pasos para jóvenes (12 a 18 años) y solteros (18 a 25 años). Si los que tratan de ayudar a que los niños encuentren libertad en Cristo, ya han ido a través los Pasos ellos mismos, tendrán una mayor conciencia de lo que debe resolverse y cómo hacerlo. La experiencia de ellos los calificará también para ser ejemplos a seguir más que gente que juzga o condena. Los niños querrán sentir el mismo gozo y libertad que ven en quien los ayude.

Mi libro *Ayudando a otros a encontrar libertad en Cristo* proporciona mucho más verdad teológica y aplicación práctica de lo que puede cubrirse en este libro. Sin embargo, en la mayor parte de los casos será suficiente para los padres con lo que sigue:

Guiando a su hijo hacia la libertad en Cristo
9 - 12 años de edad

Sin querer parece repetitivo, permítame volver a decir que el padre/madre, pastor, profesor o consejero que trabaje con el niño, debe estar seguro de su propia identidad y libertad en Cristo antes de tratar de ayudar a otra persona. Entiéndase que obtener libertad espiritual no es madurez espiritual. Todos los otros aspectos del desarrollo normal están aún procesándose. Tenga cuidado de usar palabras que el niño de esta edad pueda comprender. Las oraciones y declaración de doctrina se modificaron respecto de los *Pasos hacia la libertad* para adultos, a fin de adaptarlos a niños menores. Más adelante, les diremos qué hacer si el niño es demasiado pequeño para leer.

Si los niños van a cooperar, debe decírseles que ellos no son el problema sino que ellos tienen un problema por el cual deben asumir su propia responsabilidad. Si nuestra actitud es "¿vamos a ver, qué es lo malo contigo?" probablemente ellos se pongan a la defensiva.

Le preguntamos a un niño si tenía pensamientos en su cabeza que le decían qué hacer. Dijo que sí y le preguntamos qué le decían los pensamientos y contestó: "¡Yo no soy bueno!" Los frustrados padres de este niño, que era adoptado, habían hecho de todo menos haber dejado de tratar de controlar la conducta del niño. El mensaje que el chico recibía por dentro y desde fuera era: "Yo soy incorregible".

La meta es resolver en Cristo los conflictos personales y espirituales del niño y hallar la paz de Dios que sobrepasa todo entendimiento. Pero para el resto de su vida el niño tiene que saber que debe ser responsable de lo que piense. Para que este proceso funcione debemos contar con la cooperación del niño para que nos cuente toda oposición mental o pensamientos (ideas) que tenga y que estén en oposición directa a lo que nosotros tratamos de hacer.

El poder de Satanás está en la mentira. Tan pronto como se deje al descubierto la mentira, se rompe el poder.

El poder de Satanás está en la mentira. Tan pronto como se deje al descubierto la mentira, se rompe el poder. El centro de control es la mente y, si Satanás logra que el niño crea la mentira, puede controlar la vida del niño. Ideas o pensamientos como "esto no va a servir" o "Dios no te ama", etcétera, pueden interferir solamente si el niño cree las mentiras. Le decimos a la gente que no importa si los pensamientos que oyen vienen de un altoparlante puesto en la pared o desde dentro de sus propias cabezas: en cada caso, no les preste atención.

Hay dos razones que impiden que la mayoría de la gente, incluso nuestros hijos, cuenten lo que les pasa por dentro. Primera, si sospechan, aunque sea levemente, que no recibiremos la información en forma apropiada, no la contarán. Las respuestas condescendientes como "sólo tienes un mal día", o "eso se te pasará', o "tienes una imaginación muy activa", o manifestaciones de juicio como

"¡tienes que ver un psiquiatra!" evitan que la gente revele lo que está pensando.

La última respuesta es la más temida. Esas personas ya temen estar enloqueciéndose; por tanto, cualquier cosa que nosotros hagamos que sugiera esa posibilidad, solamente lo alejará. Muchos adultos temen estar enloqueciéndose y están asustados ante la perspectiva de que les den drogas. Hemos asegurado a muchas personas de que nada de lo que cuenten nos sorprendería. Los pensamientos suelen ser amenazadores u obscenos. Una vez que la gente sabe que nosotros entendemos que esos pensamientos no son de ellos, se sienten más libres para contar lo que les pasa por dentro.

Segunda, puede que las voces los estén amenazando. Habitualmente son amenazas de infligirles daño cuando vuelvan a casa o estén de vuelta en sus cuartos. La amenaza puede estar dirigida a otras personas, como padres o hermanos. Ellos creen que tienen que obedecer esas voces para salvar a alguien. Gran parte de la intimidación los amenaza para que no cuenten lo que realmente les está pasando. Los demonios son como las cucarachas que solamente salen en la oscuridad. Temen ser expuestos. Cuando encendemos las luces, se escurren veloces a las sombras.

Toda esta intimidación es para impedir que los niños compartan lo que deben contar para ser libres en Cristo. El problema no está en el hogar ni en sus cuartos, sino que está en la mente de ellos. Así que si resuelven sus problemas en nuestra oficina, lo habrán resuelto en sus hogares. Si los problemas se resuelven en el dormitorio de los padres, estarán resueltos en los cuartos de los niños. Una persona llamó horas después para decir con gran deleite: "¡Tampoco están aquí!" Nunca estuvieron "ahí".

Los niños serán libertados por lo que ellos hagan, no por lo que hagamos nosotros. Como Satanás no está obligado a obedecer nuestros pensamientos, los niños deben decir las oraciones en voz alta y asumir su responsabilidad personal para resolver los asuntos que se interponen entre Dios y ellos. La interferencia es algo común en las primeras etapas de los *Pasos hacia la libertad*, pero podemos obtener suficiente control ejerciendo nuestra autoridad a fin de ayudar a la persona a que sea liberada lo suficiente para hacer lo que tiene que hacer para ponerse bien con Dios.

Aunque la gente lucha cuando va a través de los Pasos, se aprende una lección valiosa en el proceso. Aprenden la naturaleza de la batalla espiritual y cómo ganarla cada vez que estén bajo ataque. Si nosotros tratamos de "echar fuera" a un demonio por ellos, creerán que es necesario llamarnos cada vez que estén bajo ataque en el futuro. Ellos tienen que aprender cómo invocar al Señor. Él es el libertador.

Padres, pastores, profesores o consejeros son los facilitadores del proceso. Los niños que estén bajo ataque deben decir las oraciones ellos mismos. No es lo que nosotros hacemos lo que los liberta sino lo que ellos escogen para renunciar, confesar, perdonar, etcétera.

Es importante observarlos muy de cerca durante los Pasos, especialmente sus ojos. Si empiezan a irse a la deriva mentalmente, pregúnteles qué están oyendo. En algunos casos pueden estar viendo algo. En el momento en que lo cuentan, queda al descubierto la mentira y se rompe el poder. Si experimentan mucha interferencia, vaya despacio o puede perderlos. A veces, les decimos que se paren y caminen por el cuarto para que vuelvan a enfocar su mente y para asegurarles el control de su voluntad, la cual deben optar por ejercer.

Los niños suelen experimentar severos dolores de cabeza o sentir como si estuvieran por vomitar. Algunos dicen que van a vomitar. Habitualmente los síntomas físicos desaparecen cuando los cuentan. Si eso no sucede, vuelva a orar para que Satanás deje de molestarlos. Si dicen que tienen que irse, deje que se vayan: volverán a los pocos minutos. Nunca trate de detenerlos físicamente. En medio de la batalla se sentirán violados si alguien los toca. Las armas de nuestra guerra no son carnales (ver 2 Corintios 10:3-5). La oración es nuestra arma contra tales ataques.

La confianza es un requisito previo esencial. Si los niños tienen confianza en nosotros creerán lo que decimos. La confianza debe ser precedida por asegurarles de que nosotros los aceptamos y que ellos son importantes y que están a salvo. Mientras más les expliquemos y les demos garantías, más creerán y confiarán en nosotros. Ellos tienen una gran probabilidad de hallar la liberación de todas las mentiras que han estado creyendo cuando se sientan seguros.

No se ponga a pelear gritando. La autoridad no aumenta con el volumen de la voz. Si usted, como facilitador, se da cuenta de que está gritando, es probable que esté reaccionando carnalmente. Dios hace todo decentemente y con orden. Usted puede copiar los siguientes Pasos o tener un libro extra para uso del niño. Es importante que usted vaya siguiendo la lectura mientras el niño lee para cerciorarse de que no lea mal las palabras o deje sin leer lo que puede cambiar el significado.

Pasos hacia la libertad en Cristo
9 a 12 años

Al final de los Pasos hay notas para los padres, pastor, profesor o consejero, las cuales proporcionan ayuda y explicación adicionales.

¡Jesús quiere que seas libre! Libre de los pecados de tu pasado, libre de los problemas que tienes ahora, y libre de todo miedo que puedas tener del futuro. Si has recibido a Jesús como tu Salvador, Él ya ha ganado tus batallas por ti por medio de Su muerte en la cruz. Si no has estado viviendo libre en Cristo quizá no has entendido lo que Jesús puede hacer por ti.

¡Estás son las buenas noticias para ti! Puede que seas joven pero no tienes que vivir con el pecado y el mal en tu vida! Satanás quiere que pienses que él es más fuerte de lo que realmente es. En realidad es un enemigo que ha sido derrotado por Jesucristo ¡Y tú estás en Cristo, el ganador!

Satanás no quiere que, en realidad, tú seas libre en Cristo. Por eso, asegúrate de decirme cómo te estás sintiendo y qué estás pensando a medida que procedemos. Si tienes pensamientos malos o te sientes mal en cualquier forma, por favor, dímelo. Habitualmente es el enemigo que trata de asustarte o distraerte. Si paramos y oramos, podemos decirle que se vaya. Yo puedo orar contigo en cualquier momento.

Vamos a empezar ahora. Yo voy a leer esta oración en voz alta junto contigo.

Querido Padre celestial:
Gracias por Tu presencia en este lugar y en nuestras vidas. Tú estás en todas partes al mismo tiempo, lo puedes todo y sabes todas las cosas. Nosotros te necesitamos y sabemos que nada podemos hacer sin Ti. Creemos en la Biblia porque nos dice

lo que es realmente verdadero. No creemos las mentiras de Satanás. Te pedimos que reprendas a Satanás y pongas una protección alrededor de este cuarto para que podamos hacer Tu voluntad. Como somos hijos de Dios, asumimos autoridad sobre Satanás y le ordenamos a Satanás que no moleste a (nombre) de modo que (nombre) pueda conocer y optar por hacer la voluntad de Dios. En el nombre y autoridad del Señor Jesucristo ordenamos que Satanás y todas sus fuerzas sean atadas y silenciadas para que no puedan producir ningún dolor ni evitar en forma alguna que la voluntad de Dios sea cumplida en la vida de (nombre). Pedimos que el Espíritu Santo nos llene y nos dirija a toda la verdad. Oramos en el nombre de Jesús. Amén.

Paso 1
Renunciando a la participación en y con las falsedades espirituales

Ahora estamos listos para empezar. Vamos a ir a través de siete Pasos para ayudarte a ser libre en Cristo. Recuerda que solamente puedes ganar tus batallas cuando optes *personalmente* por creer y confesar. La confesión es sencillamente ponerte de acuerdo con Dios. Satanás no puede leer tu mente (ver Job 1:11; 2:5; comparar con 1:20-22; 2:10); solamente Dios puede hacer eso (1 Samuel 16:7; Salmos 44:21; 139:1-6; Jeremías 11:20; 17:10; Romanos 8:27). Por tanto, recomendamos que leas cada oración *en voz bien alta*. Esto le dirá a Satanás que realmente pensamos lo que decimos.

Estás por darle una mirada muy de cerca a tu vida, para que puedas tener una relación grandiosa con Dios. Es importante que vayas a través de todos los siete Pasos, así que no te desanimes ni te rindas. ¡Recuerda que la libertad que Cristo compró en la cruz para todos los creyentes está designada para *ti*!

El primer paso es que le des la espalda a todo lo que hayas hecho que sea espiritualmente malo o contra el cristianismo o Dios. El diablo puede usar experiencias pasadas, de hecho lo hace, para alejarnos de Dios y controlar la manera en que pensamos y nos comportamos. Tenemos que ser honestos con Dios tocante a esas experiencias, de modo que Satanás no tenga permiso para molestarnos más. Empieza por leer la siguiente oración en voz alta:

Querido Padre celestial: Te pido que me ayudes a recordar todo lo que yo haya hecho que sea espiritualmente malo. Si alguien me ha hecho algo que sea malo, ¿quieres también ayudarme a recordarlo? Yo quiero ser libre y poder hacer Tu voluntad. Te pido esto en el nombre de Jesús. Amén.

Aunque hayas hecho lo que hiciste como juego o chiste, tienes que darle la espalda a eso. Satanás tratará de sacar provecho de nosotros en cualquier forma que pueda. Aunque hayas estado solamente mirando a otras personas hacerlo, tienes que darle la espalda. Aunque no hayas tenido ni idea de que eso era malo, tienes que darle la espalda a eso.

___ Experiencias de haberte salido de tu cuerpo
___ María la sanguinaria
___ La octava bola mágica
___ Escritura automática (estando en trance)
___ Verse la suerte
___ Dejarse leer las manos
___ Hipnosis
___ Magia negra o blanca
___ Fosos y dragones
___ Juegos de video o computadora
___ Películas o programas de televisión que son anticristianos
___ Artes marciales
___ Tan liviano como una pluma
___ Tablero Ouija
___ Levantar mesas
___ Echarle maldiciones o encantamientos a la gente
___ Guías espirituales
___ Carta Tarot
___ Astrología/horóscopos
___ Sesiones de espiritismo
___ Meditación
___ Pactos de sangre
___ Música anticristiana que sugiere poderes ocultos o violencia cruel
___ Libros, revistas, tiras cómicas que sean anticristianas
___ Religiones no cristianas
___ Creer que los juguetes tienen poderes especiales (Osos cariñosos, trolls, Power Rangers, etc.)
___ Otras experiencias

Pon una marca al lado de todo aquello en que hayas andado metido (esta es solamente una lista parcial):

1. ¿Alguna vez has oído o visto un ser espiritual en tu cuarto?

2. ¿Tienes o tuviste un amigo que te habla?

3. ¿Oyes voces en tu cabeza que te dicen lo que tienes que hacer?

4. ¿Alguna vez le has hecho promesas al diablo?

5. ¿Qué otras experiencias no cristianas has tenido?

6. ¿Has participado alguna vez en la adoración de Satanás o has ido a un concierto donde cantaron sobre Satanás?

7. ¿Tienes miedo de ir a dormir por la noche por causa de tus pesadillas?

Ahora que has terminado con la lista, di la siguiente oración por cada experiencia:

Querido Padre celestial, yo confieso que he participado en _____. Te agradezco Tu perdón. Yo le vuelvo la espalda a _____.

(Nota para el padre/madre, pastor o consejero: Si el niño ha sido sometido a rituales satánicos o ha tenido trastornos del comer, por favor, fíjese en las "Renuncias especiales" que están al final de estos Pasos).

Paso 2
Eligiendo la verdad

La Palabra de Dios es verdadera y tenemos que aceptar esa verdad profunda en nuestro corazón (ver Salmo 51:6). El rey David escribió: "Bienaventurado el hombre ... en cuyo espíritu no hay engaño" (Salmo 32:2). Empieza este paso importante diciendo en voz alta la siguiente oración.

Querido Padre celestial: Sé que Tú deseas la verdad de mí y que debo ser honesto contigo. He sido engañado por el padre de las mentiras y me he engañado a mí mismo. Creí que podía esconderme de Ti pero Tú ves todo y aún me quieres. Yo oro en el nombre del Señor Jesucristo y te pido, Padre celestial, que reprendas por Tu poder a todos los demonios de Satanás. Debido a que invité a Jesús a mi vida, ahora yo soy Tu hijo. Por tanto, le mando a todos los espíritus malignos que me dejen. Yo pido que el Espíritu Santo me guíe a toda verdad. Te pido que me mires bien y conozcas mi corazón. Muéstrame si hay algo en mí que esté tratando de esconder, porque quiero ser libre. Oro en el nombre de Jesús. Amén.

(Para los padres: Sólo quiero que recuerdes cuánto te amo y cuán agradecido estoy de que Dios me haya dado a ti como hijo. Quiero que nuestra relación sea honesta y quiero que podamos confiar el uno en el otro al ir a través de estos Pasos. Decir la verdad con amor es importante porque somos miembros los unos de los otros (ver Efesios 4:25). Podemos andar en la luz para tener comunión o amistad unos con otros (ver 1 Juan 1:5-9). Solamente la verdad puede liberarnos y tenemos que decirnos mutuamente la verdad con amor.

Lea en voz alta las siguientes declaraciones de fe:

1. Creo que hay un solo Dios verdadero que es Padre, Hijo y Espíritu Santo. Creo que Él hizo todas las cosas y las mantiene existiendo a todas.

2. Creo que Jesucristo es el Hijo de Dios que derrotó a Satanás y todos sus demonios.

3. Creo que Dios me ama tanto que hizo que Su propio Hijo fuera a la cruz y muriera por todos mis pecados. Jesús me salvó de Satanás porque Él me ama, no por lo bueno o malo que yo sea.

4. Creo que soy espiritualmente fuerte porque Jesús es mi fuerza. Yo tengo la autoridad para resistir a Satanás porque soy un hijo de Dios. Para seguir fuerte, voy a obedecer a Dios y creer Su Palabra. Me pongo la armadura de Dios para poder estar firme en el Señor.

5. Creo que no puedo ganar batallas espirituales sin Jesús así que opto por vivir para y por Él. Resisto al diablo y le mando que me deje tranquilo.

6. Creo que la verdad me hará libre. Si Satanás trata de poner malos pensamientos en mi mente, no les daré atención. No escucharé las mentiras de Satanás y no haré lo que él quiere que yo haga. Yo creo que la Biblia es verdadera y opto por creerla. Opto por decir la verdad con amor.

7. Opto por usar mi cuerpo para hacer solamente cosas buenas. No dejaré que Satanás se meta en mi vida usando mi cuerpo en una mala forma. Creo que lo que Dios quiere que yo haga es lo mejor para mí y prefiero hacerlo.

8. Pido a mi Padre celestial que me llene con Su Espíritu Santo, que me guíe a toda verdad y que haga posible que yo viva una buena vida cristiana. Yo amo al Señor mi Dios con todo mi corazón, alma y mente.

Acabas de hacer unas decisiones muy importantes por la verdad, las que tendrán un impacto duradero. (Padres o consejero: Este es un buen momento para compartir uno con otro cómo se sienten y qué piensan).

Paso 3
Perdonando a otros

Cuando no perdonas a quienes te han hecho mal, te haces blanco de Satanás. Dios nos manda a que perdonemos a otros así como nosotros fuimos perdonados (ver Efesios 4:31). Tienes que obedecer este mandamiento para que Satanás no pueda aprovecharse de ti (ver 2 Corintios 2:11). Pídele a Dios que te traiga a la mente los nombres de la gente que debes perdonar, diciendo en voz alta esta oración:

Querido Padre celestial: Te agradezco Tu bondad, paciencia y amor por mí. Sé que, a veces, no he sido muy amable ni paciente con otras personas, especialmente con las que no me caen bien. He tenido malos pensamientos sobre otras personas y me he aferrado a malos sentimientos. Te pido que me traigas a la mente a aquellas personas que debo perdonar. Te pido esto en el precioso nombre de Jesús que me sanará de mis heridas. Amén.

En una hoja de papel, haz una lista de los nombres de la gente por quienes tienes malos sentimientos. El Señor te los traerá a la mente. Está bien poner a mamá y papá en la lista si tienes que perdonarlos por algo. Perdonar a la gente que te ha herido es la manera en que Dios te libera de las experiencias pasadas dolorosas. A menos que perdonemos el pasado seguirá doliéndonos y teniendo un asidero en nosotros. (Dése tiempo para terminar la lista de nombres).

Ahora que terminaste la lista, pensemos en el significado del perdón verdadero. Lee en voz alta lo que está escrito en negrita.

Perdonar no es olvidar. Puede que no olvides tu pasado pero puedes librarte de eso perdonando a otras personas. Una vez que perdonas a alguien no tienes que estar echándole en cara el pasado ni usarlo en contra de esas personas otra vez.

El perdón es mi decisión. Perdonar parece difícil porque naturalmente todos queremos vengarnos de las cosas que nos han hecho. Pero Dios nos dice que nunca nos tomemos nuestra propia venganza (ver Romanos 12:19).

Perdonar es como sacar un doloroso anzuelo. Perdonar es como sacarse anzuelos que los demás nos han clavado. Es un proceso doloroso pero cuando perdonamos a la gente ya no seguimos más enganchados con los anzuelos a ellos. En la medida en que esos anzuelos sigan en nosotros, seguimos atados a esas personas.

Cuando yo suelto a alguien de mi anzuelo, ellos no quedan sueltos del anzuelo de Dios. Debemos confiar que Jesús trate a la otra persona con justicia, equidad y misericordia. Eso es algo que nosotros no podemos hacer. El Señor dice que: "Mía es la venganza" (Deuteronomio 32:35).

Perdonar es aceptar que no podemos cambiar lo que pasó. Si alguien te roba la bicicleta o te dice cosas feas, no puedes cambiar eso. Puedes estar enojado mucho tiempo o puedes perdonarlos y dejar que Dios se las vea con ellos. La gente hace cosas malas y no siempre podemos detenerlos pero podemos optar por no dejar que lo que hicieron sea algo que nos domine.

Para perdonar de todo corazón tienes que admitir el dolor y el odio. Pasa por tu lista de nombres viendo uno a la vez. Quédate con esa persona hasta que todo el dolor se acabe. Entonces sigue con la próxima. Di en voz alta la siguiente oración por cada nombre:

> Señor, yo perdono a (nombra a la persona) por (aquí dices que te dolió lo que te hicieron). Eso me hizo sentir (aquí dices cómo te sentiste).

Paso 4
La rebelión

Vivimos en tiempos rebeldes. Algunos niños no respetan a la gente que está en posiciones de autoridad. Pero Dios ha puesto a esa gente en autoridad sobre nosotros (padres, profesores, líderes de la iglesia, policías, Dios). No cuesta mucho pensar que aquellos que están en autoridad sobre nosotros nos roban nuestra libertad. En realidad, Dios los ha puesto ahí para nuestra protección a fin de que podamos disfrutar nuestra libertad. Dios nos asegura que vivir bajo autoridad es para nuestro bien.

Rebelarse contra Dios y Sus autoridades es cosa grave. La rebelión viene de Satanás y le da una oportunidad para atacarnos. Obedecer a Dios es la única respuesta. Él quiere que nos sometamos a nuestras autoridades. Lo que sigue es una lista de diferentes figuras de autoridad que Dios ha puesto sobre nosotros.

Si cualquiera de estas personas te pide que hagas algo que es malo, tienes que decírselo a otra persona. Dios no puede decirte que hagas algo malo ni que obedezcas a alguien que te diga que hagas algo moralmente malo. Si cualquiera de estas personas te dice que hagas algo malo, pide socorro de alguien en quien confíes. Si estas personas te dicen que hagas algo que no es moralmente malo, aunque no te guste tienes que obedecer. Si le has desobedecido a alguien de la lista, ponle una marquita y di en voz alta la siguiente oración:

___ Padres   ___ Abuelos

___ Profesores de la escuela   ___ Policías

___ Profesores de la escuela   ___ Líderes de la iglesia

      dominical   ___ Otros

___ Dios

Querido Padre celestial: Tú has dicho en la Biblia que la rebelión es lo mismo que la brujería (adivinación) y la desobediencia es como honrar a otros dioses. Sé que Te he desobedecido y que me he rebelado contra Ti en mi corazón y contra (nombrar persona). Te pido que me perdones por rebelarme. Por la sangre derramada del Señor Jesucristo yo resisto todos los espíritus malignos que se aprovecharon de mi rebeldía. Ahora opto por ser obediente y sumiso a los que están en autoridad sobre mí. Oro en el precioso nombre de Jesús. Amén.

Paso 5
El orgullo

El orgullo dice: "Yo soy mejor que todos los demás". También dice: "¡Yo puedo hacer todo solo, por mi cuenta, sin Dios ni nadie más!" ¡Oh, no, no podemos! Necesitamos absolutamente a Dios y nos necesitamos desesperadamente unos a otros. Pablo escribió: "Nada hagáis por contienda o por vanagloria; antes bien con humildad, estimando cada uno a los demás como superiores a él mismo" (Filipenses 2:3). También dijo que tenemos que fortalecernos en el Señor y en el poder de Su fuerza (Efesios 6:10). Nosotros tenemos problemas espirituales cuando nos enorgullecemos (ver Santiago 4:6-10; y 1 Pedro 5:1-10). El orgullo es lo que hizo que Satanás fuera echado del cielo. Lo que sigue es una lista de maneras en que nos ponemos o sentimos orgullosos. Si alguna se te puede aplicar, ponle una marquita al lado y usa la oración que sigue para prometer que vivirás humildemente ante Dios.

___ ¡Yo no necesito a Dios ni a nadie para que me ayude!

___ ¡Yo nunca hago nada malo!

___ ¡Yo soy mejor que los demás!

Querido Padre celestial: Confieso que a menudo pienso solamente en mí. A veces pienso que soy mejor que los demás. He creído que soy el único que se preocupa por mí así que, por eso, tengo que cuidarme. Me he alejado de Ti y no he dejado que Tú me ames. Estoy cansado de vivir por y para mí mismo. Doy la espalda a la vida egoísta y te pido que me llenes con Tu Espíritu Santo para que yo pueda hacer Tu voluntad. Dando mi corazón a Ti, yo resisto todas las maneras en que Satanás pueda atacarme. Te pido que me muestres cómo vivir para los demás. Ahora opto por considerar a los demás como más importantes que yo mismo y hacerte a Ti el más importante de todos. Esto lo pido en el nombre de Jesucristo. Amén.

Paso 6
El pecado

El siguiente paso hacia la libertad trata del pecado en nuestra vida. Muchos pecados pueden dominarnos. La Biblia dice: "Desechemos, pues, las obras de las tinieblas, y vistámonos las armas de la luz ... vestíos del Señor Jesucristo, y no proveáis para los deseos de la carne" (Romanos 13:12,14). Di en voz alta la siguiente oración:

Querido Padre celestial: Estoy de acuerdo contigo en que yo he hecho cosas malas. Te pido que me ayudes a saber todas las cosas malas que he hecho.

La siguiente lista contiene algunos de los pecados más comunes. Pon una marca en los pecados que has cometido y después ora la siguiente oración por cada uno de ellos.

___ robar	___ engañar
___ mentir	___ malas palabras, maldecir
___ pelear	___ codiciar
___ celos	___ pereza (flojera)
___ envidiar	vandalismo (dañar o
___ estallidos de ira	___ romper las cosas ajenas)
___ quejarse	___ otros
___ desear placeres sexuales	

Padre celestial: Yo he cometido el pecado de_____. Te agradezco por Tu perdón y limpieza. Me arrepiento de este pecado y lo dejo y me vuelvo a Ti, Señor. En el nombre de Jesús. Amén.

Dios te ha perdonado de esos pecados. Nunca dejes que Satanás te haga sentirte mal o deprimido o que te haga pensar que sigues siendo culpable de esos pecados. Cada vez que el pecado vuelva a tu vida, recuerda 1 Juan 1:9: "Si confesamos nuestros pecados, él es fiel y justo para perdonar nuestros pecados y limpiarnos de toda maldad". Di la siguiente oración:

Señor, te agradezco por perdonarme todos mis pecados. Te ruego que me llenes con tu Espíritu Santo para que yo no peque más. Ahora mando a Satanás que se vaya, y opto por vivir la vida santa para poder ser libre. En el nombre de Jesús. Amén.

(Nota al padre, madre, pastor o consejero: Si el niño ha sido sometido a pecados sexuales, abuso ritual satánico o trastornos del comer, por favor, fíjese en las "Renuncias especiales" que están al final de estos Pasos.)

Paso 7
Pecados de los padres

El último Paso a la libertad es renunciar a los pecados de Tus padres y abuelos. Tú no tienes la culpa de los pecados de otros familiares pero por el pecado de ellos, Satanás puede haber logrado meter el pie en la puerta que da acceso a tu familia. Para ser libertado de la influencia de los pecados de tus antepasados, di en voz alta la siguiente oración:

Querido Padre celestial, vengo a Ti como hijo Tuyo, comprado por la sangre del Señor Jesucristo. Yo doy la espalda a todos los pecados que hayan sido cometidos en mi familia. Yo he sido libertado del poder de las tinieblas y ahora estoy en el reino de Jesús. Jesús ha roto todas las amarras y obras de Satanás que me fueron traspasadas por mis antepasados. Yo estoy espiritualmente vivo en Cristo y unido con Él. Como soy propiedad de Jesús, rechazo todas y cualquiera de las formas en que Satanás podría reclamar propiedad de mí. Yo anuncio a todas las fuerzas del mal que estoy por siempre y completamente consagrado y entregado al Señor Jesucristo. Ahora mando a todo espíritu maligno familiarizado con mi familia, y a todo enemigo del Señor Jesucristo, que se vayan de mi presencia para siempre. Ahora te pido, Padre celestial, que me llenes con Tu Espíritu Santo. Te presento mi cuerpo para que la gente sepa que Tú vives en mí. Todo esto lo hago en el nombre del Señor Jesucristo. Amén.

Siguiendo libre

Ser libertado y seguir libre en Cristo son dos cosas diferentes. La batalla por tu mente seguirá. Tú seguirás siendo tentado a hacer cosas malas. Toma en cuenta las sugerencias que siguen para permanecer libre en Cristo:

1. Asegúrate de tener buenos amigos.

2. Piensa y habla siempre la verdad con amor.

3. Lee diariamente tu Biblia.

4. Honra a tu padre y a tu madre.

5. Obedece a todos los que tengan autoridad sobre ti.

6. No dejes que se agranden tus problemas. Comparte tus luchas con alguien en quien confíes.

7. No trates de vivir la vida cristiana por tu propia cuenta.

8. Siempre invoca a Dios cuando pienses que estás siendo atacado.

9. Si algo te asusta, dile que se vaya en el nombre de Jesús.

10. Disfruta la vida maravillosa que Dios te ha dado y todo lo que Él ha creado. Cristo satisfará todas tus necesidades conforme a Sus gloriosas riquezas.

Lean juntos lo que sigue:

En Cristo soy aceptado

Juan 1:12	Soy hijo de Dios.
Juan 15:15	Soy amigo de Cristo.
Romanos 5:1	He sido justificado (hecho bueno a los ojos de Dios).
1 Corintios 6:17	Estoy unido con el Señor y soy uno con Él en el espíritu.
1 Corintios 6:20	Fui comprado por precio; pertenezco a Dios.
1 Corintios 12:27	Soy miembro del cuerpo de Cristo.
Efesios 1:1	Soy un santo.
Efesios 1:5	He sido adoptado (elegido) como hijo de Dios.
Efesios 2:18	Tengo acceso directo a Dios por medio del Espíritu Santo.
Colosenses 1:14	He sido redimido (comprado por Dios) y perdonado de todos mis pecados.
Colosenses 2:10	Soy completo en Cristo.

Estoy seguro en Cristo

Romanos 8:1,2	Estoy libre de condenación por siempre.
Romanos 8:28	Estoy seguro de que todas las cosas obran para bien.
Romanos 8:31-34	Estoy libre de toda acusación condenatoria.
Romanos 8:35-39	No puedo ser separado del amor de Dios.
2 Corintios 1:21,22	He sido establecido, ungido y sellado por Dios.
Colosenses 3:3	Estoy escondido con Cristo en Dios.
Filipenses 1:6	Confío en que será perfeccionada la buena obra que Dios empezó en mí.
Filipenses 3:20	Soy un ciudadano del cielo.

2 Timoteo 1:7	No me ha sido dado espíritu de temor sino de poder, amor y de salud mental.
Hebreos 4:16	Puedo alcanzar gracia y misericordia en tiempo de necesidad.
1 Juan 5:18	Soy nacido de Dios y el maligno no puede tocarme.

Tengo significado en Cristo

Mateo 5:13,14	Soy la sal y la luz de la tierra.
Juan 15:1,5	Soy pámpano de la verdadera vid, un canal de Su vida.
Juan 15:16	He sido elegido y puesto para llevar fruto.
Hechos 1:8	Soy testigo personal de Cristo.
1 Corintios 3:16	Soy templo de Dios.
2 Corintios 5:17-21	Soy ministro de reconciliación para Dios (llevando a otras personas a Dios).
2 Corintios 6:1	Soy colaborador de Dios (1 Corintios 3:9).
Efesios 2:6	Estoy sentado con Cristo en los lugares celestiales.
Efesios 2:10	Soy hechura de Dios.
Efesios 3:12	Puedo acercarme a Dios con libertad y confianza.
Filipenses 4:13	Todo lo puedo en Cristo que me fortalece.

Nota 1: Atar a Satanás no asegura la liberación total de la víctima. Si fuera posible, toda la enseñanza de las Epístolas hubiera sido atar a Satanás en todo el mundo y echarlo a un planeta muy lejos. El Señor lo echará al abismo en los últimos días, pero hasta entonces, él anda rugiendo por ahí. Sin embargo, nosotros tenemos toda la necesaria autoridad en Cristo para vivir una vida recta y desempeñar el ministerio al cual Dios nos llame. Atar a Satanás es un acuerdo con la Escritura, un reconocimiento de la soberanía de Dios y un anuncio al enemigo de nuestra autoridad en Cristo.

Nota 2: Nuestros hijos tendrán una predisposición genética a ciertos lados fuertes y otros flacos. El ambiente en que fueron criados también les afecta para bien y mal. ¿Podría haber también una herencia impía? Nosotros pensamos que sí. Lea lo que dice Jeremías 32:17,18: "¡Oh, Señor Jehová! He aquí que tú hiciste el cielo y la tierra con tu gran poder, y con tu brazo extendido, ni hay nada que sea difícil para ti; que haces misericordia a millares, y castigas la maldad de los padres en sus hijos, después de ellos; Dios grande, poderoso, Jehová de los ejércitos es su nombre".

Por nuestra experiencia los pecados traspasados de una a otra generación es el segundo lugar más común que tiene Satanás para tener acceso a nuestros hijos. En los niños muy pequeños eso es todo lo que puede hacer porque ellos aún no han tenido oportunidad para meterse en cosas del sexo, drogas, etcétera.

Renuncias especiales
Renuncias especiales de pecados sexuales

Un niño que haya sido sometido desafortunadamente a pecados sexuales (en forma voluntaria o involuntaria) tendrá que renunciar a su participación. Importa mucho explicarle bien al niño que renunciar a una participación involuntaria no significa que él o ella sea culpable. Sin embargo, el niño tiene que entender que hasta a la participación forzada tiene que renunciarse porque Satanás ha puesto ataduras en la vida del niño por medio de esa participación. El niño también debe entender que todas las amenazas hechas por quien le hizo eso no deben impedirle renunciar a estos actos.

(Advertencia: Los niños son muy susceptibles a las sugerencias de los adultos y, a menudo, tienen imaginaciones creadoras. No haga preguntas que sugieran una respuesta determinada. Algunos niños son lo suficientemente astutos para decirnos lo que ellos creen que nosotros queremos oír y conducirnos así por un camino errado. Ellos pueden también inventar una historia para absolverse a sí mismos de sus propias responsabilidades).

Si los niños están prestando atención a los espíritus engañadores, esas voces pueden estar dándoles recuerdos falsos. Los recuerdos falsos suelen venir de sueños, hipnosis o "palabras de ciencia" falsas que les son dadas por otras personas. Nunca use esa 'evidencia' en contra de otra persona a menos que tenga pruebas externas firmes para sustanciar las acusaciones. Esas acusaciones ni siquiera deben hacerse en contra de un anciano de la iglesia a menos que hayan dos o tres testigos que puedan corroborar las acusaciones.

Tenemos la responsabilidad de no dejar que el pecado reine en nuestro cuerpo mortal no usando nuestro cuerpo como instrumentos de injusticia (ver Romanos 6:12,13). Si el niño ha luchado con pecados sexuales o ha sido sometido involuntariamente a actos sexuales, haga que lea o repita la siguiente oración:

> Querido Padre celestial: Te ruego que me ayudes a recordar todo uso sexual de mi cuerpo. Oro en el nombre precioso de Jesús. Amén.

A medida que el Señor traiga a la mente del niño todo uso sexual de su cuerpo, sea involuntario (violación, incesto u otro tipo de abuso sexual) o voluntario, haga que el niño lea o repita la siguiente renuncia para cada ocasión:

> Querido Padre celestial: Yo renuncio a (nombre la participación específica en el hecho sexual) con (nombrar la persona) y te pido que rompas esa atadura. Oro en el nombre de Jesús. Amén.

Ahora haga que el niño lea o repita la siguiente oración:

> Querido Padre celestial: Yo le doy la espalda a todos estos usos de mi cuerpo. Te pido que rompas todas las amarras que Satanás haya puesto en mi vida por medio de esas participaciones. Yo confieso que participé. Ahora te presento mi cuerpo como sacrificio vivo, santo y aceptable para Ti. Yo reservo el uso sexual de mi cuerpo solamente para el matrimonio. Renuncio a la mentira de Satanás de que mi cuerpo no está limpio o que está sucio o que es inaceptable debido a mis experiencias sexuales. Señor, te agradezco que me hayas limpiado y perdonado por completo, que Tú me ames y aceptes sin que importe nada. Por tanto, me acepto a mí y a mi cuerpo como limpio. Oro en el nombre de Jesús. Amén.

Renuncias especiales del abuso ritual satánico

Un niño que haya tenido la experiencia horrible de ser sometido involuntariamente a rituales satánicos tendrá que renunciar a su participación forzada.

Sara era una niña de once años que fue criada durante los primeros cinco años de su vida en una casa de brujas. La madre de Sara había entregado su vida a Cristo varios meses antes de venir a consejería. Sus hijos también habían orado para recibir a Cristo, pero seguían siendo molestados. Tenían pesadillas, sueños con serpientes, ruidos de golpes, etcétera.

Guiamos a Sara por el inventario espiritual, renunciando a todas las prácticas de la casa de brujas a las cuales había sido sometida. Ella tenías tres "guías espirituales" porque tenía tres años de edad. Luego de renunciar a ellos por nombre, se acabaron las voces. El perdón fue un gran paso para ella (Paso tres) porque mucha gente la había dañado profundamente. Luego de terminar, le preguntamos cómo se sentía. Ella contestó: "¡Como si estuviera sentada en las rodillas de Dios!"

Hay actividades específicas que los satanistas usan en todos sus ritos. Cuando conocemos a personas que recuerdan haber participado en rituales satánicos, hacemos que repitan las siguientes renuncias. (Advertencia: Los niños son muy susceptibles a las sugerencias de los adultos y, a menudo, tienen imaginaciones creadoras. No haga preguntas que sugieran una respuesta determinada. Algunos niños son lo suficientemente astutos para decirnos lo que ellos creen que nosotros queremos oír y conducirnos así por un camino errado. Ellos pueden también inventar una historia para absolverse a sí mismos de sus propias responsabilidades).

Si los niños están prestando atención a los espíritus engañadores, esas voces pueden estar dándoles recuerdos falsos. Los recuerdos falsos suelen venir de sueños, hipnosis o "palabras de ciencia" falsas que les son dadas por otras personas. Nunca use esa 'evidencia' en contra de otra persona a menos que tenga pruebas externas firmes para sustanciar las acusaciones. Esas acusaciones ni siquiera deben hacerse en contra de un anciano de la iglesia a menos que haya dos o tres testigos que puedan corroborar las acusaciones.

Fíjese en la siguiente lista que los ritos satánicos falsifican los actos de adoración cristiana. Haga que el niño lea a través de la página, renunciando al primer punto de la columna titulada "Reino de las tinieblas" y que, luego, afirme la primera verdad de la columna titulada "Reino de la luz". Siga así por la lista hasta el final.

Reino de las tinieblas

Yo renuncio a haber firmado dando mi nombre a Satanás o renuncio a haber dejado que mi nombre fuera dado a Satanás.

Yo renuncio a toda ceremonia en que pueda haber sido casado o casada con Satanás.

Yo renuncio a cualquier y a todos los pactos (acuerdos) con Satanás.

Yo renuncio a todos los sacrificios que fueron hechos por mí en que Satanás pudiera reclamar propiedad de mí.

Yo renuncio a haber dado mi sangre para ritos satánicos.

Yo renuncio a haber comido carne o bebido sangre para la adoración satánica.

Yo renuncio a todos los guardianes y padres adoptivos que me fueron asignados por los satanistas.

Yo renuncio a todo sacrificio hecho por mí por los satanistas, mediante los cuales ellos pudieran reclamar propiedad de mí.

Yo renuncio a toda ceremonia en que yo fui asignado para ser sumo sacerdote o sacerdotisa al servicio satánico y renuncio a la mentira de Satanás que dice que él es mi dueño.

Reino de la luz

Yo anuncio que mi nombre está escrito ahora en el Libro de la Vida del Cordero.

Yo anuncio que yo soy la Esposa de Cristo.

Yo anuncio que tengo un nuevo pacto con Cristo.

Yo anuncio que pertenezco a Dios por el sacrificio de Jesús en la cruz por mí.

Yo confío únicamente en la sangre derramada de Jesús para mi salvación.

Por fe tomo la comunión que representa el cuerpo y la sangre de Jesús que fueron dados por mí.

Yo anuncio que Dios es mi Padre celestial y el Espíritu Santo es mi guardián.

Yo anuncio que Cristo es mi sacrificio y que yo pertenezco a Él porque he sido comprado y adquirido por la sangre del Cordero.

Yo anuncio que en Cristo soy de linaje escogido, sacerdocio real, nación santa, una persona propiedad de Dios. Yo le pertenezco a Él.

Donny tenía solamente dos años y medio y era extremadamente activo. Dejaba una estela de destrucción a su paso. No podía dormir por la noche y gritaba de miedo cada vez que asistía a alguna actividad cristiana. Su familia acababa de dejar la hechicería y estaba confiando en Cristo. Su madre, hermana y hermano habían ido a través de los Pasos y estaban creciendo en su relación y libertad en Cristo.

Sin embargo, los problemas de Donny parecieron empeorar después que su familia fue a través de los Pasos. Oramos por él, con su madre reclamando la mayordomía sobre su vida (la del niño). Renunciamos a su participación en la brujería y asumimos autoridad sobre todos los guías espirituales asignados a él. Cuando terminamos, Donny durmió una buena parte de dos días. Dos semanas después, cuando volvió por una visita, estaba tranquilo: su comportamiento destructor se había terminado y él había desarrollado pautas de sueño regular.

Renuncias especiales por trastornos en el comer

La gente que tiene problemas del comer está llevada por pensamientos compulsivos a eliminar cosas de sus cuerpos sea defecando, vomitando o cortándose a sí mismos. Muchos creen que están limpiándose del mal. No es raro ver cortes en los brazos de los que luchan con la anorexia. Muchos se cortan a sí mismos en forma secreta. Una jovencita se cortaba meticulosamente en la zona de la ingle, debajo de sus calzones, de modo que nadie pudiera ver. Las ideas suicidas son corrientes en estas personas.

Otra jovencita se privó de comer hasta llegar a pesar 78 libras (35 kilos y 380 gramos). Cuando tuve ocasión de hablar con ella, estaba tomando 75 laxantes por día. Le pregunté por sus pensamientos, si alguna vez había compartido plenamente lo que pasaba dentro de su mente. Por supuesto que no lo había hecho y estaba intimidada por pensamientos que la amenazaban de que le pasarían cosas aún peores cuando llegara a casa si alguna vez hablaba. Yo sugerí: "Esto no es por la comida, ¿verdad".

"No, pero todos creen que sí", respondió. Todo intento de controlar su conducta sólo hacía que el problema empeorara más. Ella no tenía idea de quién era en Cristo y no entendía nada de la naturaleza de la batalla espiritual que se libraba por su mente. Años de consejería y hospitalizaciones terminaron cuando ella finalmente comprendió. Ella reaccionó llorando luego de hallar su libertad en Cristo y diciendo: "No puedo creer todas las mentiras que he estado creyendo".

Es característico que la gente con trastornos del comer sea físicamente atractiva. Desde que son muy pequeños, reciben caricias por su aspecto. El concepto de sí mismos que tienen se basa en el aspecto físico. Se vuelven tan conscientes de sus cuerpos que sus mentes se hacen terreno abonado para el enemigo. En lugar de golpear sus cuerpos y hacerlos esclavos suyos, (ver 1 Corintios 9:27), ellos se han esclavizado a sus cuerpos. Muchos han sufrido abusos sexuales. También piensan que sus cuerpos son malos o que hay algo malo en ellos de lo cual tienen que librarse. El mal es espiritual, no es físico. Estas personas tienen que establecer sus identidades en Cristo y desarrollar sus carácteres para obtener un legítimo sentido de valor. Haga que ellos o ellas renuncien como sigue:

Reino de las tinieblas	Reino de la luz
Yo renuncio a cortarme para limpiarme del mal por ser mentira de Satanás.	Yo anuncio que solamente la sangre de Jesús puede limpiarme (Hebreos 9:14).
Yo renuncio a vomitar para limpiarme del mal y rechazo la mentira que dice que soy gorda o que mi valor está en mi aspecto físico.	Yo anuncio que toda la comida creada por Dios es buena y que los que conocemos la verdad no tenemos que rechazar nada. (1 Timoteo 4:1-5).
Yo renuncio a tomar laxantes para limpiarme del mal yendo al baño.	Yo anuncio que lo que entra por la boca no es lo que me corrompe sino lo que sale del corazón (Mateo 15:10-20).

Guiando a su hijo hacia la libertad en Cristo
5 - 8 años de edad

Los niños de esta edad no pueden leer los Pasos, así que el padre, madre, pastor, profesor o consejero deben decirles lo que deben hacer. Lo mejor que nos puede pasar es la "fe como de niños". Los niños de esta edad rara vez objetan lo que un adulto responsable haga con ellos. Aún no han aprendido a estar a la defensiva por las ideas que tengan.

Tenemos que entender que los niños en el Señor tienen la misma autoridad que la de nosotros los adultos.

No podemos destacar lo suficiente el amor de Dios y Su poderosa presencia en sus vidas. Los niños pueden aceptar el hecho que Dios esté en ellos y que es mayor que Satanás. Nosotros tenemos que entender que los niños en el Señor tienen la misma autoridad que la de nosotros los adultos. Por tanto, ellos pueden resistir al diablo.

Si el niño aún no ha confiado en Cristo como su Salvador, esta pudiera ser una buena oportunidad para que usted guíe a ese niño a Cristo y, luego, proseguir con los Pasos. Si el niño no confía en Cristo en este momento, vea el capítulo siguiente: "Orando por su hijo".

Tome en serio los comentarios asustados de los niños. Si se quejan de pesadillas horribles, o ven en su cuarto cosas que les asustan, anímelos a que cuenten todas sus experiencias sin emitir juicios. Si tomamos a la ligera esas experiencias, ellos concluirán que no nos importa o que no entendemos. En todo caso, puede que nunca vuelvan a contarle, lo cual es lo peor que puede pasar.

Muchos niños tienen "amigos" imaginarios con los que juegan. Pueden ser inocuos a menos que el amigo imaginario conteste y hable. Entonces, deja de ser imaginario. Los paladines de la Nueva

Era realmente animan a los niños a que tengan espíritus amigos o guías espirituales.

La dependencia del niño de sus "amigos" espíritus terminará, en su momento, en esclavitud espiritual. Esto debe detectarse lo antes posible. Satanás se disfraza de ángel de luz así que, probablemente, los niños pequeños no capten el peligro. Puede que hasta no quieran renunciar a eso. Por inofensivo que pudiera parecer al comienzo, no lo será a medida que la relación progrese.

Los niños pequeños no entienden la palabra renunciar, así que hagamos que le digan no a Satanás y sí a Jesús. Por ejemplo, si han sido sometidos a abuso sexual, haga que digan: "Yo digo que no a la forma en que (nombre) me tocaba y doy mi cuerpo a Jesús". Tenemos que hacer, en cuanto sea posible, que el niño asuma su responsabilidad.

Lo que sigue es una versión modificada de los *Pasos hacia la libertad* para adaptarlos a niños de 5 a 8 años de edad. Ellos pueden leer las oraciones por sí mismos o repetirlas con usted.

Debido a la sugestibilidad de los niños pequeños, la sección que sigue es adaptable. Usted puede descubrir que su hijo se ha interesado superficialmente por algunas de estas cosas o, en el futuro, puede que las mencione en una conversación casual. Ayudarnos a nosotros mismos y a nuestros hijos a mantener la libertad en Cristo sencillamente no es una cuestión de una sola vez y se acabó, sino que es cosa de observar y captar los momentos en que se puede enseñar cuando los niños están listos y dispuestos a oír. Como dice Deuteronomio 6:4-7:

> *Oye, Israel: Jehová nuestro Dios, Jehová uno es. Y amarás a Jehová tu Dios de todo tu corazón, y de toda tu alma, y con todas tus fuerzas. Y estas palabras que yo te mando hoy, estarán sobre tu corazón, y las repetirás a tus hijos; y hablarás de ellas estando en tu casa, y andando por el camino, y al acostarte, y cuando te levantes.*

Pasos hacia la libertad en Cristo
5 - 8 años de edad

(Nota: Cualquier cosa entre paréntesis es material instructivo para el padre o consejero y no debe leerse al niño).

Jesús quiere que seas libre: libre de todos los pecados y libre de los miedos. Si has recibido a Jesús como tu Salvador, Él ya ha ganado tus batallas por ti en la cruz.

He aquí las buenas noticias para ti: ¡No tienes que vivir con el pecado y el mal en tu vida! Satanás quiere que pienses que él es más fuerte de lo que realmente es. Él ya fue derrotado pcr Jesús. ¡Tú puedes tener a Jesús, el triunfador, contigo todo el tiempo!

Satanás no quiere que tú seas, en realidad, libre en Cristo. Así que asegúrate bien de decirme cómo te estás sintiendo y lo que estás pensando mientras vamos adelante. Yo puedo orar contigo cuando lo necesites.

Vamos a empezar ahora. Yo voy a decir esta oración en voz alta:

Querido Padre celestial:
Te agradecemos Tu presencia en este lugar y en nuestras vidas. Tú estás en todas partes, lo puedes todo y sabes todas las cosas. Nosotros te necesitamos y sabemos que nada podemos hacer sin Ti. Creemos en la Biblia porque nos dice lo que es realmente verdadero. No creemos las mentiras de Satanás. Te pedimos que hagas callar a Satanás y lo amarres y pongas una protección alrededor de este cuarto para que podamos hacer Tu voluntad. Como somos hijos de Dios, asumimos autoridad sobre Satanás y le ordenamos a Satanás que no moleste a (nombre) de modo que (nombre) pueda conocer y optar por hacer la voluntad de Dios. En el nombre y autoridad de Jesús y Su autoridad, mandamos que Satanás y todas sus fuerzas sean atadas y hechas callar para que no puedan producir ningún dolor ni evitar en forma alguna que la voluntad de Dios sea cumplida en la vida de (nombre). Pedimos que el Espíritu Santo nos llene y nos dirija a toda verdad. Oramos en el nombre de Jesús. Amén.

Paso 1
Decir que no a las cosas que
son espiritualmente malas

Ahora estamos listos para empezar. Vamos a ir a través de siete Pasos para ayudarte a ser libre en Cristo. Dios puede oír tu oración sea que la digas en voz alta o no. Pero como Satanás no puede leerte los pensamientos, es importante que digas cada oración en voz alta. Yo te ayudaré con cada oración.

El primer Paso es decirle que no a cualquier cosa que hayas hecho que sea espiritualmente mala. Lee o repite esta oración conmigo:

> Querido Padre celestial: Te pido que, por favor, me ayudes a recordar todo lo que yo haya hecho o en que haya participado, que sea espiritualmente malo. Si alguien me ha hecho algo que sea malo, ¿quieres también ayudarme a recordarlo? Te pido esto en el nombre de Jesús. Amén.

La Biblia enseña que Dios tiene un enemigo malo, Satanás, que lucha contra Dios. Satanás es un mentiroso y trata de engañarnos para hacer que lo adoremos y obedezcamos a él en lugar de al único Dios verdadero.

Si escuchamos u obedecemos a cualquier espíritu que no sea Dios, eso es malo. Dios quiere lo mejor para nosotros y Él nos protegerá del malo.

(Padre o consejero: En este momento, hable con el niño sobre cualquier experiencia que haya tenido con cosas que sean espiritualmente malas. La lista que sigue es para que usted la use como recurso para poder saber las cosas a que están expuestos los niños. Esta es sólo una lista parcial. Si surgen algunas de estas cosas en el curso de su conversación, asegúrese que el niño diga que no a cada participación (vea la oración al final de la lista). Esté alerta a la magnitud de su participación sin crearle el deseo de meterse más en algo. Marque todo lo que mencione el niño, aunque ella o él solamente haya mirado a otra persona hacerlo o no tuviera idea de que era malo).

___ Juegos de video o computadora que sugieren poderes ocultos o violencia cruel.

___ Libros, revistas, tiras cómicas inapropiados.

___ Películas o programas de televisión que son inapropiados.

___ Música que sea anticristiana.

___ Fosos y dragones.

___ Experiencias de haber salido de tu cuerpo.

___ María la sanguinaria.

___ Levantar mesas.

___ Tablero Ouija.

___ La octava bola mágica.

___ Echarle maldiciones o encantamientos a la gente.

___ Pactos de sangre.

___ Verse la suerte, dejarse leer las manos, cartas del Tarot.

___ Astrología/horóscopos.

___ Hipnosis.

___ Sesiones de espiritismo.

___ Magia negra o blanca.

___ Artes marciales (las creencias falsas que enseñan).

___ Meditación.

___ Escribir en trance.

___ Religiones no cristianas.

___ Otras experiencias._____.

(Haga que el niño lea o repita la siguiente oración por cada experiencia):

> Querido Padre celestial, yo confieso que he participado en
> _____. Te agradezco Tu perdón. Yo le digo que
> no a_____. Le digo que sí a Dios.

(Padre o consejero: Nuevamente esté alerta a la participación del niño cuando usted le haga las siguientes preguntas.)

1. ¿Alguna vez has tenido miedo de algo que oíste o viste en tu cuarto?

2. ¿Tienes o tuviste un amigo imaginario que te habla?

3. ¿Oyes voces en tu cabeza que te dicen lo que tienes que hacer?

4. ¿Alguna vez le has hecho una promesa al diablo?

5. ¿Alguna vez te ha dicho alguien que cierres los ojos y te imagines que te vas a un lugar diferente?

6. ¿Has tenido alguna otra experiencia que dañe tu relación con Dios?

7. ¿Tienes miedo de irte a acostar en la noche debido a las pesadillas?

(Ahora haga que el niño lea o repita la siguiente oración):

Querido Padre celestial, yo confieso que he estado metido en_____. Te agradezco por perdonarme. Le digo que no a _____. Le digo que sí a Dios.

(Nota para el padre/madre o consejero: Si el niño ha sido sometido a rituales satánicos o ha tenido trastornos del comer, por favor, fíjese en las "Renuncias especiales" que están al final de los Pasos para los niños de 9 a 12 años de edad).

Paso 2
Eligiendo la verdad

La Biblia es verdad y tenemos que aceptar esa verdad profunda en nuestro corazón (ver Salmo 51:6). El rey David escribió: "Bienaventurado el hombre... en cuyo espíritu no hay engaño. (Salmo 32:2). Empiece este paso importante leyendo o repitiendo en voz alta la siguiente oración.

Querido Padre celestial: Sé que Tú deseas que yo diga la verdad. Tú sabes todo de mí y aún así me amas. He sido engañado por el padre de las mentiras y me he engañado a mí mismo. Como invité a Jesús a mi vida, ahora yo soy Tu hijo. Le mando a todos los espíritus malignos que me dejen. Muéstrame si hay algo en mí que esté tratando de esconder, porque quiero ser libre. Yo prefiero creer la verdad de quién eres Tú y quién soy yo como hijo Tuyo. Oro en el nombre de Jesús. Amén.

(Para que los padres lean a sus hijos: Sólo quiero que recuerdes cuánto te amo y cuán agradecido estoy con Dios que me haya dado un hijo como tú. Quiero que podamos confiar el uno en el otro al ir a través de estos Pasos. Decir la verdad con amor es importante porque juntos somos socios en Cristo (ver Efesios 4:25).

(Haga que el niño lea o repita en voz alta las siguientes declaraciones de fe):

1. Creo que hay un solo Dios verdadero que es Padre, Hijo y Espíritu Santo.

2. Creo que Jesucristo es el Hijo de Dios que derrotó a Satanás y todos sus demonios.

3. Creo que Dios me ama tanto que hizo que Su propio Hijo fuera a la cruz y muriera por todos mis pecados.

4. Yo tengo la autoridad para resistir a Satanás porque soy un hijo de Dios. Me pongo la armadura de Dios para poder estar firme en el Señor.

5. Creo que la verdad me hará libre.

6. Prefiero usar mi cuerpo para hacer solamente cosas buenas.

7. Pido a Dios que me llene con Su Espíritu Santo. Yo amo a Dios con todo mi corazón, alma y mente.

Paso 3
Perdonando a otros

Dios nos dice que perdonemos a los demás tal como Él nos ha perdonado (ver Efesios 4:32). Pídele a Dios que te traiga a la mente los nombres de las personas que tienes que perdonar diciendo en voz alta la siguiente oración:

> Querido Padre celestial: Ayúdame a recordar quienes son las personas que tengo que perdonar. Yo sé que Jesús me sanará de mis heridas. Oro en el nombre de Jesús. Amén.

Yo te ayudaré a hacer una lista de toda la gente que tienes que perdonar. Recuerda que perdonar a la gente que te ha tratado mal es la manera de Dios para librarte de las experiencias pasadas dolorosas. (Dese tiempo para hacer una lista).

Ahora que terminaste la lista, puedes perdonarlos como Jesús te ha perdonado. Ora por cada persona hasta que todo el dolor se vaya. Entonces sigue con la próxima persona. Lee o repite en voz alta la siguiente oración por cada nombre:

> Señor, yo perdono a (nombre de la persona) por (dices lo que te hicieron para dañarte). Eso me hizo sentir (aquí dices cómo te sentiste).

Paso 4
Rebelión

Hoy son muchos los niños que no respetan a las personas que les dicen qué hacer. Sin embargo, Dios ha puesto a estas personas en autoridad sobre nosotros: padres, profesores, líderes de la iglesia, policías, Dios. Dios los ha puesto ahí para nuestra protección. Dios nos asegura que vivir bajo autoridad es por nuestro bien.

Ignorar a o luchar contra Dios y la gente que Él puso sobre nosotros, es malo. Da ocasión a Satanás para que nos moleste. La obediencia a Dios es la única respuesta. Él quiere que tú obedezcas a tus padres, abuelos, profesores, líderes de la iglesia y policías. Si cualquiera de estas personas te pide que hagas algo que es malo, tienes que decírselo a alguien en quién confíes. ¿Has desobedecido a tus padres, abuelos, profesores, líderes de la iglesia, policías? Entonces lee o repite en voz alta la siguiente oración:

> Querido Padre celestial: La Biblia enseña que la rebelión es lo mismo que la brujería y que la desobediencia es como honrar a otros dioses. Yo sé que he desobedecido y me he rebelado en mi corazón contra Ti. También he desobedecido (nombrar la persona). Te pido Tu perdón por mi deso-

bediencia y rebelión. Por la sangre derramada de Jesús yo resisto todos los espíritus malos que se aprovecharon de mi rebelión y desobediencia. Ahora escojo ser obediente a los que están en autoridad sobre mí. Oro en el precioso nombre de Jesús. Amén.

Paso 5
Orgullo

El orgullo dice: "Yo soy mejor que los demás". También dice: "¡Yo puedo hacer esto solo, sin Dios ni nadie más!" ¡Oh no, no podemos! Necesitamos absolutamente de Dios y nos necesitamos desesperadamente unos a otros. Pablo escribió: "Nada hagáis por contienda o por vanagloria; antes bien con humildad, estimando cada uno a los demás como superiores a él mismo" (Filipenses 2:3). Él también dijo que "fortaleceos en el Señor, y en el poder de su fuerza" (Efesios 6:10). Tendremos problemas espirituales cuando nos pongamos orgullosos (ver Santiago 4:6-10; 1 Pedro 5:1-10). Lee o repite la siguiente oración para prometer que vivirás humildemente ante Dios.

Querido Padre celestial: A menudo he pensado solamente en mí. A veces pienso que soy mejor que los demás. Por favor, perdóname por mi orgullo. Yo te necesito a Ti y necesito a otras personas para que me ayuden a vivir bien. Ahora elijo hacer que los demás sean más importantes que yo y te hago a Ti el más importante de todos. Pido esto en el nombre de Jesucristo. Amén.

Paso 6
Pecado

El siguiente Paso a la libertad tiene que ver con el pecado de nuestra vida. Muchos pecados pueden dominarnos. La Biblia dice: "Desechemos, pues, las obras de las tinieblas, y vistámonos las armas de la luz ... vestíos del Señor Jesucristo, y no proveáis para los deseos de la carne" (Romanos 13:12,14). Lee o repite en voz alta la siguiente oración:

Querido Padre celestial: Estoy de acuerdo contigo que yo he hecho cosas malas. Te pido que me ayudes a saber todas las cosas malas que he hecho. En el nombre de Jesús. Amén.

La lista que sigue contiene algunos de los pecados más corrientes. Yo leeré una lista de pecados y si tú has cometido estos pecados en tu vida, dime para que yo pueda marcarlos.

____ robar

____ mentir

____ pelear

____ insultar

____ enojarse

____ malos pensamientos

____ engañar

____ decir malas palabras

____ pereza (flojera)

____ desear tener lo que tiene otra persona

____ otros_____.

Entonces, lee o repite la siguiente oración por cada pecado.

Querido Padre celestial: Yo he cometido el pecado de ____ _____. Te agradezco por Tu perdón y limpieza. Yo le digo que no a este pecado y digo que sí a Ti. En el nombre de Jesús. Amén.

Dios te ha perdonado completamente de esos pecados. Nunca dejes que Satanás te haga sentir mal o que te haga pensar que sigues siendo culpable de esos pecados. Cada vez que el pecado vuelva a tu vida, recuerda 1 Juan 1:9: "Si confesamos nuestros pecados, él es fiel y justo para perdonar nuestros pecados y limpiarnos de toda maldad". "Fiel" significa que Dios siempre hace lo que dice que hará.

Lee o repite la siguiente oración:

Señor, te agradezco por perdonarme todos mis pecados. Ahora mando a Satanás que se vaya, y opto por vivir la vida santa para poder ser libre. Oro en el nombre de Jesús. Amén.

(Nota al padre, madre, pastor o consejero: Si el niño ha sido sometido a pecados sexuales, abuso ritual satánico o trastornos del comer, por favor, fíjese en las "Renuncias especiales" que están al final de los Pasos para niños de 9 a 12 años.

Paso 7
Pecados de los padres

El último Paso a la libertad es renunciar a los pecados de tus padres y abuelos. La Biblia dice: "¡Oh, Señor Jehová! He aquí que tú hiciste el cielo y la tierra con tu gran poder, y con tu brazo extendido, ni hay nada que sea difícil para ti; que haces misericordia a millares, y castigas la maldad de los padres en sus hijos, después de ellos; Dios grande, poderoso, Jehová de los ejércitos es su nombre" (Jeremías 32:17,18). Tú no tienes la culpa de los pecados de otros familiares pero por el pecado de ellos, Satanás puede haber logrado meter el pie en la puerta que da acceso a tu familia. Di o repite en voz alta la siguiente oración:

Querido Padre celestial: Yo digo que no a todos los pecados de mi familia. Jesús ha roto todas las obras de Satanás que me fueron traspasadas por mis abuelos y padres. Como soy propiedad de Jesús, rechazo todas y cualquiera de las formas en que Satanás podría reclamar propiedad de mí. Yo anuncio a todas las fuerzas del mal que estoy por siempre y completamente consagrado y entregado al Señor Jesucristo. Ahora te pido, Padre celestial, que me llenes con Tu Espíritu Santo. Te presento mi cuerpo a Ti. En el nombre del Señor Jesús. Amén.

Siguiendo libre

Ahora que eres libre en Cristo, hablemos de seguir libre en Cristo. (Repase los siguientes puntos con su hijo):

1. Asegúrate de tener buenos amigos.

2. Piensa y habla siempre la verdad con amor.

3. Lee diariamente tu Biblia (o pide que alguien te la lea).

4. Obedece a tu padre y a tu madre.

5. Obedece a todos los que tengan autoridad sobre ti.

6. No dejes que se agranden tus problemas. Comparte tus luchas con alguien en quien confíes.

7. No trates de vivir la vida cristiana por tu propia cuenta.

8. Siempre invoca a Dios cuando pienses que estás siendo atacado.

9. Si algo trata de asustarte, dile que se vaya en el nombre de Jesús.

10. Disfruta la vida maravillosa que Dios te ha dado y todo lo que Él ha creado. Cristo satisfará todas tus necesidades conforme a Sus gloriosas riquezas.

Lean juntos o repite lo que sigue:

En Cristo soy aceptado

Juan 1:12	Soy hijo de Dios.
Juan 15:15	Soy amigo de Cristo.
1 Corintios 6:20	Fui comprado por precio; pertenezco a Dios.
Efesios 1:5	He sido adoptado (elegido) como hijo de Dios.
Colosenses 1:14	He sido redimido (comprado por Dios) y perdonado de todos mis pecados.

En Cristo estoy seguro y a salvo

Romanos 8:28	Estoy seguro de que todas las cosas obran para bien.
Romanos 8:35	No puedo ser separado del amor de Dios.
Filipenses 3:20	Soy un ciudadano del cielo.
2 Timoteo 1:7	No me ha sido dado espíritu de temor sino de poder, amor y de salud mental.
1 Juan 5:18	Soy nacido de Dios y el maligno no puede tocarme.

En Cristo tengo significado

Mateo 5:13,14	Soy la sal y la luz de la tierra.
2 Corintios 6:1	Soy colaborador de Dios (1 Corintios 3:9).
Efesios 2:6	Estoy sentado con Cristo en los lugares celestiales.
Efesios 3:12	Puedo acercarme a Dios con libertad y confianza.
Filipenses 4:13	Todo lo puedo en Cristo que me fortalece.

Pasos hacia la libertad en Cristo
0 a 4 años de edad

Como los niños de esta edad no pueden leer, los padres deben asumir la responsabilidad por ellos y ejercer su autoridad en Cristo. Sin embargo, los niños de esta edad pueden entender el amor y el poder de Jesús en sus vidas. Su fe infantil será un estímulo para usted mientras va orando por ellos y lo que aprendan de sus oraciones puede llevarlos a depositar su confianza en Cristo alguna vez. Esta es la única vez que le animamos a que imponga sus manos a sus hijos si ellos se lo permiten y ore por ellos.

Después de terminar una conferencia un pastor me contó cómo pudo, por fin, ayudar a su hija de tres años. La niña se despertaba todas las noches con miedo y quejándose de que había algo en su cuarto. Él y su esposa hicieron inicialmente lo que haría la mayoría de los padres. La acompañaron a su cuarto y declararon que no había nada luego de haber mirado en el clóset y debajo de la cama. Esto venía ocurriendo hacía tres meses. La niña no había visto películas malas ni tenía la suficiente edad para cometer pecados grandes.

Durante la semana de la conferencia los padres empezaron a entender lo que estaba sucediendo. El viernes por la noche se sentaron con ella y le explicaron que ella tenía a Jesús en su corazón (ella había confiado en Cristo a temprana edad) y como Jesús estaba en su corazón ella podía decirle a lo que hubiera en su cuarto que se fuera porque Jesús era más grande que ellos. Ella no fue al dormitorio de ellos esa noche y a la mañana siguiente proclamó osadamente: "Anoche vinieron a mi cuarto y yo les dije en el nombre de Jesús que se fueran, ¡y se fueron!"

Un misionero veterano que iba a mi clase del seminario compartió que su hijo estaba teniendo visitas nocturnas. Él y su esposa confesaron todos sus pecados y luego impusieron sus manos al niño, mandando en el nombre de Jesús a Satanás que dejara al niño. Se acabaron las pesadillas.

Usted puede adaptar para su hijo cualquiera de las oraciones de los otros *Pasos hacia a la libertad* para niños o puede orar algo como lo que sigue:

Querido Padre celestial: Traigo a mi hijo (nombre) ante Ti. Declaro que yo y mi familia estamos bajo Tu autoridad. Reconozco mi dependencia de Ti pues separado de Ti nada puedo hacer. Pido Tu protección durante este tiempo de oración. Asumo mi responsabilidad por todo lo que Tú me has encomendado y ahora consagro mi vida, mi matrimonio y mi familia a Ti. Declaro que mi hijo está entregado eternamente al Señor Jesucristo. Como yo estoy en Cristo y sentado con Él en los lugares celestiales, tomo autoridad sobre el enemigo renunciando a cualquiera y todos los cometidos que Satanás tenga sobre mi hijo (nombre). Yo acepto solamente la voluntad de Dios para mí y mi familia. Ahora mando a Satanás y todos sus demonios que dejen de molestar a mi hijo (nombre) y se vayan. Pido un cerco protector en torno a él/ella y mi hogar. Me someto a Ti y te pido me llenes con Tu Espíritu Santo. Me consagro a mí mismo y a mi hijo (nombre) como templos del Dios vivo. Pido esto en el precioso nombre de Jesús, mi Señor y Salvador. Amén.

Nuestros hijos son preciosos regalos de Dios. Debemos hacer todo lo que podamos para protegerlos del dios de este mundo. Podemos hacer eso siendo los padres que Él quiere que seamos, rodeándolos de un hogar centrado en Cristo y elevándolos en oración como la que sigue. En el próximo capítulo se ofrecen sugerencias de oraciones más específicas por nuestros hijos.

Orando por su hijo

Oración diaria:

Querido Padre celestial, pido que (nombre) pueda ser llenado con el conocimiento de Tu voluntad en toda sabiduría y entendimiento espirituales de modo que (nombre) pueda andar en forma digna de Tu nombre. Que él/ella te complazcan en todo aspecto, llevando fruto en toda buena obra y que crezcan en el conocimiento de Ti. Yo oro que (nombre) sea fortalecido con todo poder conforme a Tu gloriosa fuerza para que él/ella sea constante y paciente. Pido, Padre celestial, que (nombre) vea Tu poderosa obra y gozosamente te dé gracias a Ti que nos has calificado para que participemos de la herencia de los santos (ver Colosenses 1:9-12). Ruego que (nombre) siga creciendo en sabiduría y estatura y favor con Dios y el prójimo (ver Lucas 2:52). Oro en el precioso nombre de Jesús. Amén.

20

Orando por su hijo

Pablo terminó su enseñanza sobre la armadura de Dios, diciendo: "Orando en todo tiempo con toda oración y súplica en el Espíritu, y velando en ello con toda perseverancia y súplica por todos los santos" (Efesios 6:18). Desde luego, esto comprende a nuestros hijos. Las fuerzas que no vemos nos hacen totalmente dependientes del Señor. Algunas batallas no pueden librarse con nuestros limitados recursos. Nuevamente dependemos del Señor. Pablo dice que realmente no sabemos cómo ni por qué oramos (ver Romanos 8:26,27). Por eso debemos orar en el Espíritu, porque la oración que Dios Espíritu Santo nos impulsa a orar, es la oración que Dios Padre siempre responderá.

La oración es la demostración más concreta de nuestra dependencia de Dios. Yo tiendo a no orar cuando creo que puedo hacerlo todo por mí mismo. Me vuelvo un guerrero de oración cuando sé que aparte de Cristo nada puedo hacer (cosa que ocurre todo el tiempo). Sin embargo, no tenemos que esperar una guía insólita del Espíritu Santo para orar efectivamente debido a que el mismo Espíritu Santo es el medio por el cual nos fue dada la Palabra de Dios. Entonces podemos orar con confianza si nuestras oraciones de intercesión y petición son consistentes con la Escritura. Las que siguen son oraciones bíblicas por sus hijos.

Dándole su hijo a Dios

Pablo escribió: "Así, pues, téngannos los hombres por servidores de Cristo, y administradores de los misterios de Dios. Ahora bien, se requiere de los administradores, que cada uno sea hallado fiel" (1 Corintios 4:1,2). El administrador es un gerente o superintendente del hogar de una tercera persona. Como cristianos no poseemos nada en el reino de Dios. Todo lo que tenemos le pertenece a Dios; nosotros tenemos que ser mayordomos confiables de lo que Él nos ha dado.

Decimos que los hijos son nuestros, pero como todo lo demás que tenemos, nuestros hijos pertenecen a Dios.

Nuestros hijos son la posesión más valiosa que Dios ha encomendado a nuestro cuidado. Dios nos permite acceder a solamente un acto creativo, el cual es la procreación. Decimos que los hijos son nuestros pero, como todo lo demás que tenemos, nuestros hijos pertenecen a Dios. Él los conoció desde la fundación del mundo. Nosotros somos meros mayordomos de las preciosas vidas humanas que Dios nos ha permitido traer al mundo.

Oración para dedicar a un hijo

Dedicar al bebé es una declaración pública de mayordomía de los padres. En esta declaración decimos: "Este niño pertenece a Dios. Nosotros dedicamos nuestro hijo a Dios y nos comprometemos para ser mayordomos fieles de eso que Él nos ha confiado". El relato de Ana suele leerse junto con la dedicación del bebé (ver 1 Samuel 1:1-28). Dios había cerrado la matriz de Ana por alguna razón y ella no tenía hijos. Muy perturbada ella oró pidiéndole a Dios que le diera un hijo, haciendo votos de dar el niño al Señor (ver versículo 11). Dios contestó la oración de Ana y ella cumplió su voto. Luego que Samuel fue destetado, lo presentó al Señor: "Yo, pues, lo dedico también a Jehová; todos los días que viva, será de Jehová. Y adoró allí a Jehová" (1 Samuel 1:28).

José y María también fueron modelos de la importancia que tiene darle a Dios a nuestros hijos. "Y cuando se cumplieron los días de la purificación de ellos, conforme a la ley de Moisés, le trajeron a Jerusalén para presentarle al Señor" (Lucas 2:22). Como José y María, tenemos que purificarnos como mayordomos confiables y obedientes para llevarle al Señor a nuestros hijos.

Las iglesias reformadas y la mayoría de las iglesias litúrgicas combinan la dedicación formal del niño con el bautismo infantil. Otras iglesias que sostienen el bautismo del creyente por inmersión ven la dedicación del bebé como un acto separado. De una u otra forma, el acto que hacen los padres al presentar sus hijos a Dios se basa en un firme principio bíblico.

La dedicación del bebé o el bautismo suele considerarse como poco más que una oportunidad para que los orgullosos padres exhiban a su hijo nuevo. Nosotros actuamos como si no esperáramos que sucediera algo espiritual, pero lo que acontece en el reino espiritual es la única cosa significativa que puede pasar. Satanás tiene en mente algo espiritualmente significativo para el hijo suyo y no es lo que a usted querría. Presentar su hijo a Dios por medio de la dedicación pública es el primer paso para proteger al niño de los planes destructores de Satanás.

Permita que sugiera una oración que el jefe de familia o el marido y la esposa pueden decir en publico cuando dediquen su hijo al Señor:

Amado Padre celestial: Te agradezco por amarme y darme vida eterna en Cristo Jesús. Yo soy hijo (hija) tuyo (tuya) adquirido (a) por la sangre del Señor Jesucristo que dio Su vida por mí. Yo renuncio a todo reclamo de posesión personal de todo lo que tengo y anuncio mi responsabilidad de ser un buen mayordomo de lo que Tú me has encomendado. Me dedico a Ti como sacrificio vivo y me comprometo a conocerte y hacer Tu voluntad. Me comprometo a criar a Tu hijo (a) (nombre) en la disciplina e instrucción del Señor. Sé que este niño(a) te pertenece a Ti y que es un regalo Tuyo y yo lo (la) dedico a Ti mientras viva. Rechazo todo reclamo que Satanás pudiera tener sobre (nombre) pues pertenece al Señor Jesucristo. Yo anuncio que Jesús pagó el precio por mi hijo (a) y que él (o ella) le pertenece a Él. En cuanto a mí y mi casa, nosotros serviremos al

Señor. Hago todo esto en el maravilloso nombre de Cristo Jesús mi Señor. Amén.

Oración para la salvación de un hijo

En ninguna forma dependemos más de Dios como padres administradores que en lo tocante a la salvación de nuestros hijos. No podemos hacer que ellos nazcan de nuevo. Pero podemos y debemos hacer todo lo que podamos para dirigirlos a Cristo siendo los testigos que Dios quiere que seamos. Además, debemos orar por su salvación. El apóstol Juan escribió sobre la importancia de la oración para llevar al prójimo a Cristo:

Y esta es la confianza que tenemos en él, que si pedimos alguna cosa conforme a su voluntad, él nos oye. Y si sabemos que él nos oye en cualquiera cosa que pidamos, sabemos que tenemos las peticiones que le hayamos hecho. Si alguno viere a su hermano cometer pecado que no sea de muerte, pedirá, y Dios le dará vida; esto es para los que cometen pecado que no sea de muerte. Hay pecado de muerte, por el cual yo no digo que se pida.

1 Juan 5:14-16

El contexto de estos versos es la seguridad de la vida eterna (versículos 11-13) y la seguridad de la oración contestada (versículos 14,15). La palabra 'vida' en este pasaje es claramente la vida espiritual. Un "hermano comete pecado que no sea de muerte" se refiere a uno que no es cristiano pero que no ha rechazado totalmente el convencimiento del Espíritu Santo, cual es el pecado de la incredulidad o "el pecado imperdonable". Juan dice que Dios dará vida espiritual a los incrédulos como respuesta a nuestras oraciones de fe.

Este pasaje no enseña que podemos escoger a la gente que queremos sea salva, orar por ellos y que ellos sean automáticamente salvados. Pero sí enseña que la oración desempeña una parte en el proceso con que Dios lleva la gente a Él. Sabemos que la salvación de los impíos es el deseo de Dios porque "el cual quiere que todos los hombres sean salvos y vengan al conocimiento de la verdad" (1 Timoteo 2:4). Dios promete responder nuestras oraciones por el incrédulo de alguna manera si la persona no ha endurecido su corazón.

Su hijo debe estar en el primer lugar de su lista de oración. Uno de sus papeles primordiales como mayordomo de Dios es el de interceder por su salvación. Permítame que sugiera una oración que usted puede usar para la salvación de su hijo:

> Amado Padre celestial, traigo a Tu hijo (nombre) ante Ti. Yo me pongo contra la ceguera de Satanás que le impediría ver la luz del evangelio de la gloria de Cristo y de creer la verdad que lleva a la salvación (2 Corintios 4:4). Tomo mi posición en Cristo y ejerzo Su autoridad sobre Satanás tocante a (nombre) a quien Tú me has encargado. En el nombre de Jesús yo asumo autoridad sobre las especulaciones y toda cosa altiva erigida en la mente de mi hijo contra el conocimiento de Dios (2 Corintios 10:5). Yo me pongo contra las fortalezas de su mente que le impidan obedecer a Cristo. Por la autoridad que tengo en Cristo y obedeciendo la Gran Comisión de hacer discípulos, te pido que liberes la mente de (nombre) para que pueda obedecer a Dios. Me declaro a mí mismo y a todo lo que Tú me has encargado como eternamente entregado al Señor Jesucristo. Basado en Tu Palabra, de 1 Juan 5:16, te pido le des vida eterna a (nombre). Yo te ruego que me capacites para que yo sea el padre/la madre que Tú quieres que yo sea. Que yo nunca sea una piedra de tropiezo para este niño que me has confiado. Capacítame para ser un testigo positivo y una epístola viva para él/ella. Pido esto en el nombre y la autoridad del Señor Jesucristo. Amén.

Dedicando diariamente sus hijos a Dios

Aun como mayordomo fiel de su hijo no siempre sabrá qué piensa el niño y tampoco puede estar en todo lugar donde vaya el niño. Usted debe depender del Señor tocante a la protección, dirección y crecimiento diarios de su hijo. Usted puede haber dedicado su hijo al Señor y puede haber orado con él o ella para que reciba a Cristo como su Salvador, pero su ministerio de oración por su hijo no termina ahí. Usted es responsable de elevarlo diariamente al Señor.

Job entendió evidentemente la importancia de la oración diaria por sus hijos, porque él "los santificaba, y se levantaba de mañana y ofrecía holocaustos conforme al número de todos ellos" (Job 1:5). Cuando Dios le señaló la rectitud de Job a Satanás, éste indicó la protección que Dios había puesto en torno a Job, su familia y sus posesiones (ver versículos 8-10), sugiriendo por ello que Job no sería tan recto si Dios no lo protegiera tan bien. Quizá sea verdad lo contrario: la protección fue el resultado de la vida santa de Job y su voluntad para orar diariamente por su familia. Naturalmente después Dios les quitó la protección permitiendo que Satanás se hiciera la fiesta con Job y su familia, pero aun sin la protección: "En todo esto no pecó Job, ni atribuyó a Dios despropósito alguno" (versículo 22). La historia de Job da varios principios importantes tocante a ser padres y orar. Satanás anda buscando maneras de destruir su familia —a usted y a sus hijos. Mientras más recto sea usted, más se interesará por atacarlo. Usted y sus hijos dependen extremadamente de Dios para su protección espiritual.

Dios pondrá una protección en torno de su familia como respuesta a su vida santa y a su dependencia en oración. Claro está que Dios puede también quitar la protección si eso sirve un propósito mayor. Sufrir es el resultado del pecado, no obstante como indiqué antes, aun el justo puede sufrir por hacer lo bueno pero nunca sin propósito (ver 2 Timoteo 3:12). Si llega el sufrimiento a su familia, usted debe seguir confiando en el Señor, orando y rehusando justificarse. Dios arreglará todo al final para los padres que confían en Él y lo aman como hizo con Job.

Oración pidiendo protección

¿Cómo se sintió cuando su primer hijo salió de la casa para ir a su primer día de clases? Si sus hijos aún están en casa, ¿cómo piensa que se va a sentir ese día especial? Puede que se lamente: "¡Ahí sale mi hijo al mundo hostil sin mí!" Usted está emocionado por el potencial y creciente conciencia del niño, pero teme al mundo impío que está por conocer. Usted sabe que no puede retener por siempre al niño en la casa y, sin embargo, desea poder hacerlo para protegerlo.

Su hijo no va solo a ninguna parte. El Dios a quien usted lo presentó está presente en todas partes. Él nunca dejará ni desamparará a su hijo. Usted puede invocarlo diariamente para protección de su hijo. He aquí una oración que puede usar para pedirle a Dios que ponga protección en torno a su hijo:

> Amado Padre celestial, te ruego Tu divina protección para (nombre) al ausentarse de mí. Oro que Tú pongas protección alrededor de él/ella para que las influencias dañinas no lo afecten. Yo te consagro a (nombre) dejándolo a Tu cuidado y yo asumo toda mi responsabilidad de prepararlo en el Señor. También asumo la responsabilidad de las actitudes y acciones de él/ella que sean resultado de la preparación que yo le di. Pido que Tu Espíritu Santo guarde el corazón de (nombre) y ponga en su mente todo lo aprendido de Tu Palabra. Te agradezco que cuando sea tentado, Tú le darás la salida y que no será tentado más de lo que puede soportar en Ti (1 Corintios 10:13). Ruego que la manera en que él/ella viva sea testimonio de Tu presencia en su vida. Que todo lo que (nombre) haga sea hecho para la gloria de Dios. Pido esto en el precioso nombre de mi Señor y Salvador Jesucristo. Amén.

Oración por un niño rebelde

¿Alguna vez ha tratado de razonar con un niño rebelde? ¡No se puede! Efectivamente se nos dice que: "El que corrige al escarnecedor, se acarrea afrenta; el que reprende al impío, se atrae mancha. No reprendas al escarnecedor, para que no te aborrezca" (Proverbios 9:7,8). ¿Qué se puede hacer?

Primero, debe mantener una norma de santidad personal en su hogar. Usted no puede ceder en sus convicciones y esperar que Dios bendiga sus esfuerzos. Estar fuera usted mismo de la voluntad de Dios esperando a que su hijo esté en la voluntad de Él ¡eso no funcionará!

Segundo, la rebeldía es un problema espiritual que exige una solución espiritual (ver 1 Samuel 15:23). Permitir que domine su hogar un niño que está fuera de la comunión con Dios, es permitir que su hogar sea dominado por otro espíritu que no es el Espíritu de Dios, y eso es malo. Los problemas espirituales como la rebelión pueden resolverse solamente ejerciendo los frutos del Espíritu y yendo al Señor en oración. Considere usar la oración que sigue para un niño rebelde:

Amado Padre celestial, pido en el nombre del Señor Jesucristo y por medio de Su sangre derramada que Tú reprendas a Satanás y le prohíbas tener influencia dañina en (nombre). Perdóname por cualquier influencia negativa que yo pude haber tenido en él/ella que le hubiera impulsado a optar por rebelarse contra Ti. Yo ruego que Tú me des la gracia para pedirle perdón a (nombre) por mi influencia negativa. Pido la sabiduría y la gracia para ser la clase de padre/madre que Tú me creaste para ser. Yo reconozco los pecados de (nombre, y a continuación, mencione la lista de todos los pecados conocidos)) y asumo mi responsabilidad por la parte que desempeñé en sus acciones. Yo oro que Tú construyas un cerco en torno a él/ella para que todas las influencias dañinas pierdan interés. Yo ruego que él/ella vuelva en sí y regrese a la vida recta y a las relaciones de amor. Pido gracia para acoger a (nombre) en casa o guía para hallar un lugar de refugio para bien suyo. Enséñame a amar a mi hijo pero a odiar su pecado. Pido esto en el precioso nombre de Jesús. Amén.

Oración por el futuro de su hijo

Usted no puede determinar el futuro de su hijo; solamente Dios es el autor y consumador de la vida y la fe. Santiago escribió: ¡Vamos ahora! Los que decís: Hoy y mañana iremos a tal ciudad, y estaremos allá un año, y traficaremos y ganaremos; cuando no sabéis lo que será mañana. Porque ¿qué es vuestra vida? Ciertamente es neblina que se aparece por un poco de tiempo, y luego se desvanece. En lugar de lo cual deberíais decir: Si el Señor quiere, viviremos y haremos esto o aquello (Santiago 4:13-15).

Usted no puede moldear a su hijo en lo que usted quiere que sea; usted puede solamente ayudarle a llegar a ser lo que Dios quiere que sea.

Esto no es un permiso para ser irresponsable tocante al futuro de su hijo o el suyo propio aunque no sepa lo que Dios ha planeado para su hijo o para usted mismo. Usted no puede moldear a su hijo en lo que usted quiere que sea; usted puede solamente ayudarle a llegar a ser lo que Dios quiere que sea. La siguiente oración es un ejemplo de la manera de orar por el futuro de su hijo:

Amado Padre celestial, pido Tu guía divina para (nombre). Confío que Tú ya vas adelante de él/ella y tienes preparado un lugar para él/ella. Tú has conocido a (nombre) desde la fundación del mundo. Yo lo entrego a Tus manos y oro por sabiduría para saber cómo relacionarme con él/ella en el futuro. Yo libero a (nombre) de todas mis expectativas y lo encomiendo para que sea lo que Tú quieres. Ruego que Tú le des sabiduría a (nombre) para elegir el cónyuge de su vida. Oro por su futuro cónyuge. Si los bendices con hijos, te ruego que les enseñen a sus hijos conforme a Tu Palabra y les enseñen cómo confiar en Jesús como su Salvador. Que yo sea el abuelo que Tú quieres que sea. Oro como Jesús rogó que Tú resguardes a (nombre) del maligno y lo santifiques en Tu Palabra pues Tu Palabra es verdad. Pido esto en el nombre de mi Señor y Salvador Jesucristo. Amén.

Oración por un hijo adoptivo

Los hijos adoptivos son sumamente vulnerables a la influencia demoníaca. La mayoría de ellos están disponibles para adopción porque sus madres o padres solteros son incapaces de criarlos o porque sus padres naturales no los quieren. Algunos niños se adoptan porque sus padres los maltrataban o porque fueron malos mayordomos durante el tiempo que los niños estuvieron en sus casas.

Satanás trata de reclamar propiedad de cualquiera que no esté consagrado a Jesucristo y puesto bajo Su autoridad. Debido a que estos niños no están espiritualmente a cargo del cuidado protector de padres que los aman, llegan a sus padres adoptivos con problemas espirituales aun cuando son bebés. Hemos aconsejado a muchos matrimonios devotos que adoptaron niños sólo para ver que ellos destruían su familia.

Si usted está pensando en adoptar un niño le recomendamos que busque una agencia que localice padres adoptivos antes que nazca el niño. Si fuera posible usted debe estar presente en el momento del parto y traer al niño a su casa desde el hospital. Usted debe dedicarle al Señor a su hijo adoptivo de inmediato para sumir la mayordomía y negar toda influencia demoníaca.

Si usted ya tiene un hijo adoptivo, conduzca al niño por los *Pasos hacia la libertad*, como se explicó en el capítulo 19. Luego ore por el niño como sigue:

Amado Padre celestial, te agradezco por confiarme a (nombre) como hijo adoptivo. Yo declaro que (nombre) está bajo Tu autoridad. Dedico a este niño a Ti y pido Tu protección y guía al comprometerme a hacer todo lo que pueda para dirigirlo a que conozca Tu gracia que salva. Me pongo contra todas las estratagemas de Satanás que mantengan en esclavitud a (nombre). Renuncio a los pecados de los antepasados de este niño y a todas las maldiciones que hayan sido pasadas de generación en generación. Anuncio que Cristo se hizo maldición por (nombre) cuando Él fue crucificado en la cruz. Renuncio a todos los sacrificios satánicos que hayan sido hechos por cuenta de (nombre) y a todo reclamo de propiedad que tuviese Satanás. Yo anuncio que solamente el Señor Jesucristo tiene reclamo de propiedad de él/ella. Oro por protección en torno a (nombre) durante todos los días de su vida. Pido esto en el poderoso nombre de Jesús, que reina supremo como el soberano Señor del universo. Amén.

Oración para la hora de acostarse

Lo que sigue es un ejemplo de oración que usted puede enseñar a sus hijos para la hora de acostarse. Usted puede dirigirlos para que digan la oración, línea por línea, hasta que la puedan decir por cuenta propia. Esta oración se basa en el Salmo 91:

> Amado Dios, te agradezco que seas mi Padre celestial. Te agradezco por estar en mi vida, en mi cuarto y en todas partes donde voy. Sé que Tú siempre estás conmigo y que nunca me dejarás. Yo me consagro a Ti y pido Tu protección. Yo opto por confiar en Ti. Sé que si alguna vez tengo miedo, siempre puedo invocarte para que me rescates. Pido que Tú protejas mi mente esta noche mientras yo duermo. Por favor, bendice y protege mi hogar y a mis padres. Yo te amo. Oro esto en el nombre de Jesús. Amén.

Enseñando a su hijo a orar en contra de un ataque espiritual

Todo niño tiene que saber cómo resistir cuando sienta una presencia en su cuarto o tenga una confrontación directa con el mal. Satanás y sus demonios siempre se someten en la Biblia a la Palabra hablada. No hay un caso bíblico en que Satanás haya sido derrotado sencillamente por los pensamientos del creyente. Por tanto, nosotros creemos que es importante que su hijo sepa resistir verbalmente cuando esté bajo ataque espiritual y exprese su fe en voz alta.

Diga algo como esto al niño pequeño: "Mi amor, Jesús está en tu vida y Él es más grande que todos, así que puedes decirles que se vayan en el nombre de Jesús". Si su hijo no puede hablar por miedo, haga que el niño sepa que siempre puede hablar con Dios en su mente y que Dios lo ayudará a decir lo que tiene que decir. Anime al niño a aprenderse de memoria esta paráfrasis de 1 Juan 5:18: "Yo soy hijo de Dios y el malo no puede tocarme". Y en el peor de los casos, todo lo que el niño necesita realmente decir es "Jesús".

Oración por la vida diaria

Mientras se prepara para mandar diariamente a su niño al mundo, considere usar una oración parecida a la que sigue. El propósito es enseñarle a su hijo los conceptos básicos de la oración para que el niño aprenda a orar independientemente:

Amado Padre celestial: Eres mi Señor. Sé que me amas y que nunca me dejarás ni desampararás. Tú eres el único Dios vivo verdadero. Eres digno de adoración. Eres bueno y amante en todos Tus caminos. Te amo y te agradezco por estar vivo (viva) en Cristo. Me someto a Ti y te pido que me llenes con Tu Espíritu Santo para que pueda vivir mi vida libre de pecado. Opto por creer la verdad que has dado en la Biblia y rechazo todas las mentiras de Satanás. Me rehúso a desanimarme porque Tú eres el Dios de toda esperanza. Creo que Tú suplirás todas mis necesidades en cuanto yo procure obedecerte. Sé que puedo hacer todo lo que Tú quieres que haga porque Jesús es mi fuerza. Yo me someto a Dios y resisto al diablo. Me pongo contra Satanás y todas sus mentiras, y le ordeno a él y a todos sus demonios que se vayan de mí. Me pongo la armadura de Dios y me comprometo a creer y decir la verdad. Creo que Jesús es mi protección. Él nunca pecó y tomó mi pecado sobre Él. Me comprometo a ser pacificador y tomar la verdad de la Biblia y usarla contra todas las sucias asechanzas de Satanás. Someto mi cuerpo a Dios como sacrificio vivo. Yo seguiré estudiando la verdad para poder probar que es bueno y perfecto para mí lo que Dios quiere que yo haga. Hago todo esto en el nombre de Jesús. Amén.

Al orar diariamente por sus hijos en medio de los problemas y las crisis de sus vidas, puede que a veces sienta que está resistiendo sólo contra el mundo, la carne y el diablo. Pero en realidad no es así. Cuando usted ora por sus hijos está en buena compañía. La Palabra de Dios nos dice que el mismo Señor Jesús y Su Espíritu Santo están dedicados a interceder por sus hijos y por usted (ver Romanos 8:27; Hebreos 7:25). Usted nunca ora a solas.

Todo lo de la vida tiene que ser renovado. ¿Cómo lucirían nuestras casas si nunca las volviéramos a pintar? ¿Cómo funcionarían los automóviles si nunca les hiciéramos el cambio de aceite? Tenemos que renovar periódicamente nuestra fe en, y consagración al Señor. Cuatro años después que Pete y Sue guiaron a su hijo mayor a la libertad en Cristo, yo recibí esta nota de Sue:

Querido Neil:
Anoche volví a guiar a mi hijo mayor por los Pasos, usando la edición juvenil. ¡Cuánto gozo fue! Él había estado acumulando enojo, rebeldía y orgullo en su vida. Así que cuando estuvo bien descansado le pregunté si quería ir a través de los Pasos. Él anhelaba hacerlo. No fue un juicio de mi parte preguntárselo porque él sabe que la verdad libera: no condena. ¡Así pues, hay bondad y amor ya puestos en el arrepentimiento debido a su resultado liberador! La frustración de tratar de "llegar" a los hijos cuando están enojados o rebeldes es reemplazada por un momento de tierno compartir a través del arrepentimiento y oración. David oró cuando terminamos, luego de suspirar de alivio: "Te agradezco por volver a estar libre".

Apéndice A

Pasos hacia la libertad en Cristo

Estoy profundamente convencido de que la obra consumada de Cristo y la presencia de Dios en nuestras vidas son los únicos medios por los cuales podemos resolver nuestros conflictos personales y espirituales. Cristo en nosotros es nuestra única esperanza (ver Colosenses 1:27) y Él solo puede satisfacer nuestras necesidades más profundas de vida, aceptación, identidad, seguridad y significado. El proceso de consejería discipuladora sobre el cual se basan estos pasos no debe entenderse como otra técnica más de consejería que aprendemos. Es un encuentro con Dios. Él es el Admirable Consejero. Él es Aquel que otorga el arrepentimiento que lleva al conocimiento de la verdad que nos libera (ver 2 Timoteo 2:24-26).

Los *Pasos hacia la libertad en Cristo* no lo liberan. *Quien* lo libera es Cristo y lo *que* lo libera es su respuesta a Él en arrepentimiento y fe. Estos pasos son nada más que una herramienta que lo ayuda a someterse a Dios y resistir al diablo (ver Santiago 4:7). Entonces puede usted empezar a vivir una vida fructífera permaneciendo en Cristo y llegando a ser la persona que Él creó para que usted sea. Muchos cristianos podrán elaborar estos pasos por cuenta propia y descubrir la libertad maravillosa que Cristo compró para ellos en la cruz. Entonces experimentarán la paz de Dios que sobrepasa todo entendimiento y que guardará sus corazones y sus mentes (ver Filipenses 4:7).

Antes de empezar

Las posibilidades de ese suceso y la posibilidad de mantener esa libertad se verán aumentadas si primero lee *Victoria sobre la oscuridad* y *Rompiendo las cadenas*. Muchos cristianos de nuestro mundo occidental tienen que entender la realidad del mundo espiritual y nuestra relación con ella. Algunos no pueden leer y entender estos libros, ni siquiera la Biblia, debido a la batalla que se está librando por sus mentes. Ellos necesitarán la ayuda de otras personas que hayan sido entrenadas. La teología y el proceso práctico de la consejería discipuladora están presentados en mi libro *Ayudando a otros a encontrar libertad en Cristo* y la Guía de Estudio que lo acompaña. El libro intenta integrar bíblicamente la realidad del mundo espiritual y natural para que podamos dar una respuesta total a una persona total. Al hacerlo así, no podemos polarizarnos en ministerios psicoterapéuticos que ignoran la realidad del mundo espiritual o que intentan alguna clase de ministerio de liberación que ignora aspectos del desarrollo y de la responsabilidad humana.

Puede que usted necesite ayuda

Idealmente sería mejor si cada cual tuviera un amigo, pastor o consejero de toda su confianza que le ayudara a pasar por este proceso porque, justamente, aplica la sabiduría de Santiago 5:16: "Confesaos vuestras ofensas unos a otros, y orad unos por otros, para que seáis sanados. La oración eficaz del justo puede mucho". Otra persona puede apoyarlo en oración dándole consejo objetivo. Yo he tenido el privilegio de ayudar a muchos líderes cristianos que no podían procesar esto por cuenta propia. Muchos grupos cristianos de todo el mundo están usando este enfoque en muchos idiomas con resultados increíbles porque el Señor desea que todos lleguen al arrepentimiento (ver 2 Pedro 3:9) y conozcan la verdad que nos libera en Cristo (ver Juan 8:32).

Adueñándose y manteniendo la libertad

Cristo nos ha liberado por medio de Su victoria sobre el pecado y la muerte en la cruz. Sin embargo, adueñarnos de nuestra libertad en Cristo por medio del arrepentimiento y la fe y mantener nuestra vida de libertad en Cristo son dos cosas diferentes. Fue para libertad que Cristo nos liberó, pero se nos advierte que no regresemos al yugo de esclavitud que es el legalismo en este contexto (ver Gálatas 5:1) o que no hagamos de nuestra libertad una oportunidad para la carne (ver Gálatas 5:13). Establecer a la gente libre en Cristo hace posible que caminen por fe de acuerdo con lo que Dios dice que es verdad, y que vivan por el poder del Espíritu Santo sin llevar a cabo los deseos de la carne (ver Gálatas 5:16). La vida cristiana verdadera evita a la vez el legalismo y el libertinaje.

Si usted no está experimentando libertad, puede deberse a que no se ha puesto firme en la fe o no ha tomado activamente su lugar en Cristo. La responsabilidad de todo cristiano es hacer lo necesario para mantener una relación recta con Dios y la humanidad. Su destino eterno no está en juego. Dios nunca lo dejará ni lo desamparará (ver Hebreos 13:5) pero se juega su victoria diaria si deja de reclamar y mantener su posición en Cristo.

Su posición en Cristo

Usted no es una víctima indefensa agarrada entre dos superpotencias celestiales casi iguales pero opuestas. Satanás es un engañador. Solamente Dios es omnipotente, omnipresente y omnisciente. A veces la realidad del pecado y la presencia del mal pueden parecer más reales que la presencia de Dios, pero eso es parte del engaño de Satanás. Satanás es un enemigo derrotado y nosotros estamos *en Cristo*. El conocimiento verdadero de Dios y saber nuestra identidad y posición en Cristo son los determinantes mayores de nuestra 'salud mental'. Un concepto falso de Dios, un entendimiento distorsionado de quiénes somos como hijos de Dios y la deificación equivocada de Satanás son los mayores contribuyentes de la 'enfermedad mental'.

Muchas de nuestras enfermedades son psicosomáticas. Cuando estos asuntos se resuelven en Cristo nuestros cuerpos físicos funcionarán mejor y nosotros tendremos mejor salud. Otros problemas son claramente físicos y necesitamos los servicios de la profesión médica. Por favor, consulte a su médico para consejo médico y la prescripción de medicamentos. Somos seres a la vez espirituales y físicos que necesitan a la vez los servicios de la iglesia y del hospital.

Ganando la batalla por su mente

La batalla es por la mente que es el centro de control de todo lo que pensamos y hacemos. Los pensamientos opuestos que usted pueda tener al ir dando estos Pasos pueden controlarlo solamente si usted los cree. Si usted está yendo a través de estos pasos a solas, no se deje engañar por los pensamientos mentirosos e intimidantes de su mente. Si un pastor o consejero de su confianza lo está ayudando a encontrar su libertad en Cristo, debe contar con toda su cooperación. Usted debe contarle todos los pensamientos que tenga que se opongan a lo que está tratando de hacer. En cuanto usted deja al descubierto la mentira, se rompe el poder de Satanás. La única manera en que usted puede perder el control de este proceso es si presta atención a un espíritu engañador y cree una mentira.

Usted debe elegir

El procedimiento que sigue es un medio para resolver conflictos personales y espirituales que le han impedido experimentar la libertad y la victoria que Cristo adquirió para usted en la cruz. Su libertad será el resultado de lo que *usted* elija creer, confesar, perdonar, renunciar y abandonar. Nadie puede hacer eso por usted. La batalla por su mente puede ganarse solamente en la medida en que usted, personalmente, elija la verdad. Al ir pasando por este proceso, entienda que Satanás no tiene ninguna obligación de obedecer sus pensamientos. Solamente Dios tiene conocimiento completo de su mente porque Él es omnisciente (lo sabe todo). Así, pues, podemos someternos internamente a Dios pero tenemos que resistir al diablo leyendo en voz alta cada oración y renunciando, perdonando, confesando, etcétera, con palabras.

Este proceso de restablecer nuestra libertad en Cristo no es más que un crudo inventario moral y un compromiso con la verdad firme como roca. Es el primer paso del proceso continuo de discipulado. No existe la madurez instantánea. Le llevará el resto de su vida renovar su mente y ser formado a imagen de Dios. Si sus problemas surgen de otra fuente que no esté entre aquellas cubiertas en estos Pasos, puede que necesite ayuda profesional.

Que el Señor le traiga gracia con Su presencia al buscar usted Su rostro y ayude que otros tengan el gozo de su salvación.

Neil T. Anderson

Oración

Querido Padre celestial:
Reconocemos Tu presencia en este lugar y en nuestras vidas. Tú eres el único Dios omnisciente (lo sabes todo), omnipotente (todopoderoso) y omnipresente (siempre presente). Nosotros dependemos de Ti pues separados de Ti nada podemos hacer. Nos afirmamos en la verdad de que toda autoridad en el cielo y la tierra ha sido dada al Cristo resurrecto y, porque estamos en Cristo, participamos de esa autoridad para hacer discípulos y liberar cautivos. Te pedimos que nos llenes con Tu Espíritu Santo y nos guíes a toda la verdad. Rogamos Tu protección completa y pedimos Tu guía. En el nombre de Jesús. Amén.

Declaración

En el nombre y autoridad del Señor Jesucristo mandamos a Satanás y a todos los espíritus malignos que suelten a (nombre) para que (nombre) sea libre para conocer y optar por hacer la voluntad de Dios. Como hijos de Dios sentados con Cristo en los lugares celestes, estamos de acuerdo en que todo enemigo del Señor Jesucristo sea confinado al silencio. Les decimos a Satanás y a todos sus obreros malignos que no pueden infligir ningún dolor ni evitar en forma alguna que la voluntad de Dios sea cumplida en la vida de (nombre).

Preparación

Antes de ir a través de los *Pasos hacia la libertad* repase los sucesos de su vida para detectar aspectos específicos que tuvieran que tratarse.

Historia familiar
____ Historia religiosa de padres y abuelos.
____ Vida hogareña desde la infancia hasta la escuela secundaria.
____ Historia de enfermedades físicas o emocionales de la familia.

____ Adopción, cuidado de padrastro o madrastra, tutores.

Historia personal

____ Hábitos de comida (bulimia, vomitar y purgarse, anorexia, comer compulsivo, etc.).

____ Adicciones (alcohol, drogas).

____ Remedios recetados (¿para qué?).

____ Hábitos de dormir y pesadillas.

____ Violación o cualquier maltrato sexual, físico o emocional.

____ Pensamientos (obsesivos, blasfemos, condenatorios, distractores, mala concentración, fantasías).

____ Interferencia mental en la iglesia, la oración o el estudio de la Biblia.

____ Vida emocional (enojo, ansiedad, depresión, amargura, miedos).

____ Jornada espiritual (salvación: cuándo, cómo y seguridad).

Ahora está listo para empezar. Lo que sigue son siete Pasos específicos que dar para ser liberado de su pasado. Usted tratará los aspectos en que Satanás corrientemente saca provecho y donde ha construido fortalezas. Cristo adquirió su victoria cuando derramó Su sangre en la cruz por usted. Darse cuenta de su libertad será el resultado de lo que usted opte por creer, confesar, perdonar, renunciar y abandonar. Nadie puede hacer eso por usted. La batalla por su mente puede ser ganada solamente en la medida en que usted personalmente elija la verdad.

Al ir a través de estos *Pasos hacia la libertad*, recuerde que Satanás será derrotado solamente si usted lo confronta en voz alta. Él no puede leer su mente y no está obligado a obedecer los pensamientos de usted. Solamente Dios tiene el conocimiento completo de su mente. Al dar cada Paso es importante que se someta a Dios internamente y resista al diablo leyendo en voz alta cada oración: renunciando, perdonando, confesando, etcétera, con palabras.

Usted está haciendo un crudo inventario moral y un compromiso con la verdad firme como roca. Si sus problemas surgen de una fuente que no está entre aquellas cubiertas en estos Pasos, no tiene nada que perder al darlos. ¡Si usted es sincero, lo único que puede pasar es que se pondrá muy bien con Dios!

Paso 1: Falso versus real

El primer *Paso hacia la libertad en Cristo* es renunciar a toda relación previa o presente con prácticas y costumbres de inspiración satánica o con falsas religiones. Debe renunciar a toda actividad y grupo que niegue a Jesucristo, que ofrezca guía por medio de cualquier otra fuente que no sea la autoridad absoluta de la Palabra de Dios escrita, o que exija iniciaciones, ceremonias o pactos secretos.

Para ayudarle a evaluar sus experiencias espirituales empiece este Paso pidiéndole a Dios que le revele guías y experiencias religiosas falsas.

> Querido Padre celestial:
> Te pido que guardes mi corazón y mi mente y me reveles toda y cualquier participación que yo haya tenido, a sabiendas o no, con prácticas sectarias u ocultistas, religiones falsas o maestros falsos. En el nombre de Jesús yo oro. Amén.

Usando el "Inventario de experiencias espirituales no-cristianas" de la página siguiente, verifique cuidadosamente en qué estuvo metido. Esta lista no es exhaustiva pero lo guiará para identificar experiencias no cristianas. Agregue cualquier participación adicional que haya tenido. Aunque haya participado u observado 'inocentemente' en algo, anótelo en la lista para renunciar, por si le hubiera dado sin saberlo un asidero a Satanás.

Inventario de experiencias espirituales no cristianas

(por favor marque las que se apliquen a usted)

1. ¿Alguna vez ha sido hipnotizado, asistido a un seminario de la Nueva Era o de parapsicología, consultado a un médium, espiritista o canalizador?_____
_____

2. ¿Tiene o ha tenido un amigo imaginario o guía espiritual que le ofrece guía o compañía? Explique._____
_____

3. ¿Ha escuchado voces en su mente o tenido pensamientos repetidos y molestos que lo condenan, o que eran ajenos a lo que usted cree o siente, como si hubiera un diálogo en su cabeza? Explique._____
_____

4. ¿Qué otras experiencias espirituales ha tenido que fueran consideradas fuera de lo corriente?_____
_____

5. ¿Alguna vez ha hecho un juramento, convenio o pacto con algún grupo o persona que no haya sido Dios?_____
_____

6. ¿Ha participado en rituales o adoración satánicos de cualquier forma? Explique._____
_____

Cuando tenga la seguridad de que su lista está completa, confiese y renuncie a cada participación, sea activa o pasiva, orando en voz alta la oración que sigue, repitiéndola por separado para cada ítem de su lista:

Señor, yo confieso que he participado en_____y yo renuncio a_____. Te agradezco que yo estoy perdonado en Cristo.

Si ha tenido algún compromiso con rituales satánicos o intensa actividad ocultista, usted tiene que decir en voz alta las siguientes renuncias especiales que correspondan. Lea la página entera, renunciando al primer ítem de la columna del reino de las tinieblas y,

Ocultismo

____ Proyección astral
____ Tablero Ouija
____ Levantar mesas o cuerpos
____ Fosos y dragones
____ Hablar en trance
____ Escritura automática
____ La octava bola mágica
____ Telepatía
____ Usar conjuros o maldiciones
____ Entrar o ponerse en trance
____ Materializaciones
____ Clarividencia
____ Guías espirituales
____ Ver o verse la suerte
____ Cartas Tarot
____ Lectura de las manos
____ Astrología/ horóscopos
____ Vara y péndulo
____ Autohipnosis
____ Manipulaciones mentales o intentos de intercambiar su mente con la de otra persona
____ Magia negra y blanca
____ Medicina estilo Nueva Era
____ Pactos de sangre o cortarse usted mismo en forma destructora

Sectas

____ Ciencia Cristiana
____ Unidad
____ El Camino Internacional
____ La Iglesia de la Unificación
____ Mormones
____ Iglesia de la Palabra Viva
____ Testigos de Jehová
____ Hijos o Niños de Dios (Amor)
____ Swedenborgianismo
____ Unitarianismo
____ Masones
____ Nueva Era
____ El Foro (EST)
____ Adoración de espíritus
____ Otros ____

Otras Religiones

____ Budismo
____ Hare Krishna
____ Bahai
____ Rosacruces
____ Ciencia de la Mente
____ Ciencia de la Inteligencia creadora
____ Meditación Transcendental
____ Hinduísmo
____ Yoga
____ Eckankar
____ Roy Masters
____ Control mental Silva
____ Padre Divino
____ Sociedad Teosófica
____ Islam
____ Musulmanes negros
____ Religión de las Artes Marciales
____ Otros
____ Fetichismo (objetos de adoración, cristales, amuletos para la buena suerte)
____ Incubos y súcubos (espíritus sexuales)
____ Otros. ____

luego, afirmando la primera verdad de la columna del Reino de la Luz. Siga para abajo de la página en esa forma.

Todos los rituales, pactos y cometidos satánicos deben ser específicamente renunciados a medida que el Señor le permita recordarlos. Algunas personas que han estado sometidas a maltrato ritual satánico, pueden haber desarrollado una personalidad múltiple para sobrevivir. Sin embargo, siga por los *Pasos hacia la libertad* para resolver todo lo que conscientemente pueda. Es importante que usted resuelva primero las fortalezas satánicas. Cada personalidad debe resolver sus asuntos y concordar en juntarse en Cristo. Puede que necesite a alguien que entienda de conflicto espiritual para que le ayude a mantener el control y a no ser engañado por recuerdos falsos. Solamente Jesús puede unir a los quebrantados, liberar a los cautivos y hacernos íntegros.

Renuncias especiales por participación en rituales satánicos

Reino de las Tinieblas	Reino de la Luz
Yo renuncio a haberme entregado a Satanás, firmando mi nombre o haber firmado dejando que mi nombre fuera entregado a Satanás.	Yo anuncio que mi nombre está ahora escrito en el Libro de la Vida del Cordero.
Yo renuncio a toda ceremonia donde yo haya podido ser casado con Satanás.	Yo anuncio que yo soy la esposa de Cristo.
Yo renuncio a todos los pactos que hice con Satanás.	Yo anuncio que yo soy partícipe del Nuevo Pacto con Cristo.
Yo renuncio a todos los cometidos satánicos para mi vida, incluyendo deberes, matrimonio e hijos.	Yo anuncio, y me comprometo a, saber y hacer solamente la voluntad de Dios y aceptar solamente Su guía.
Yo renuncio a todos los guías espirituales que me fueron asignados.	Yo anuncio y acepto solamente la dirección del Espíritu Santo.

Yo renuncio a haber dado mi sangre para servicio de Satanás.

Yo anuncio que confío solamente en la sangre derramada de mi Señor Jesucristo.

Yo renuncio a haber comido carne o bebido sangre para la adoración satánica.

Yo anuncio que por fe solamente como la carne y bebo la sangre de Jesús en la Santa Cena.

Yo renuncio a todos los guardianes y padres satanistas que me fueron asignados.

Yo anuncio que Dios es mi Padre y el Espíritu Santo es mi Guardián por el cual estoy sellado.

Yo renuncio a todo bautismo de sangre u orina por el cual yo soy identificado con Satanás.

Yo anuncio que yo he sido bautizado en Cristo Jesús y mi identidad ahora está en Cristo.

Yo renuncio a todos los sacrificios hechos por mi cuenta y por los cuales Satanás puede reclamar propiedad de mí.

Yo anuncio que solamente el sacrificio de Cristo tiene asidero en mí. Yo soy de Él. He sido comprado por la sangre del Cordero.

Paso 2: El engaño versus la verdad

La verdad es la revelación de la Palabra de Dios pero tenemos que reconocer la verdad en el ser interior (ver Salmo 51:6). Cuando David vivió una mentira, sufrió en grande. Cuando finalmente encontró la libertad al reconocer la verdad, escribió: "Bienaventurado el hombre ... en cuyo espíritu no hay engaño" (Salmo 32:2). Debemos desechar la mentira y hablar la verdad en amor (Efesios 4:15,25). Una persona mentalmente sana es la que está en contacto con la realidad y relativamente libre de la ansiedad. Ambas deben ser cualidades del creyente que renuncia al engaño y abraza la verdad.

Empiece este paso crucial diciendo en voz alta la siguiente oración. No deje que el enemigo lo acuse con pensamientos como estos: "Esto no va a servir" o "desearía creer esto pero no puedo" u otras mentiras por el estilo que se oponen a lo que usted proclama.

Aunque le cueste hacerlo, debe orar como se sugiere y leer la Afirmación doctrinal.

> Amado Padre celestial: Sé que Tú deseas la verdad en el ser interior y que el camino hacia la libertad es enfrentar esta verdad (Juan 8:32). Reconozco que he sido engañado por el padre de las mentiras (Juan 8:44) y me he engañado a mí mismo (1 Juan 1:8). Ruego en el nombre del Señor Jesucristo que Tú, Padre celestial, reprendas a todos los espíritus engañadores por virtud de la sangre derramada y la resurrección del Señor Jesucristo. Por fe te he recibido en mi vida y ahora estoy sentado en los lugares celestiales con Cristo (Efesios 2:6). Admito tener la responsabilidad y autoridad para resistir al diablo y cuando lo haga, él huirá de mí. Ahora le pido al Espíritu Santo que me guíe a toda la verdad (Juan 16:13). Te pido: "Examíname, oh Dios, y conoce mi corazón; pruébame y conoce mis pensamientos; y ve si hay en mí camino de perversidad, y guíame en el camino eterno" (Salmo 139:23-24). Oro en el nombre de Jesús. Amén.

Aquí usted puede detenerse un momento para considerar algunas de las estratagemas engañadoras de Satanás. Además de los falsos maestros, los falsos profetas y los espíritus engañadores, usted puede engañarse a sí mismo. Ahora que usted está vivo en Cristo y perdonado, nunca tiene que vivir una mentira o defenderse. Cristo es su defensa. ¿Cómo ha sido engañado o ha intentado defenderse, conforme a lo que sigue?

Engañarse a sí mismo

____ Oyendo la Palabra de Dios sin acatarla (ver Santiago 1:22; 4:17).

____ Diciendo que no tenemos pecado (ver 1 Juan 1:8).

____ Pensando que somos algo cuando no lo somos (ver Gálatas 6:3).

____ Pensando que somos sabios a nuestros ojos (ver 1 Corintios 3;18-19).

____ Pensando que no cosecharemos lo que sembramos (ver Gálatas 6:7).

____ Pensando que el impío heredará el reino de Dios (1 Corintios 6:9).

___ Pensando que podemos juntarnos con mala compañía sin corrompernos (ver 1 Corintios 15:33).

Defensa propia

(actuar en defensa propia en vez de confiar en Cristo)

___ Negación (rehusar consciente o inconscientemente a encararse con la verdad).

___ Fantasía (escaparse del mundo real).

___ Aislamiento emocional (aislarse para evitar el rechazo).

___ Regresión (volverse a épocas pasadas menos amenazadoras).

___ Desplazamiento (trasladar las propias frustraciones a los demás).

___ Proyección (culpar a los demás).

___ Racionalización (fabricarse justificaciones de la mala conducta).

Ore en voz alta por estas cosas que han sido ciertas en su vida:

Señor: Estoy de acuerdo en que he sido engañado tocante a_____. Te agradezco por perdonarme. Me comprometo a conocer y seguir Tu verdad. Amén.

Puede que le resulte difícil optar por la verdad si ha estado viviendo una mentira (ha sido engañado) mucho tiempo. Puede que deba procurarse ayuda profesional para desarraigar los mecanismos de defensa de los cuales ha estado dependiendo para sobrevivir. El cristiano necesita solamente una defensa: Jesús. Saber que usted está perdonado y aceptado como hijo de Dios es lo que libera para enfrentar la realidad y declarar su dependencia de Él.

La fe es la respuesta bíblica a la verdad; creer la verdad es una opción. Cuando alguien dice: "Yo quiero creerle a Dios, pero simplemente no puedo" está siendo engañado. Claro que usted puede creerle a Dios. La fe es algo que usted decide hacer; no es algo que usted sienta ganas de hacer. Creer la verdad no la hace verdadera. La verdad es verdad y, por tanto, la creemos. El movimiento de la Nueva Era distorsiona la verdad diciendo que nosotros creamos la realidad por medio de lo que creemos. No podemos crear la realidad con nuestras mentes; nosotros enfrentamos la realidad. Es importante lo que usted cree o en quién cree. Todos creen en algo y todos caminan por fe de acuerdo a lo que creen. Si usted cree algo que no es verdadero, entonces la manera en que usted vive (su caminar por fe) no será buena.

La Iglesia ha hallado históricamente, que tiene gran valor declarar públicamente sus creencias. El Credo de los Apóstoles y el Credo Niceno se han recitado por siglos. Lea en voz alta la siguiente afirmación de fe y hágalo tan a menudo como le sea necesario para renovar su mente. Tener dificultades para leer esta afirmación puede indicar dónde está siendo engañado y atacado. Afirme atrevidamente su compromiso con la verdad bíblica.

Afirmación doctrinal

Reconozco que hay un solo Dios verdadero y vivo (Éxodo 20:2-3), que existe como Padre, Hijo y Espíritu Santo; que Él es digno de todo honor, alabanza y adoración como Creador, Sustentador, Principio y Fin de todas las cosas (Apocalipsis 4:11; 5:9-10; Isaías 43:1,7,21).

Reconozco a Jesucristo como el Mesías, el Verbo que se hizo carne y habitó entre nosotros (Juan 1:1,14). Creo que Él vino para destruir las obras de Satanás (1 Juan 3:8), que Él despojó a los principados y a las potestades, exhibiéndoles públicamente, habiendo triunfado sobre ellos (Colosenses 2:15).

Creo que Dios ha demostrado Su amor por mí, porque cuando aún yo era pecador, Cristo murió por mí (Romanos 5:8). Creo que Él me salvó del dominio de la oscuridad y me trasladó a Su reino; y en Él tengo redención, el perdón de pecados (Colosenses 1:13-14).

Creo que ahora soy hijo de Dios (1 Juan 3:1-3) y que estoy sentado con Cristo en los lugares celestiales (Efesios 2:6). Creo que fui salvo por la gracia de Dios por medio de la fe, y que fue un regalo y no resultado de cualquier obra de mi parte (Efesios 2:8,9).

Decido ser fuerte en el Señor y en la fuerza de Su poder (Efesios 6:10). No tengo confianza alguna en la carne (Filipenses 3:3), porque las armas de mi lucha no son carnales (2 Corintios 10:4). Me visto con toda la armadura de Dios (Efesios 6:10-20) y estoy decidido a estar firme en mi fe y a resistir al maligno.

Creo que separado de Cristo nada puedo hacer (Juan 15:5) así que declaro mi dependencia de Él. Decido permanecer en Cristo para llevar mucho fruto y glorificar al Señor (Juan 15:8). Anuncio a Satanás que Jesús es mi Señor (1 Corintios 12:3) y rechazo cualquier don u obra falsificada por Satanás en mi vida.

Creo que la verdad me liberará (Juan 8:32) y que andar en la luz es el único camino de comunión (1 Juan 1:7). Por lo tanto, estoy firme en contra del engaño de Satanás al llevar cada pensamiento cautivo a la obediencia a Cristo (2 Corintios 10:5). Declaro que la Biblia es la única norma autoritaria (2 Timoteo 3:15-16). Decido hablar la verdad en amor (Efesios 4:15).

Opto por presentar mi cuerpo como instrumento de justicia, en sacrificio vivo y santo, y renuevo mi mente por medio de la Palabra viva de Dios, para poder comprobar que la voluntad de Dios es buena, aceptable y perfecta (Romanos 6:13; 12:1-2). Me desvisto del viejo hombre y de todas sus malas costumbres y me visto con el nuevo hombre (Colosenses 3:9-10) y me declaro nueva criatura en Cristo (2 Corintios 5:17).

Confío que mi Padre celestial me llene con Su Espíritu Santo (Efesios 5:18), que me guíe en toda la verdad (Juan 6:13) y que me dé el poder de vivir sin pecado y no satisfacer los deseos de la carne (Gálatas 5:16). Crucifico la carne (Gálatas 5:24) y decido caminar según el Espíritu.

Renuncio a todas las metas egoístas y escojo la meta final de amor (1 Timoteo 1:5). Elijo obedecer los dos mandamientos más grandes: amar al Señor mi Dios con todo mi corazón, con toda mi alma y con toda mi mente, y amar a mi prójimo como a mí mismo (Mateo 22:37-39).

Creo que Jesús tiene toda autoridad en el cielo y la tierra (Mateo 28:18) y que Él es la cabeza sobre todo principado y potestad (Colosenses 2:10). Creo que Satanás y sus demonios están sujetos a mí en Cristo porque soy miembro del cuerpo de Cristo (Efesios 1:19-23). Por lo tanto, obedezco el mandamiento de someterme a Dios y resistir al diablo (Santiago 4:7) y a Satanás le mando en el nombre de Cristo alejarse de mi presencia.

Paso 3: La amargura versus el perdón

Tenemos que perdonar a los demás para ser liberados de nuestro pasado e impedir que Satanás se aproveche de nosotros (2 Corintios 2:10-11). Tenemos que ser misericordiosos como lo es nuestro Padre celestial (Lucas 6:36). Tenemos que perdonar como nosotros hemos sido perdonados (Efesios 4:31-32). Pídale a Dios que le haga recordar los nombres de aquellas personas que usted debe perdonar, diciendo en voz alta esta oración:

> Amado Padre celestial: Te agradezco las riquezas de Tu bondad, clemencia y paciencia, sabiendo que Tu bondad me ha guiado al arrepentimiento (Romanos 2:4). Confieso que no he extendido esa misma paciencia y clemencia hacia el prójimo que me ha ofendido sino que, en cambio, he abrigado rencor y resentimiento. Pido que durante este momento de examen de mí mismo, Tú traigas a mi mente a aquellas personas a quienes no he perdonado para poder hacerlo (Mateo 18:35). Pido esto en el precioso nombre de Jesús. Amén.

Haga una lista a medida que le vengan nombres a la mente, anotando solamente los nombres. Al final de la lista escriba "yo mismo". Perdonarse a uno mismo es aceptar la limpieza y el perdón de Dios. Escriba también "pensamientos contra Dios". Los pensamientos erigidos en contra del conocimiento de Dios suelen desembocar en sentimientos de enojo hacia Él. Nosotros no perdonamos técnicamente a Dios, porque Él no puede cometer pecado alguno, sea por comisión u omisión, pero usted tiene que renunciar específicamente a las falsas expectativas y pensamientos referidos a Dios y acordar liberar todo enojo que abrigue en contra de Él.

Antes que empiece a orar para perdonar a esas personas, deténgase un momento a considerar qué es y no es el perdón, cuáles decisiones va a tomar y cuáles serán las consecuencias.

La siguiente explicación tiene destacados con "negrita" los principales puntos:

Perdonar no es olvidar. La gente que trata de olvidar encuentra que no puede. Dios dice que Él no recordará más nuestros pecados (Hebreos 10:17), pero Dios no puede olvidar por ser omnisciente.

No recordar más nuestros pecados significa que Dios nunca nos sacará en cara el pasado (Salmo 103:12). El olvido puede resultar del perdón pero nunca es el medio para perdonar. Cuando echamos en cara el pasado a otras personas, les decimos que no los hemos perdonado.

El perdón es una decisión, una crisis de la voluntad. Puesto que Dios nos manda a perdonar, es algo que sí podemos hacer. Sin embargo, perdonar nos resulta difícil porque va en contra de nuestro concepto de justicia. Queremos la venganza por las ofensas sufridas. Sin embargo, se nos dice que nunca ejecutemos nuestra propia venganza (Romanos 12:19). Uno dice: "¿Por qué he de dejarlo libre?" Precisamente ese es el problema. Uno sigue enyugado a ellos todavía atado al pasado. Uno los dejará libres de uno, pero nunca quedan libres de Dios. Él los tratará con justicia, algo que nosotros no podemos hacer.

Uno dice: "¡Pero usted no sabe cuánto me hirió esta persona!" ¡Pero usted es el que no ve que ¡aún está hiriéndole! ¿Cómo detener el dolor? **Uno no perdona a los demás por ellos sino por uno mismo, para poder liberarse. Su necesidad de perdonar no es cosa de usted y el ofensor sino entre usted y Dios.**

Perdonar es acordar que se vivirá con las consecuencias del pecado de otra personas. Perdonar cuesta caro. Se paga el precio de la maldad que se perdona. Uno va a vivir con esas consecuencias, quiera o no; su única opción es decidir si vivirá con la amargura al no perdonar o con libertad al perdonar. Jesús cargó las consecuencias de su pecado sobre Él. El perdón verdadero es substitutivo porque nadie perdona realmente sin sufrir las consecuencias del pecado de la otra persona. Dios Padre: "Al que no conoció pecado, por nosotros lo hizo pecado, para que nosotros fuésemos hechos justicia de Dios en él" (2 Corintios 5:21). ¿Dónde está la justicia? La cruz hace legal y moralmente justo al perdón: "Porque en cuanto murió, al pecado murió una vez por todas" (Romanos 6:10).

Decida llevar la carga de las ofensas de ellos al no usar esa información en contra de ellos en el futuro. Esto no significa que usted tolere pecado. Usted debe fijar límites bíblicos para impedir el abuso futuro. Se requerirá que algunos testifiquen en aras de la justicia pero no con el propósito de buscar venganza con corazón amargo.

¿Cómo se perdona de corazón? Reconociendo el dolor y el odio. Si su perdón no abarca el meollo emocional de su vida, será incompleto. Muchos sienten el dolor de las ofensas interpersonales pero no lo quieren reconocer o no saben cómo hacerlo. Permita que Dios saque el dolor a la superficie para que Él pueda tratarlo. Aquí es donde tiene lugar la sanidad.

No espere para perdonar hasta que sienta deseos de hacerlo; nunca los tendrá. Los sentimientos necesitan tiempo para sanar después que se opta por perdonar y Satanás pierde su lugar (Efesios 4:26-27). Libertad es lo que se ganará, no un sentimiento.

Al orar, es posible que Dios le haga recordar personas y experiencias ofensivas que había olvidado totalmente. Permita que Él haga esto aunque sea doloroso. Recuerde que usted está haciendo esto por su bien. Dios quiere que usted quede libre. No racionalice ni explique la conducta del ofensor. Perdonar es tratar el dolor de usted, dejándole a Dios a la otra persona. Oportunamente llegarán los sentimientos positivos; que usted se libere del pasado es ahora la cuestión decisiva.

No diga: "Señor, por favor, ayúdame a perdonar" porque Él ya está ayudándole. No diga: "Señor, quiero perdonar" porque está pasando por alto la difícil decisión de perdonar, lo cual es responsabilidad suya. Siga orando respecto a cada individuo hasta que esté seguro de que todo el dolor que se recuerda haya sido enfrentado: qué hicieron, cuánto lo hirieron, cómo le hicieron sentirse (rechazado, no amado, indigno, sucio).

Ahora está listo para perdonar a la gente de su lista para que pueda ser libre en Cristo; esas personas dejaron de tener control sobre usted. Ore en voz alta por cada persona de su lista:

Señor, yo perdono a (nombre la persona) por (enumere detalladamente todas las heridas y el dolor que el Señor le haga evocar y cómo le hicieron sentirse).

Después que haya perdonado a cada persona por cada recuerdo doloroso termine, entonces, este paso orando:

Señor, yo Te entrego a todas esas personas y mi derecho a buscar venganza. Opto por no aferrarme a mi amargura y enojo y Te pido que sanes mis emociones dañadas. Oro en el nombre de Jesús. Amén.

Paso 4: La rebelión versus la sumisión

Vivimos en tiempos rebeldes. Muchos creen que tienen derecho a juzgar a quienes están en autoridad sobre ellos. Rebelarse contra Dios y Su autoridad le da una oportunidad de atacar a Satanás. Como nuestro comandante en jefe el Señor dice: "Fórmense y síganme. No les guiaré en la tentación; les libraré del mal" (Mateo 6:13).

Tenemos dos responsabilidades bíblicas respecto a las figuras de autoridad: Orar por ellos y someternos a ellos. Dios nos permite desobedecer a los líderes terrenales únicamente cuando nos piden que hagamos algo moralmente malo ante Dios o intenten mandar fuera del ámbito de la autoridad de ellos. Eleve la siguiente oración:

> Amado Padre celestial: Tú has dicho que la rebelión es como el pecado de adivinación y la obstinación es como la iniquidad e idolatría (1 Samuel 15:23). Sé que con mis acciones y mi actitud he pecado en contra de Ti con un corazón rebelde. Te agradezco por perdonar mi rebelión y ruego que por la sangre derramada del Señor Jesucristo todo terreno ganado por los espíritus malignos debido a mi rebelión sea cancelado. Te pido que derrames luz en todos mis caminos para que yo pueda conocer toda la magnitud de mi rebelión. Ahora escojo adoptar un espíritu sumiso y el corazón de siervo. En el nombre de Cristo Jesús mi Señor. Amén.

Estar sujeto a la autoridad es un acto de fe. Uno confía en Dios para que Él obre por medio del orden de autoridad que ha establecido. Hay momentos en que los empleadores, los padres y los maridos violan las leyes del gobierno civil que son ordenadas por Dios para proteger a la gente inocente contra el abuso. En esos casos usted tiene que apelar al Estado para que lo proteja. En muchos Estados la ley exige que tales abusos sean denunciados.

En casos difíciles como el abuso continuado en la casa puede necesitarse más consejería. En algunos casos, cuando las autoridades terrenales han abusado de su posición y están exigiendo desobedecer a Dios o ceder su compromiso a Él, usted tiene que obedecerle a Dios, no al hombre.

Todos somos amonestados a someternos unos a otros como iguales en Cristo (ver Efesios 5:21). Sin embargo, hay líneas específicas de autoridad en la Escritura con el propósito de alcanzar metas comunes:

- Gobierno civil (ver Romanos 13:1-7; 1 Timoteo 2:1-4; 1 Pedro 2;13-17)

- Padres (ver Efesios 6:1-3)

- Marido (ver 1 Pedro 3:1-4) o esposa (ver Efesios 5:21; 1 Pedro 3:7)

- Empleador (ver 1 Pedro 2:18-23)

- Líderes de la Iglesia (ver Hebreos 13:17)

- Dios (ver Daniel 9:5,9)

Examine cada aspecto y pídale a Dios que lo perdone por esas épocas en que usted no haya sido sumiso y ore:

Señor, estoy de acuerdo con que he sido rebelde con _____ _____. Opto por someterme y obedecer Tu Palabra. En el nombre de Jesús. Amén.

Paso 5: El orgullo versus la humildad

El orgullo mata. El orgullo dice: "¡Yo puedo hacerlo! Puedo salir de este problema sin la ayuda de Dios ni de nadie más". ¡Oh, no, no podemos! Necesitamos absolutamente a Dios y nos necesitamos unos a otros desesperadamente. Pablo escribió: "Porque nosotros somos la circuncisión, los que en espíritu servimos a Dios y nos gloriamos en Cristo Jesús, no teniendo confianza en la carne" (Filipenses 3:3). La humildad es la confianza depositada debidamente. Nosotros tenemos que fortalecernos en el Señor y en el poder de Su fuerza (Efesios 6:10). Santiago 4:6-10 y 1 Pedro 5:1-10 revelan que el orgullo precede al conflicto espiritual. Use la siguiente oración para expresar su compromiso a vivir humildemente ante Dios:

Amado Padre celestial: Tú has dicho que la soberbia viene antes del quebrantamiento; y el espíritu altivo antes de la caída (Proverbios 16:18). Confieso que no me he negado a mí mismo, ni he tomado mi cruz diariamente para seguirte (Mateo 16:24). Al no hacer esto, le he dado lugar al enemigo en mi vida. Yo había creído que podía tener éxito y vivir victoriosamente por medio de mis propias fuerzas y recursos. Ahora confieso que he pecado contra Ti al poner mi voluntad antes que la Tuya y al centrar mi vida en mí mismo en vez de centrarla en Ti. Ahora renuncio a la vida egoísta y al hacerlo, cancelo toda la ventaja que han ganado los enemigos del Señor Jesucristo en mi vida. Te ruego que me guíes para que nada haga por egoísmo o por vanagloria, sino que con humildad de mente considere a los demás como más importantes que yo mismo (Filipenses 2:3). Ayúdame a servir a otros con amor y a dar preferencia a otros con honor (Romanos 12:10). Esto lo pido en el nombre de mi Señor Jesucristo. Amén.

Una vez formulado ese compromiso, permita que Dios le muestre aspectos específicos de su vida en que usted haya sido orgulloso, tales como:

____ Deseo más intenso de hacer mi voluntad que la de Dios.

____ Depender más de mis fuerzas y recursos que de las de Dios.

____ Creer con demasiada frecuencia que mis ideas y opiniones son mejores que las ajenas.

____ Interesarme más por dominar a los demás que por desarrollar el dominio propio.

____ A veces me considero más importante que los demás.

____ Tiendo a pensar que no tengo necesidades.

____ Me cuesta mucho admitir que me equivoqué.

____ Tiendo a complacer más a las personas que a Dios.

____ Me preocupo demasiado por el mérito que merezco.

____ Me siento impelido a conseguir el reconocimiento que procede de los títulos, rangos y posiciones.

____ Suelo pensar que soy más humilde que los demás.

____ Otras maneras _____

Diga esta oración en voz alta para cada ítem que haya sido real en su vida:

Señor, estoy de acuerdo en que he sido orgulloso\orgullosa en/al _____. Escojo humillarme ante Ti y depositar toda mi confianza en Ti. Amén.

Paso 6: Las ataduras versus la libertad

El siguiente Paso hacia la libertad tiene que ver con el pecado habitual. Las personas atrapadas en el círculo vicioso de pecar-confesar-pecar-confesar, deben seguir las instrucciones de Santiago 5:16: "Confesaos vuestras ofensas unos a otros, y orad unos por otros, para que seáis perdonados. La oración eficaz del justo puede mucho". Busque a una persona justa que le eleve y sostenga en oración y a quien le pueda rendir cuentas. Otras personas pueden necesitar solamente la seguridad de 1 Juan 1:9: "Si confesamos nuestros pecados, él es fiel y justo para perdonar nuestros pecados y limpiarnos de toda maldad". Confesar no es sólo decir: "lo lamento, lo siento" sino admitir que "yo lo hice". Eleve a Dios la siguiente oración sea que necesite la ayuda de terceros o que le baste con rendir cuentas responsables a Dios.

Amado Padre celestial: Nos has dicho que nos vistamos del Señor Jesucristo sin proveer para los deseos de la carne (Romanos 13:14). Reconozco que he cedido a los deseos de la carne que están en guerra contra mi alma (1 Pedro 2:11). Te doy las gracias porque en Cristo mis pecados han sido perdonados, pero he pecado contra Tu santa ley y le he dado oportunidad al enemigo de luchar en mis miembros (Romanos 6:12-13; Efesios 4:27; Santiago 4:1; 1 Pedro 5:8). Vengo a Tu presencia para reconocer estos pecados y buscar Tu limpieza (1 Juan 1:9) para quedar libre de las ataduras del pecado. Ahora Te pido que reveles a mi mente las maneras en que he quebrantado Tu ley moral y que he entristecido al Espíritu Santo. En el precioso nombre de Jesús. Amén.

Las obras de la carne son numerosas. Muchos de las siguientes se tomaron de Gálatas 5:19-21. Marque los que le corresponden a usted y todos los demás con que haya luchado y que el Señor le haya hecho recordar. Luego confiese cada uno con la oración final. Nota: los pecados sexuales, los trastornos del comer, el abuso de drogas, el aborto, las tendencias suicidas, el perfeccionismo y el miedo serán tratados más adelante.

____ robar

____ mentir

____ pelear

____ celos

____ envidia

____ estallidos de ira

____ quejarse

____ criticar

____ desear (con lujuria)

____ engañar

____ chismorrear

____ controlar (dominar)

____ postergar

____ jurar (decir malas palabras)

____ ambición

____ pereza

____ dividir

____ otros_____

Amado Padre celestial: Te agradezco que mis pecados estén perdonados en Cristo pero he andado según la carne y, por tanto, he pecado_____. Gracias por limpiarme de toda maldad. Te pido que me facultes para caminar por el Espíritu y no ejecutar los deseos de la carne. Oro en el nombre de Jesús. Amén.

Somos responsables de no permitir que el pecado reine en nuestros cuerpos mortales no usando nuestros cuerpos como instrumentos de injusticia (Romanos 6:12,13). Si usted está luchando o ha luchado con pecados sexuales (pornografía, masturbación, promiscuidad sexual, etcétera.) o está viviendo dificultades sexuales en su matrimonio, ore lo que sigue:

> Señor: Te ruego que me reveles todo uso sexual de mi cuerpo como instrumento de injusticia. Oro en el precioso nombre de Jesús. Amén.

A medida que el Señor le recuerde todo abuso sexual de su cuerpo, haya sido hecho a usted (violación, incesto u otro abuso sexual) o haya sido voluntario, renuncie a cada ocasión:

> Señor, renuncio a_____(especifique el uso dado a su cuerpo) con_____ (nombrar a la persona) y te pido que rompas esa atadura.

Ahora consagre su cuerpo al Señor orando:

> Señor, yo renuncio a todos esos usos de mi cuerpo como instrumento de impiedad y, así, Te ruego que rompas todas las ataduras que Satanás ha puesto en mi vida por medio de esos compromisos. Confieso mi participación. Ahora presento mi cuerpo a Ti como sacrificio vivo, santo y aceptable para Ti, y reservo el uso sexual de mi cuerpo solamente para el matrimonio. Renuncio a la mentira de Satanás que dice que mi cuerpo es inmundo, sucio e inaceptable debido a mis experiencias sexuales del pasado. Señor, te agradezco que me hayas limpiado y perdonado totalmente, que me ames y aceptes sin condiciones; por consiguiente, puedo aceptarme a mí mismo, cosa que escojo hacer así: aceptarme limpio, yo y mi cuerpo. En el nombre de Jesús. Amén.

Oraciones específicas para problemas específicos

Homosexualidad

Señor: Yo renuncio a la mentira que dice que Tú me creaste homosexual, o a cualquier otra persona y firmo que Tú prohíbes claramente la conducta homosexual. Me acepto como hijo de Dios y declaro que Tú me creaste varón (o mujer). Renuncio a las ataduras de Satanás que hayan pervertido mis relaciones con el prójimo. Anuncio que estoy y soy libre para relacionarme con el sexo opuesto en la manera concebida por Ti. En el nombre de Jesús. Amén.

Aborto

Señor: Confieso que no asumí la mayordomía de la vida que me confiaste. Escojo aceptar Tu perdón y ahora entrego a ese niño a Ti para que lo cuides por la eternidad. En el nombre de Jesús. Amén.

Tendencias suicidas

Señor: Renuncio a los pensamientos suicidas y a todos los intentos que he hecho para quitarme mi propia vida o dañarme en alguna forma. Renuncio a la mentira que dice que la vida es desesperanzada y que puedo encontrar paz y libertad quitándome mi propia vida. Satanás es un ladrón y viene a robar, matar y destruir. Opto por ser un buen mayordomo de la vida física que Tú me has confiado. Oro en el nombre de Jesús. Amén.

Trastornos del comer o automutilación

Señor: Renuncio a la mentira que dice que mi valor como persona depende de mi belleza física, de mi peso o estatura. Renuncio a cortarme, a vomitar, usar laxantes o pasar hambre como medio de limpiarme de mi maldad o de alterar mi apariencia. Anuncio que sólo la sangre del Señor Jesucristo es la que me limpia. Acepto la realidad de que haya pecado presente en mí, debido a las mentiras que he creído y al mal uso de mi cuerpo, pero renuncio a la mentira que dice que yo soy malo o que una parte de mi cuerpo es mala. Mi cuerpo es el templo del Espíritu Santo y yo Te pertenezco Señor. Recibo Tu amor y aceptación. En el nombre de Jesús. Amén.

Adicción a drogas y otras sustancias

Señor: Confieso haber usado sustancias (alcohol, tabaco, comida, drogas de venta bajo receta o ilegales) con el propósito de encontrar placer, huir de la realidad o encarar situaciones difíciles, lo cual ha resultado en que he maltratado mi cuerpo, he programado malamente mi mente y he ahogado al Espíritu Santo. Pido Tu perdón. Renuncio a toda conexión o influencia satánica en mi vida por medio del mal uso que di a sustancias químicas o a la comida. Arrojo mi ansiedad en Cristo que me ama y me comprometo a no rendirme más al abuso de drogas y otras sustancias sino a rendirme al Espíritu Santo. Te pido Padre celestial que me llenes con Tu Espíritu Santo. En el nombre de Jesús. Amén.

Compulsiones y perfeccionismo

Señor: Renuncio a la mentira que dice que mi dignidad depende de mi habilidad para desempeñarme. Anuncio la verdad de que mi identidad y sentido de dignidad se hallan en quien soy yo como hijo Tuyo. Renuncio a andar buscando la aprobación y aceptación de los demás y opto por creer que ya estoy aprobada y aceptada en Cristo debido a Su muerte y resurrección por mí. Escojo creer la verdad de que he sido salvado, no por obras hechas con rectitud, sino conforme a Tu misericordia. Opto por creer que ya no estoy bajo la maldición de la ley porque Cristo se hizo maldición por mí. Recibo el regalo gratis de la vida en Cristo y elijo permanecer en Él. Renuncio a esforzarme por la perfección viviendo bajo la ley. Por Tu gracia Padre celestial, de hoy en adelante opto por caminar por fe, conforme a lo que Tú dijiste que es verdad, por el poder de Tu Espíritu Santo. En el nombre de Jesús. Amén.

Miedos que acosan

Amado Padre celestial: Reconozco que Tú eres el único objeto legítimo de temor en mi vida. Tú eres el único omnipresente (siempre presente en todo lugar) y omnisciente (sabe todo) Dios y el único medio por el cual pueden expulsarse todos los demás temores. Eres mi refugio. No me has dado espíritu de timidez sino de poder y amor y disciplina. Confieso que he permitido que el miedo al hombre y el miedo a la muerte ejercieran control en mi vida en lugar de confiar en Ti. Ahora renuncio a todos los otros objetos de miedo y Te adoro solamente a Ti. Ruego que Tú me llenes con Tu Espíritu Santo para que yo pueda vivir mi vida y hablar con denuedo Tu Palabra. Oro en el nombre de Jesús. Amén.

Después que haya confesado todo pecado conocido, ore:

Ahora confieso estos pecados a Ti y proclamo mi perdón y limpieza por medio de la sangre del Señor Jesucristo. Cancelo toda ventaja que los espíritus malignos hayan ganado por medio de mi participación voluntaria en el pecado. Pido esto en el maravilloso nombre de Jesucristo, mi Señor y Salvador. Amén.

Paso 7: El consentimiento versus rechazo

Consentir es ceder o acordar algo en forma pasiva sin acceder. El último *Paso hacia la libertad* es renunciar a los pecados de sus antepasados junto con todas las maldiciones que le pudieron haber sido echadas a usted. Al dar los Diez Mandamientos Dios dijo: "No te harás imagen, ni ninguna semejanza de lo que esté arriba en el cielo, ni abajo en la tierra, ni en las aguas debajo de la tierra. No te inclinarás a ellas, ni las honrarás; porque yo soy Jehová tu Dios, fuerte, celoso, que visito la maldad de los padres sobre los hijos hasta la tercera y cuarta generación de los que me aborrecen" (Éxodo 20:4-5).

Los espíritus familiares pueden ser pasados de una generación a otra si no se renuncia a ellos y se proclama el nuevo legado espiritual en Cristo. Usted no tiene la culpa del pecado de alguno de sus antepasados sino que debido al pecado de ellos, Satanás ha ganado acceso a su familia. Esto no es negar que muchos problemas se transmiten genéticamente o se adquieren en una atmósfera inmoral. Las tres condiciones pueden predisponer a un individuo para cierto pecado en particular. Además, las personas engañadas pueden tratar de maldecirlo a usted o los grupos satánicos intentarán que usted sea su blanco. Usted tiene en Cristo toda la autoridad y la protección que necesita para ponerse firme en contra de tales maldiciones y nombramientos. Pídale al Señor que le revele los pecados e iniquidades de sus antepasados diciendo la siguiente oración:

> Amado Padre celestial: Te agradezco que yo sea una nueva creación en Cristo. Deseo obedecer Tu mandamiento a honrar a mi madre y a mi padre, pero también reconozco que mi herencia no ha sido perfecta. Te pido que me reveles los pecados e iniquidades de mis antepasados para confesarlos, renunciar a ellos y abandonarlos. Oro en el nombre de Jesús. Amén.

Ahora proclame su posición y protección en Cristo haciendo la siguiente declaración en voz alta y, luego, humillándose ante Dios en oración.

Declaración

Desde este momento renuncio y repudio a todos los pecados de mis antepasados que abarcan (nombre los pecados). Como quien fue librado de los poderes de la oscuridad y trasladado al reino del amado Hijo de Dios, cancelo toda obra demoníaca que haya heredado de mis antepasados. Como quien fue crucificado y levantado con Cristo y que se sienta con Él en los lugares celestiales, renuncio a todos los nombramientos satánicos dirigidos a mí y a mi ministerio; cancelo toda maldición que Satanás y sus obreros me hayan echado a mí. Anuncio a Satanás y a todas sus huestes que Cristo fue hecho maldición por mí (Gálatas 3:13) cuando murió por mis pecados en la cruz. Renuncio a todas y cada una de las maneras en que Satanás pueda reclamar posesión de mí. Yo pertenezco al Señor Jesucristo que me compró con Su propia sangre. Renuncio a todos los demás sacrificios de sangre por medio de los cuales pudiera Satanás reclamar posesión de mí. Me declaro estar eterna y completamente entregado y consagrado al Señor Jesucristo. Ahora mando a todo espíritu familiar y a todo enemigo del Señor Jesucristo, que está dentro o alrededor de mí, que se vaya de mi presencia. Me consagro a mi Padre celestial para hacer Su voluntad desde este día en adelante.

Oración

Amado Padre celestial: Vengo a Ti como hijo Tuyo, comprado por la sangre del Señor Jesucristo. Tú eres el Señor del universo y el Señor de mi vida. Someto mi cuerpo a Ti como instrumento de justicia, sacrificio vivo, para que yo pueda glorificarte en mi cuerpo. Ahora te pido que me llenes con Tu Espíritu Santo. Me dedico a renovar mi mente para probar que Tu voluntad es buena, perfecta y aceptable para mí. Hago todo esto en el nombre y la autoridad del Señor Jesucristo. Amén.

Una vez que haya asegurado su libertad dando estos siete Pasos, puede que note que las influencias demoníacas intentan regresar a los días o hasta meses después. Una persona me comentó que escuchó que un espíritu le dijo en su mente: "¡Estoy de vuelta!" dos días después de haber quedado libre: "¡No! No lo estás" proclamó ella en voz alta. El ataque cesó de inmediato. Una victoria no constituye una guerra ganada. La libertad debe ser mantenida. Después de haber dado estos Pasos, una mujer muy feliz preguntó: "¿Siempre estaré así?" Le dije que estaría libre mientras permaneciera en la relación correcta con Dios. "Aunque resbale y caiga", la animé, "ya sabe cómo arreglar las cuentas con Dios".

Una víctima de increíbles atrocidades compartió esta ilustración: "Es como ser forzada a participar en un juego con un tipo extraño desagradable que entró en mi casa. Yo seguía perdiendo y quería dejar de jugar, pero este tipo extraño no me dejaba. Al fin llamé a la policía (una autoridad superior) y ellos vinieron a sacar al extraño. Cuando éste tocó a la puerta intentando regresar, yo reconocí su voz y no lo dejé pasar".

Hermosa ilustración de nuestra libertad en Cristo. Pedimos ayuda de Cristo, la autoridad final y Él saca al enemigo de nuestra vida. Conozca la verdad, póngase firme y resista al malo. Busque buena confraternización cristiana y comprométase a pasar momentos diarios habituales estudiando la Biblia y orando. Dios lo ama y nunca lo abandonará ni lo desamparará.

Mantenimiento

La libertad debe mantenerse. Usted ganó una batalla importante de una guerra incesante. La libertad es suya mientras siga optando por la verdad y afirmándose en la fortaleza del Señor. Si surgen nuevos recuerdos o si se da cuenta de "mentiras" que creyó o de otras experiencias no cristianas que tuvo, renuncie a ellas y escoja la verdad. Algunas personas encuentran útil volver a dar los pasos; mientras lo hace, lea las instrucciones con sumo cuidado.

Para su propia exhortación y estudio ulterior, lea *Victoria sobre la oscuridad* (o la versión para jóvenes, *Emergiendo de la oscuridad*), *Rompiendo las cadenas* (versión para adultos o jóvenes) y [Released from Bondage]. Si es padre o madre lea *La seducción de nuestros hijos*. Se escribió *Caminando en la luz* para ayudar a que la gente entienda la guía de Dios y discierna la guía falsa. Para mantener su libertad también le sugerimos lo que sigue:

1. Busque confraternización cristiana legítima donde pueda caminar en la luz y hablar la verdad con amor.

2. Estudie diariamente su Biblia. Aprenda de memoria los versículos clave.

3. Lleve cautivo cada pensamiento a la obediencia de Cristo. Asuma la responsabilidad por lo que piensa, rechace la mentira, elija la verdad y afírmese en su posición en Cristo.

4. ¡No se deje arrastrar por la corriente! Es muy fácil ponerse perezoso para pensar y regresar a las antiguas pautas con que

acostumbraba pensar. Comparta abiertamente sus luchas con un amigo o amiga de su confianza. Necesita tener, por lo menos, un amigo o amiga que esté a, y de su lado.

5. No espere que otra persona luche por usted. Las otras personas pueden ayudar pero no pueden pensar, orar, leer la Biblia o escoger la verdad por usted.

6. Siga buscando su identidad y sentido de dignidad en Cristo. Lea *Viviendo libre en Cristo* y el devocional, *Diariamente en Cristo*. Renueve su mente con la verdad que dice que su aceptación, seguridad y significado están en Cristo al saturar su mente con las siguientes verdades. Lea en voz alta toda la lista de su identidad en Cristo y la Afirmación doctrinal (Paso 2), mañana y tarde durante las semanas siguientes (y lea los versículos de las referencias bíblicas).

7. Comprométase a orar diariamente. Puede orar las oraciones sugeridas a continuación con frecuencia y confianza:

Oración diaria

Amado Padre celestial: Te honro como mi soberano Señor. Reconozco que Tú siempre estás presente conmigo. Tú eres el único todopoderoso y omnisciente Dios. Eres bueno y amante en todos Tus caminos. Te amo y Te agradezco que yo esté unido con Cristo y vivo espiritualmente en Él. Opto por no amar al mundo y crucifico a la carne y a todas sus pasiones. Te agradezco por la vida que ahora tengo en Cristo y Te pido que me llenes con Tu Espíritu Santo para que pueda vivir libre del pecado. Declaro mi dependencia de Ti y tomo mi lugar contra Satanás y todas sus mentiras. Escojo creer la verdad y rehúso a descorazonarme. Tú eres el Dios de toda esperanza y yo confío que Tú satisfarás mis necesidades, mientras procure vivir conforme a Tu Palabra. Expreso confiadamente que puedo llevar una vida responsable por medio de Cristo que me fortalece. Ahora asumo mi puesto contra Satanás y mando que él y todos sus espíritus malos se vayan de mí. Me pongo toda la armadura de Dios. Someto mi cuerpo como sacrificio vivo y renuevo mi mente con la Palabra viva de Dios para que pueda comprobar que la voluntad de Dios es buena, aceptable y perfecta. Pido estas cosas en el precioso nombre de mi Señor y Salvador Jesucristo. Amén.

Oración para antes de acostarse

Gracias Señor, por haberme puesto en Tu familia y bendecido con toda bendición espiritual en Cristo en los lugares celestiales. Gracias por darme este momento de renovación por medio del sueño, cosa que acepto como parte de Tu plan perfecto para Tus hijos y confío que Tú guardes mi mente y mi cuerpo durante mi sueño. Como medité en Ti y Tu verdad durante este día, escojo dejar que estos pensamientos sigan en mi mente mientras duermo. Me encomiendo a Ti mientras duermo para que me protejas de todo intento de ataque por parte de Satanás o de sus emisarios. Me encomiendo a Ti como mi roca, mi fortaleza y mi lugar de descanso. Oro en el poderoso nombre del Señor Jesucristo. Amén.

Oración para limpiar el hogar

Luego de sacar de la vivienda todos los artículos de adoración falsa, de ser necesario ore en voz alta en cada pieza de la casa o departamento.

Padre celestial, reconocemos que Tú eres el Señor del cielo y de la tierra. Nos diste ricamente todas las cosas para que las disfrutemos en Tu soberano poder y amor. Te agradecemos por este lugar para vivir. Reclamamos este hogar para nosotros como lugar de seguridad y protección espiritual contra todos los ataques del enemigo. Como hijos de Dios sentados con Cristo en los lugares celestiales, ordenamos que se vaya de aquí todo espíritu maligno que reclame posesión de las estructuras y mobiliarios de este lugar, basado en las actividades de los ocupantes anteriores, y que nunca regrese.

Renunciamos a todas las maldiciones y encantamientos utilizados contra este lugar. Padre celestial, te pedimos que pongas ángeles guardianes alrededor de esta casa (departamento, condominio, pieza, etc.) para salvaguardarlo de los intentos del enemigo para entrar y perturbar Tus propósitos para nosotros. Te agradecemos Señor por hacer esto y Te rogamos en el nombre del Señor Jesucristo. Amén.

Oración para habitar en un ambiente no cristiano

Una vez que haya sacado de su habitación todos los artículos de adoración falsa, ore en voz alta en el espacio asignado a usted.

Padre celestial: Te agradezco por este lugar para habitar y ser renovado por medio del sueño. Te pido que apartes mi habitación (o parte de ella) como lugar de seguridad espiritual para mí. Renuncio a toda lealtad dada a los dioses o espíritus falsos por los otros ocupantes de esta vivienda. Renuncio a todo reclamo que Satanás pueda tener sobre esta habitación (o parte de ella) basado en las actividades de sus ocupantes anteriores o de mí mismo. Fundamentado en mi posición como hijo de Dios, y coheredero con Cristo que tiene toda la autoridad en el cielo y en la tierra, mando a todos los espíritus malos que se vayan de este lugar y que nunca vuelvan. Padre celestial te pido que nombres ángeles guardianes que me protejan mientras yo habite aquí. Oro todo esto en el nombre del Señor Jesucristo. Amén.

Apéndice B

Materiales y entrenamiento para usted y su iglesia

Cristo es la respuesta y la verdad que lo hará libre. Yo (Neil) nunca he estado más convencido de esta verdad. Jesús es el que rompe las cadenas y el admirable consejero. El material que sigue será provechoso para usted y su matrimonio. Muy probablemente produzca su libertad en Cristo y le sirva para llegar a ser la persona que Dios quiere que usted sea. Eso será tremendo pero creo que el Señor tiene algo más grande en mente. Permita que explique.

La Iglesia Libre Evangélica 'Cristal' patrocinó nuestra conferencia sobre "Resolución de conflictos personales y espirituales". Inmediatamente después empezaron su propio "Ministerio de Libertad" preparando exhortadores. A los tres años eran más de 1.500 personas desesperadas y dolidas a las que habían guiado a la libertad en Cristo. También han auspiciado su propia conferencia para demostrar a otras iglesias cómo se hace. Noventa y cinco por ciento de sus animadores es gente laica. Debido a que no hay suficientes pastores o consejeros profesionales en nuestro país para llegar a más de cinco por ciento de la población, debemos equipar a los santos para hacer la obra del ministerio.

Suponga que su iglesia elige cuidadosamente a 20 personas y las prepara como señalaré luego. Si cada persona acuerda ayudar solamente a una persona cada dos semanas, hacia fines de año, su iglesia habrá ayudado a 520 personas. ¡Y el ministerio no termina ahí! Estas personas serán testigos sin siquiera proponérselo. Su iglesia será conocida en la comunidad como un lugar que realmente se preocupa por su gente y que tiene una respuesta para los problemas de la vida. ¿Cómo puede dar testimonio la gente si está esclavizada? Pero los hijos de Dios establecidos libres en Cristo natural (y sobrenaturalmente) serán testigos al glorificar a Dios llevando fruto.

El material para preparar animadores comprende libros, guías de estudio y casetes (audio y video). La serie de casetes tiene su correspondiente guía. El entrenamiento se verá facilitado si los que están siendo preparados miran los videos, leen los libros y llenan las guías de estudio, las cuales aumentarán mucho el aprendizaje ayudando a que la gente personalice e internalice el mensaje. El costo prohíbe que algunos usen los videos pero, en esos casos, los libros y las guías de estudio serán igualmente eficaces.

Los materiales básicos y avanzados se presentan como sigue en el orden en que deben enseñarse:

Nivel básico de entrenamiento

Primer período de cuatro semanas

Propósito:	Entender quiénes somos en Cristo, cómo andar por fe y ganar la batalla por nuestra mente, entender nuestras emociones y los medios por medio de los cuales nos relacionamos unos con otros.
Series de Videos-Audiocasetes:	"Resolución de conflictos personales".
Lectura:	*Victoria sobre la oscuridad* y su guía de estudio.
Edición juvenil:	*Emergiendo de la oscuridad* y su guía de estudio.
Lectura complementaria:	*Viviendo libre en Cristo:* El objetivo de este libro es establecernos por completo en Cristo y demostrarnos cómo satisface Él las necesidades más críticas de nuestra vida: identidad, aceptación, seguridad y significado. Este es el primer libro que hacemos que lea la gente después que dan los Pasos u oran para recibir a Cristo.

Segundo período de cuatro semanas

Propósito: Entender la naturaleza del mundo espiritual; conocer la posición (situación) autoridad, protección y vulnerabilidad del creyente; saber cómo liberar cautivos.

Series de Videos-
Audiocasetes: "Resolución de conflictos espirituales".

Lectura: *Rompiendo las cadenas* y su guía de estudio.

Edición juvenil: Rompiendo las cadenas, edición juvenil y su guía de estudio.

Lectura comple-
mentaria: *Released from Bondage:* Este libro contiene capítulos de testimonios personales de personas que hallaron libertad en Cristo tocante a depresión, incesto, lujuria, ataques de pánico, trastornos del comer, etc., con comentarios explicativos de Neil Anderson.

Nota: *Avanzando hacia la madurez espiritual* es un programa para adultos que enseña el material antes citado. *Busting Free* es el programa para jóvenes que enseña las ediciones juveniles.

Tercero y cuarto período de cuatro semanas

Propósito: Entender la teología y los medios prácticos por los cuales podemos ayudar a los demás a hallar libertad en Cristo con un enfoque de discipulado/consejería.

Series de Videos-
Audiocasetes: "Conflictos espirituales y consejería" y *"Cómo guiar a una persona hacia la libertad en Cristo".*

Lectura: *Ayudando a otros a encontrar libertad en Cristo* más el manual de entrenamiento y la guía de estudio, la cual detalla también la manera en que su iglesia puede establecer un ministerio de discipulado y consejería, dando también respuestas para las preguntas que se formulan más a menudo.

Edición juvenil: *Ayudando a otros a encontrar libertad en Cristo.*

Lectura comple-
mentaria: *Diariamente en Cristo:* Este es un devocional para un año entero, cuya lectura anual instamos a personas y familias.

Los siguientes son requisitos previos para completar exitosamente el entrenamiento básico:

1. Completar los *Pasos hacia la libertad*: con un exhortador.

2. Realizar dos o más citas para la libertad como socio de oración.

3. Ser recomendado por el director del ministerio de Libertad y satisfacer las exigencias estipuladas por su iglesia.

Además de nuestro entrenamiento básico, los Ministerios de la libertad en Cristo tienen materiales adecuados a disposición para el entrenamiento avanzado en asuntos específicos. Los tópicos pueden cubrirse ofreciendo entrenamiento extra, reuniones especiales o reuniones de exhortación de programación habitual. Nosotros sugerimos firmemente que su equipo de animadores se reúna regularmente para oración, instrucción y retroalimentación. Nuestra experiencia señala que los casos se ponen más difíciles a medida que el grupo madura. El entrenamiento en el trabajo es esencial para cualquier ministerio. Ninguno de nosotros ya es perfecto. Cuando pensamos que ya escuchamos todo, llega un caso que rompe todos los estereotipos sin encajar en ningún molde. Esta imposibilidad de predecir nos impide caer en pautas de autocomplacencia y de confianza en nuestra propia astucia más que de confiar en Dios. El material de entrenamiento avanzado debe estudiarse en el orden dado:

Nivel avanzado de entrenamiento

Primer período de cuatro semanas

Propósito: Discernir la guía falsa de la guía divina; explicar el miedo, la ansiedad, la manera de orar por el Espíritu y cómo andar por el Espíritu.

Libro: *Caminando en la luz.*

Edición juvenil: *Know Light, No Fear*

Segundo período de cuatro semanas

Propósito: Entender la cultura en que están siendo criados nuestros hijos; qué está pasando en sus mentes; cómo ser los padres que ellos necesitan tener; y cómo guiarlos a la libertad en Cristo.

Series de Videos-
Audiocasetes: *La seducción de nuestro hijos.*

Lectura complementaria para la juventud: *To My Dear Slimeball* de Rich Miller.

Tercer período de cuatro semanas

Propósito: Entender cómo se mete la gente en la esclavitud sexual y cómo pueden ser libres en Cristo.

Libro: *Una vía de escape*

Edición juvenil: *Pureza bajo presión.*

Cuarto período de cuatro semanas (puede incluir uno de los siguientes):

Libro: *Libre de la adicción* .

Temas: La naturaleza de la adicción o abuso de sustancias y cómo en Cristo puede romperse la esclavitud.

Libro y series de videos: *Libertando a su iglesia:* Este libro y serie de videos de Neil Anderson y Charles Mylander son para líderes cristianos. Enseñan una pauta bíblica de liderazgo y cómo las iglesias pueden resolver sus conflictos colectivos y establecer a Cristo como la cabeza de sus ministerios.

Libro: *Guerra Espiritual* del doctor Timothy Warner.

Libro y series
de videos: *"Resolving Spiritual Conflicts and Cross-Cultural Ministry"* también del doctor Timothy Warner.

Horarios para el nivel básico del entrenamiento

Un programa de 16 semanas exige reunirse una noche por semana durante dos o tres horas. Ver dos lecciones en video por noche de reunión, supone unas 12 semanas para ver la primera serie de tres videos. En las últimas cuatro semanas use el video *"How To Lead a Person to Freedom in Christ"* que tiene cuatro partes de una hora. Mostrar un video de una hora por noche de reunión da tiempo suficiente para el debate. Este horario no da mucho tiempo para discutir libros ni hacer estudios inductivos como tampoco el contenido de la serie de videos. Debiera programarse otra reunión para tal objetivo, como un domingo por la mañana. De ser necesario puede discutirse el material después de mostrar el video. Lo que sigue es un resumen del horario:

Semanas 1-4	Semanas 5-8	Semanas 9-16
Resolución de conflictos personales	Resolución de conflictos espirituales	Conflictos espirituales y consejería. Cómo guiar a una persona a la libertad en Cristo.
Dos lecciones en video cada noche	Dos lecciones en video por noche; el último video *Pasos hacia la libertad*: que pueden darse en grupo en la clase por separado con un exhortador.	Dos lecciones en video por noche; y una por noche por cuatro semanas.

Aunque estas reuniones pueden ser abiertas para todos los que se comprometan con el tiempo, debe aclararse que asistir a los seminarios no califica automáticamente a nadie para participar en el ministerio. Otro horario posible sería mostrar una serie de video los viernes/sábado por la noche una vez por mes. Esto requerirá solamente un facilitador que se ocupe de un fin de semana por mes. Se podría tratar todo el material en cuatro fines de semana. Por lo general, en este horario queda menos tiempo para discutir los videos, pero uno puede juntarse en la mañana del domingo o una noche por semana para discutir los libros y los estudios inductivos.

Fin de semana 1	Fin de semana 2	Fin de semana 3
Resolución de conflictos personales	Resolución de conflictos espirituales	Conflictos espirituales y consejería.
Noche del viernes—Video	Noche del viernes—Video	Noche del viernes—Video
Lecciones 1-2	Lecciones 1-2	Lecciones 1-2
Sábado:	Sábado:	Sábado:
Lecciones 3-8	Lecciones 3-7 y los Pasos hacia la libertad	Lecciones 3-8

El cuarto fin de semana puede completarse solamente en el sábado usando la serie de videos más corta *How to Lead a Person to Freedom in Christ*. Nos damos cuenta que es mucho material que tratar pero no hay atajos. Yo traté casi todo este material en una semana cuando di una conferencia sobre "Resolviendo conflitos personales y espirituales".

Freedom in Christ Ministries
491 E. Lambert Road La Habra, California 90631
(310)691-9128 Fax (310)691-4035.

Quién soy yo en Cristo

Soy aceptado en Cristo

Juan 1:12	Soy hijo de Dios
Juan 15:15	Soy amigo de Cristo
Romanos 5:1	He sido justificado
1 Corintios 6:17	Estoy unido con el Señor y soy uno con Él en el Espíritu
1 Corintios 6:20	Fui comprado por precio; pertenezco a Dios
1 Corintios 12:27	Soy miembro del cuerpo de Cristo
Efesios 1:1	Soy un santo
Efesios 1:5	He sido adoptado como hijo de Dios
Efesios 2:18	Tengo acceso directo a Dios por medio del Espíritu Santo
Colosenses 1:14	He sido redimido y perdonado de todos mis pecados
Colosenses 2:10	Soy completo en Cristo

Estoy seguro en Cristo

Romanos 8:1,2	Estoy libre de condenación por siempre
Romanos 8:28	Estoy seguro de que todas las cosas obran para bien
Romanos 8:31-34	Estoy libre de toda acusación condenatoria
Romanos 8:35-39	No puedo ser separado del amor de Dios
2 Corintios 1:21,22	He sido establecido, ungido y sellado por Dios
Colosenses 3:3	Estoy escondido con Cristo en Dios
Filipenses 1:6	Confío en que será perfeccionada la buena obra que Dios empezó en mí
Filipenses 3:20	Soy un ciudadano del cielo
2 Timoteo 1:7	No me ha sido dado espíritu de temor sino de poder, amor y de salud mental
Hebreos 4:16	Puedo alcanzar gracia y misericordia en tiempo de necesidad
1 Juan 5:18	Soy nacido de Dios y el maligno no puede tocarme

Soy importante en Cristo

Mateo 5:13,14	Soy la sal y la luz de la tierra
Juan 15:1,5	Soy pámpano de la verdadera vid, un canal de Su vida
Juan 15:16	He sido elegido y puesto para llevar fruto
Hechos 1:8	Soy testigo personal de Cristo
1 Corintios 3:16	Soy templo de Dios
2 Corintios 5:17-21	Soy ministro de reconciliación para Dios
2 Corintios 6:1	Soy colaborador de Dios
Efesios 2:6	Estoy sentado con Cristo en los lugares celestiales
Efesios 2:10	Soy hechura de Dios
Efesios 3:12	Puedo acercarme a Dios con libertad y confianza
Filipenses 4:13	Todo lo puedo en Cristo que me fortalece

Tomado de *Viviendo libre en Cristo*, Neil Anderson, Editorial Unilit.